최근신학연구

해방 신학에서 생태계 신학까지

박 만 지음

나눔사

최근신학연구

지은이 · 박　만
펴낸이 · 이충석
꾸민이 · 성상건

펴낸날 · 2002년 9월 10일
1판3쇄 · 2017년 3월 15일
펴낸곳 · 도서출판 나눔사
주소 · (우) 03446 서울특별시 은평구 은평터널로7가길
　　　20. 303(신사동 삼익빌라)
전화 · 02)359-3429　팩스 02)355-3429
등록번호 · 2-489호(1988년 2월 16일)
이메일 · nanumsa@hanmail.net

ISBN　978-89-7027-012-4-03230

값 12,000원

목 차

저자의 글

이 책에서 나는 1970년대 이후 최근까지의 세계 신학계의 주요한 운동을 전체적으로 정리해 보았다. 주된 독자층으로는 신학생들과 현대 신학에 관심 있는 교회의 청장년들을 생각했으며 성격상 전문적 연구서 아닌 개론서이다. 각 신학 운동에 대한 보다 깊은 연구를 원하는 사람은 각 장 뒤에 소개한 문헌들을 참고하기 바란다. 이 책은 토론토의 Cohen Theological Seminary와 부산 장신대의 최근 신학 강의를 통해 그 형태가 잡혔다. 수업에 참석하여 질문하고 토론해 준 학우들께 감사드린다. 이 책은 20세기 후반기 이후의 주요한 신학 운동을 거의 다 망라하고 있으나 한국 신학과 직접 연관된 아시아 신학에 대해서는 다루지 않았다. 이 부분은 한국적 상황 신학에 대해 쓸 때 함께 다룰 수 있기를 희망한다. 부족한 책이지만 이 책을 사랑하는 아내와 세 아들, 현, 진, 영, 학창 시절의 여러 선생님들 특히 신학의 기초를 쌓는 데 큰 도움을 주시고 인간적인 많은 격려를 아끼지 않으신 장신대의 김명용 교수님, 삼위일체 신학의 중요성을 일깨워 준 프린스턴 신학교의 Daniel Migliore 교수님, 그리고 해박한 지식과 탁월한 강의로 공부의 즐거움을 알게 하셨으며 신학함에 있어서 영성의 중요성을 깊이 생각하게 해준 토론토 Regis College의 Margaret Brennan 교수님에게 드린다.

서론: 최근 신학의 주요 특징

오늘날의 세계 신학은 신학적 다양성과 복수성으로 특징 지워진다. 특히 1970년대 이후의 신학은 1960년대의 세속화 신학, 신 죽음의 신학, 희망의 신학을 뒤이은 과정 신학, 해방 신학, 이야기 신학, 여성 신학, 생태계 신학, 평화 신학, 종교 신학, 복음주의 신학. 삼위일체 신학, 탈자유주의 신학(post-liberal theology), 개정주의 신학(revisionist theology), 탈근대주의 신학(postmodern theology) 등의 연속적 등장과 그 상호 대화 및 경합으로 무척 다양한 형태를 띈다. 이 글은 이 책에서 다루는 여러 신학 운동들의 서론으로써 현재의 세계 신학계의 다섯 가지 주요 특징을 살펴본 다음 그 맥락에서 오늘의 한국 교회가 가져야 할 바른 신학적 자세를 논의하려고 한다.

1. 최근 신학의 다섯 가지 특징

1) 신학적 거인들의 소멸과 다양한 지역 신학(local theology)들의 등장

1950년대 전후까지만 해도 세계 신학계를 통일시킨 신학의 대가들이 있었다. 칼 바르트, 루돌프 불트만, 폴 틸리히, 칼 라너 그리고 라인홀드 니이버와 리차드 니이버 형제 같은 이름들은 루터교, 장로교, 감리교, 로마 카톨릭 등의 교단의 벽을 넘어서 폭넓은 영향력을 행사했으며 당시의 신학자들은 이들 중 한 두 명에게서 그들의 신학적 뿌리를 찾을 수 있었다. 그러나 최근의 신학계에는 이전의 바르트나 틸리히 정도의 영향력을 가진 신학자는 없다. 오늘날 탁월한 신학자인 위르겐 몰트만, 볼프하르트 판넨베르크, 에브하르드 윙얼, 한스 큉, 죤 힉, 죤 캅, 데이빗 트레이시, 구스타보 구티에레즈, 레오나르도 보프, 로즈마리 류터, 엘리자베스 피오렌자 등은 그저 하나의 신학 경향 혹은 운동의 지도자일 뿐 이전의 신학적 거인들처럼 주도적인 역할은 하지 못하고 있다. 최근 신학은 다양한 신학들이 상호 견제하며 경합하는 백가쟁명의 시대로 특징지워진다.

한 시대의 신학을 지배했던 신학적 거인들의 퇴장은 곧 다양한 지역 신학과 그것을 뒷받침하는 다양한 지역 공동체가 등장했음을 뜻한다. 오늘날 대부분의 신학자들은 시공간을 초월하여 모든 상황에 보편적으로 통하는 신학이 있다고 생각하지 않는다. 이들은 신학은 본질상 상황적 학문이라는 확신 속에 그들 각자의 구체적인 상황적 관심사를 반영하는 지역 신학(local theology)을 전개하고 있다. 이런 지역 신학에 대한 추구는 단지 남미의 억압과 고통의 역사에서 형성된 해방 신학(구티에레즈, 보프 형제, 얀 소브리노, 세군도), 가부장 사회 속의 여성 억압에 대한 신학적 반성인 여성 신학(로즈마리 류터, 엘리자베스 피오렌자, 레티 러셀, 앤 캐르, 엘리자베스 죤슨), 미국 사회의 인종 차별을 반영하는 흑인 신학(제임스 콘), 아시아와 아프리카의 정치 경제 문화적 특수성에서 나온 신학(한국 민중 신학, 송천성의 아시아 신학, 인도의 달리 신학, 음비티의 아프리카 신학), 이민자의 경험에서 나온 이민 신학, 북미주의 라틴 아메리카인들의 좌절과 희망에 근거한 히스페닉 신학처럼 (Douglas John Hall, Ted Peters, Gordon D. Kaufmann 등)의 글과 독일의 일부 신학자들의 신학에서도 나타난다.

또한 이런 지역 신학의 배후에는 억압당하는 라틴아메리카의 민중, 여성, 흑인, 아시아인, 아프리카인, 북미 주류 교회 등과 같은 특정한 공동체들이 존재하며 지역 신학들은 모두 이들의 관심과 고통 그리고 희망을 반영하고 있다. 최근 신학의 주요한 특징은 신학의 지역성 및 그것을 가능하게 만드는 지역 공동체에 대한 강조에 있다.

2) 신학 개념의 다양화로 인한 신학의 확장

최근 신학의 다른 중요한 특징은 신학 개념들의 의미가 끊임없이 확장되고 다양화되고 있다는 데 있다. 이는 각각의 지역 신학이 그들의 특수한 상황의 빛에서 전통적인 신학의 주제들인 하나님, 그리스도, 성령, 죄, 구원, 교회의 본질과 사명 등을 다르게 이해함으로 일어난다. 가령 죄와 구원에 대한 이해에 있어서 전통 신학은 어거스틴의 영향 속에 죄를 교만과 불순종 및 정욕으로 보았으나 여성 신학은 가부장 사회 속의 여성들의 경험에 근거해서 하나님의 형상을 가진 이로서 참 인간답게 살지 못한 것이 죄라고 보며 그렇게 만든 근본적인 죄(원죄)로서 가부장 사회의 여성 억압을 지적한다. 따라서 여성 신학에서 구원은 여성들이 하나님의 형상으로의 자기 모습을 되찾는 것으로 이해되며 여기에서 이 신학은 남성 예수가 여성에게 해방을 가져올 수 있는가 하는 질문을 제기한다. 라틴 아메리카의 해방 신학은 죄를 사회적 억압구조 안에서 발견하면서 구원을 라틴 아메리카의 정치적 억압, 경제적 수탈, 문화적 소외에서의 해방으로 이해한다. 또한 생태계 신학은 전통적인 신학의 개인주의, 인간 중심주의를 비판하면서 구원의 범위를 전 피조 세계로 확장시킨다. 여기에서 죄는 생태계를 파괴하는 인간의 이기심으로 이해되며 구원은 하나님의 원래의 창조질서를 회복하고 보존하는 것으로 이해된다. 이 같은 신학 개념들의 의미의 확장과 다양화는 죄와 구원에 대한 이해뿐 아니라 하나님, 그리스도, 성령, 교회의 본질과 사명 등의 다른 모든 중요한 신학적 이해에 미치며 이 점에서 최근의 신학은 끊임없이 새로운 쟁점과 문제를 만들어 가고 있다. 오늘날 많은 신학자들이 통일된 신학 체계 곧 신학 총론(loci)을 쓰기보다 부분적인 주제들에 대한 논의에 주로 집중하는 주된 이유는 신학의 주제와 내용이 이처럼 계속 확장되고 있기 때문이다.

3) 대화의 신학

그러나 이렇게 다양한 관심과 지향점을 가지고 있는 신학들이 서로 흩어져서 자기 목소리만 내고 있는 것은 결코 바람직하지 못하다. 신학의 다양성은 환영할 만하나 동시에 신학자들과 그들이 속한 공동체들 사이에 기독교적 교제(Christian fellowship)도 중요하기 때문이다. 이 점에서 최근의 신학은 다른 신학과의 만남의 중요성을 깊이 인식하고 있으며 계속된 대화를 통해 서로 배우려 한다. 이 같은 대화는 단지 해방 신학, 여성 신학, 과정 신학, 생태계 신학, 복음주의 신학, 해체주의 신학처럼 서로 다른 신학 운동들 사이에서 뿐 아니라 기독교와 다른 종교 사이에서도 이루어지고 있다. 이런 대화를 통한 신학적 성숙이 얼마나 이루어지느냐가 앞으로의 신학들이 그저 서로 다른 목소리를 내는 고립된 섬으로서의 신학으로 남을 것이냐 아니면 진정한 에큐메니칼 신학으로 발전해 갈 것이냐를 결정할 것이다.

4) 기독교 신학의 정체성(identity)과 적합성(relevance)의 문제

다양한 지역 신학들의 상호 경쟁 및 협력으로 특징되는 최근 신학의 중요한 질문 하나는 어떤 것이 진정으로 성서적이며, 기독교적인 신학이냐 하는 것이다. 곧 다양성과 복잡성을 특징으로 하고 있는 최근 신학은 그 복잡성만큼 기독교 신앙의 정체성(identity)과

적합성(relevance)의 문제를 중심에 놓고 논의하고 있으며 이는 또한 신학의 본질과 과제 및 신학 방법론의 문제에 대한 심각한 논의와 연결되고 있다. 여기에서 특히 주목할 만한 것은 신학의 본질 및 방법론에 관하여 일어나고 있는 북미주에서의 탈자유주의 신학(post-liberal theology)과 개정주의 신학(revisionist theology) 사이의 논쟁이다. 탈자유주의 신학은 신학의 본질은 교회 안에서의 성경의 해석을 통해 발견되는 기독교적인 것을 규명하고 그것을 기술(description)하는 데 있다고 보며 이를 위해 성경이 서사(narration)하는 인물인 예수 그리스도의 신원(identity)을 충실히 기술하는 것을 신학의 우선적 과제로 삼아야 한다고 주장한다. 반면 개정주의 신학은 탈자유주의 신학의 시도는 그리스도 교회로 하여금 사회와의 공적 연관성(public relationship)을 잃고 교회를 고립시킬 뿐이라고 보면서 복음을 우리 시대의 문화에 적절한 형태로 설명(explanation)하는 것이 신학의 과제라고 보며 이를 먼저 보편적 인간 현상이나 정신 구조를 분석하고 그 구체적인 한 표현으로서의 기독교 신앙의 적합성을 보여주려고 시도한다. 그 성격상 탈자유주의 신학과 개정주의 신학 사이의 논쟁은 20세기 초반 신학의 본질과 그 방법론과 관련된 바르트와 그의 스승 하르낙 사이에서의 논쟁의 북미주에서의 연장이라고 할 수 있다.

5) 신학의 교회성, 실천성, 세상성에 대한 강조

최근 신학의 또 다른 중요한 경향은 신학이 가진 실천성을 강조하는 데 있다. 원래 신학은 교회의 학문으로 시작되었으나 계몽주의 이후 다른 학문들과 경합하는 대학의 한 학문으로 자리매김을 해야 했고 이로 인해 교회 현장에서 점점 분리되어 소수 신학자들의 전유물이 되어 버렸다. 하지만 최근의 신학은 신학의 과도한 추

상화, 사변화, 엘리트화를 거부하고 신학을 그 원래의 자리인 교회
안으로 돌려서 교회 안에 나타난 하나님의 계시를 학문적으로 성
찰하는 학문으로 이해하고자 한다. 즉 최근의 신학은 서구 신학의
추상적, 개인주의적, 합리주의적, 엘리트주의적 성향에 대항하여 구
체성, 교회 공동체성, 대중성을 강조하고자 한다. 더 나아가 최근의
신학은 신학이 결코 교회 안에만 머물 수 없고 세계 변혁을 위해
헌신해야 할 것을 강조하고 있다. 이 같은 신학의 구체화, 현장화
경향은 다음의 네 가지 분야에서 분명하게 나타나고 있다.

첫째, 다양한 형태의 정치 신학 및 해방 신학의 등장과 발전을
들 수 있다. 이미 1960년대 이후부터 많은 신학자들이 신학은 하나
님과 인간 세계에 대한 이론적 설명(theoretical explanation)으로
만족해서 안 되며 인간과 피조 세계를 억압하는 악을 저항하며 현
실을 변혁하는 실천적인 것이 되어야 한다고 주장해 왔으며 이런
주장은 독일의 정치 신학(몰트만, 메츠, 도로테 죌레), 라틴 아메리
카와 아시아 및 아프리카의 해방 신학(구티에레즈, 보프 형제, 세군
도, 송천성, 민중 신학, 음비티, 오두두예), 여성 신학, 흑인 신학으
로 발전되었다.

둘째, 서사 신학(narrative theology)의 등장을 들 수 있다.[1]

---

1 사실상 서사 신학(narrative theology) 혹은 이야기 신학(story theology)이란
용어 자체가 애매하다. 이는 서로 연관 없는 신학들 심지어 정반대가 되는
신학들이 이 용어로 같이 지칭되고 있기 때문이다. 가령 한스 프라이의 서
사 신학과 신학에서의 이야기의 중요성을 강조하는 한국 민중 신학은 완전
히 다르다. 프라이에 따르면 철두철미하게 성경 서사가 기독교 신학의 규준
(norm)이 되어야 하며 신학은 이 서사가 기술(description)하는 주인공인 예
수 그리스도를 증거 하는 과제를 가진다. 반면 민중 신학의 서사(이야기)는
서남동의 '두 이야기의 합류'에서 보듯이 성경 서사뿐 아니라 일반 민중들의
삶의 이야기에서 하나님의 구원 행위를 찾는다. 따라서 이 두 신학은 신학
에서 개념이나 교리보다 서사가 우선되어야 한다는 것을 주장하는 점에서
서사 신학(narrative theology)이라고 말할 수 있으나 신학의 본질과 방법론

1970년대 이후 등장한 서사 신학은 종래의 신학이 기독교 신앙의
내용을 개념화, 체계화, 교리화 시킨 것에 반해 신학의 우선적 관심
은 성경의 서사(narrative story)이어야 한다고 주장한다. 한스 프
라이(Hans Frei)에 따르면 신학의 본래적 과제는 기독교 공동체에
주어진 일차적 언어(first-order language)로서의 성경 말씀에 대한
충실한 기술(description)이다. 즉 신학의 과제는 믿음의 내용을 시
대 정신에 맞추어 설명(explanation)하는 데 있지 않고 그 내용을
충실하게 기술하는 데 있다. 그리고 이 때 믿음의 내용은 교리나 개
념으로 주어지지 않고 성경의 이야기(biblical narration)로 교회 안에
주어진다. 교리는 이 이야기를 철학적 도구의 도움을 받아서 이해,
정리, 개념화한 것에 불과하다. 그렇다면 보다 본래적인 것은 이야
기이지 교리가 아니다. 즉 교리의 의미가 스토리이며 스토리의 의
미가 교리는 아니다.2) 따라서 우리가 일차적으로 관심을 가져야
할 것이 성서의 이야기이며 교리는 이 이야기를 통해 그 이야기의
주인공인 예수 그리스도를 만나도록 돕는 도구에 불과하다면 그
동안 지나치게 교리화되어 온 신학은 극복되어야 한다. 서사 신학
은 신학이 교리 아닌 이야기로 전개될 때 신학의 추상화는 극복되
며 교회의 학문, 삶의 학문으로서 신학은 올바른 자리를 찾을 수
있다고 주장한다.3)

에 대한 이해에서는 완전히 다른 신학이다.
2 Hans Frei, *Types of Christian Theology*, George Hunsinger and William
  Placher (eds.) (New Haven: Yale University Press, 1992). 90.
3 물론 이것은 교리나 신학 개념이 불필요하다는 말은 아니다. 비록 우리에게
  먼저 주어진 것은 성경의 서사이지만 그 뜻을 제대로 이해하기 위해서는 교
  리나 신학적 개념들이 필요하다. 실상 성경의 서사 없는 개념은 공허한 명
  제주의(propositionalism)나 교리주의(doctrinalism)에 빠지게 되며 개념 없는
  스토리는 기독교 신앙과 공동체의 파편화를 초래하게 된다. 살아 계신 하나
  님을 진술하는 책으로서의 성경은 서사의 우선성을 말하면서 동시에 그 의
  미를 여러 개념들로 표현하고 있다.

셋째, 삼위일체론에 대한 새로운 이해이다. 서구 전통에서 삼위
일체론은 오랫동안 삼위일체 하나님의 내적 비밀에 대한 신비적,
사변적 탐구로 이해되어 왔다. 즉 한 분 하나님이 어떻게 성부·성
자·성령의 세 독립된 인격으로 존재할 수 있느냐의 문제가 삼위
일체 신학이 해명해야 할 중요한 과제가 되었고 그러다 보니 삼위
일체는 철학자 칸트의 말대로 인간 이성으로는 알 수도 없고 알아
도 실제적 가치는 거의 없는 교리가 되어 버렸다. 그러나 최근의
삼위일체 신학자들은 삼위일체론이 원래 성경이 말하는 성부·성
자·성령 삼위 하나님의 구원 사역에서 원래 출발했음에 주목하면
서 이 교리를 그리스도교 공동체의 하나님 체험 및 구원체험에 대
한 총괄적 요약으로 이해한다. 즉 최근 신학에서 삼위일체론은 하
나님 내면 안의 관계에 대한 추상적 탐구가 아니라 우리의 하나님
의 구원 체험에 대한 신학적 진술로 이해되며 따라서 그리스도인
의 삶과 직접 연결된 구체적 실제적 교리로 주장된다. 이 같은 움
직임 속에서 신학자들은 가장 추상적이며 사변적 교리로 간주되었
던 이 교리에서 자유와 평등의 인간 공동체의 신학적 근거를(위르
겐 몰트만, 레오나르도 보프), 가부장 제도의 극복과 여성과 남성의
진정한 파트너쉽의 이론적 토대를(캐더린 라쿠냐, 엘리자베스 존
슨), 생태계 신학의 기초를(몰트만), 종교간의 대화를 위한 기독교
적 근거를(레이몬드 파니카, 개빈 드코스타) 찾고 있다.

넷째, 신학의 구체성, 현장성을 되찾으려는 최근 신학의 시도는
이론 신학과 영성 신학 사이의 오랜 분리를 극복하려는 노력에서
찾아볼 수 있다. 중세까지만 하더라도 이론 신학과 영성 신학은 긴
밀히 연결되어 있었다. 안셀무스, 클레르보의 버나드, 토마스 아퀴
나스, 성 빅톨 위고 같은 중세 신학자는 이론 신학자이면서 또한
신비가들로 이들에게는 하나님에 대한 이론적 탐구와 성서 묵상과

기도를 통한 하나님 체험은 하나로 통일되어 있었다. 하지만 중세 말기의 스콜라 신학 및 근대 계몽주의 이후의 이론 신학은 지나치게 논리화, 개념화되면서 마침내 신학을 교회 안의 하나님 체험, 구원 체험과 분리된 하나님과 인간 및 세계에 대한 이론적 작업으로 축소시켜 버렸다. 최근의 신학은 이런 분리를 극복하여 하나님에 대한 지적, 합리적 탐구와 그 하나님에 대한 영성적 체험 사이의 통합을 지향하고자 한다. 그 성격상 이런 시도는 인간 중심주의, 이성에 대한 신뢰, 진보에 대한 믿음과 같은 계몽주의의 종언을 선포하면서 세계를 서로 분리될 수 없는 그물망으로, 유기체적 실재로 이해하는 탈근대주의(postmodernism)의 도래와 깊이 연관되어 있다. 오늘날 이론 신학과 영성적 실재에 대한 탐구로서의 영성 신학 사이의 통합은 곧 신학의 커리큘럼에도 영향을 주어서 종래의 (조직)신학, 성서 신학, 교회사학, 실천 신학과 같은 전통적인 분류를 조금씩 해체시키고 있다.

맺는 말

지금까지 우리는 최근 신학의 주요 특징을 다섯 가지로 나누어 살펴보았다. 21세기의 벽두에 선 지금 오늘날의 세계 신학은 과연 어디로 갈 것인가? 또 세계 신학의 흐름에서 앞으로의 한국 신학은 어떻게 되어야 할 것인가? 이상 살펴본 것에 근거해서 다음의 몇 가지를 지적하고자 한다.

첫째, 신학은 앞으로 더욱 다양화되고 분산될 것이다. 통일된 보편적 신학 체계를 구성하기는 거의 불가능하게 되고 대신 여러 지역 공동체들의 구체적 상황을 반영하는 다양한 지역 신학들이 계속 형성되어 갈 것이다. 이런 상황 속에서 한국의 신학은 한편으로는 세계 신학의 흐름과 교류하면서도 동시에 한국적 상황 신학의 형성에 힘써야 할 것이다. 그 동안의 한국의 신학은 한편으로는 개혁주의 신학이란 이름의 전통적 보수신학과 다른 한편으로는 유럽이나 북미의 신학 혹은 남미의 해방신학의 수입 신학이었다. 하지만 세계의 신학들이 각자 나름의 지역 신학을 형성해 가는 지금, 한국의 신학 역시 오늘의 한국 상황을 제대로 반영하는 진정으로 한국적인 신학 곧 횡적으로는 현재의 한국 사회의 정치, 경제, 문화에 대한 분석(수평적 분석)과 종적으로는 역사 속에서 한국의 정신 구조를 만들어 온 종교와 문화의 분석(수직적 분석) 사이의 교차점에 서서 2000여 년 기독교 전통을 총체적으로 살피며 그 안에서 오늘 우리에게 필요한 것을 형성하는 신학이 되어야 할 것이다. 정녕 21세기 한국 교회의 큰 과제는 기독교 전통에 충실하면서도 오늘 우리의 상황에 적절한 한국 상황 신학의 형성에 있다.

둘째, 신학의 지역화로 인해 신학들 사이의 고립은 더욱 커지며 이로 인해 지역 신학들 사이의 대화의 필요성이 더욱 요청될 것이다. 앞으로 다양한 지역 공동체들이 얼마만큼 하나님의 구원 계시에 충실하면서도 그들의 상황에 적절한 신학을 형성할 수 있느냐의 문제는 이 신학들이 얼마만큼 서로 간의 대화를 통해 서로 배울 수 있느냐에 달려 있다. 또한 이 대화가 진행되면 될수록 정녕 기독교적 신학은 무엇이며 또 어떻게 전개되어야 하는가? 하는 신학의 본질과 방법론에 대한 질문이 더욱 심각하게 제기될 것이다. 이런 상황 속에서 한국의 신학계 역시 한국의 상황과 기독교 전통 사이의 건강한 긴장 속에서 기독교적 정체성과 상황적 적합성을 같이 갖춘 신학 형성에 노력해야 할 것이다. 그것은 지극히 한국적 신학이 되어야 할 것이나 동시에 세계 교회의 신학 운동들과의 끊임없는 대화를 통해 계속 자기를 변혁해 가는 신학이 되어야 할 것이다.

셋째, 신학의 구체성, 세계 연관성에 대한 관심이 더욱 커질 것이다. 세계의 신학은 종래의 상아탑 안의 신학, 소수의 신학 엘리트의 신학에서 벗어나 구체적인 교회와 세상 속의 삶에서 에너지를 얻고 그것을 신학화하는 방향으로 나아갈 것이다. 이미 서구의 많은 신학교는 파트 타임으로 신학 공부를 하는 평신도들, 특히 여성들에 의해 채워지고 있으며 그 수는 점점 더 늘어가고 있다. 정녕 이들의 등장은 앞으로 교회의 구조와 사역을 크게 변화시킬 것이며 신학의 대중화, 구체화, 세계 연관성을 급속히 앞당길 것이다. 이런 상황에서 한국의 신학 교육 역시 오늘의 구체적 교회 현실 및 한국 사회 현실과 연결되는 신학 교육에 집중할 수 있어야 할 것이다. 구체적인 예로 좀더 일반 교인들의 필요와 그들의 구체적 현실과 연결될 수 있는 신학 프로그램이 개발되어야 할 것이다.

넷째, 신학에서의 이론 신학과 영성 신학의 통합이 계속될 것이다. 오늘의 우리 세계는 계몽주의 이후의 기계적, 합리적, 객관적인 세계 이해를 넘어 유기적, 초합리적, 주관적인 세계 이해로 이행하고 있으며 그 가운데 곳곳에서 영적 현상에 대한 관심이 고조되고 있다. 현대인들은 모두 영적 경험에 목마른 사람들이다. 오늘날 책, 텔레비전, 영화, 음악, 연극 등 거의 모든 곳에서 영적인 소재를 다루어야만 팔릴 정도로 영적 실재에 대한 관심은 성황을 이루고 있다.[4] 하지만 오늘날의 이런 영적 경험에 대한 추구는 소비주의적인 행태로 전락할 가능성이 아주 높다. 실제로 영성 훈련, 정신 집중, 명상 훈련 등에 참여하는 많은 사람들이 하나님 앞에서의 존재

---

4 오늘날 북미주 사람들의 80% 이상이 신 혹은 절대자가 있다고 믿는다. 실상 현대 정신은 무신론이 아니라 다신론이다. 하비 콕스의 말대로: "종교는 현대 사회로 다시 돌아왔다." Harvey Cox, *Religion in the Secular City* (1984). 한국어 번역인 『현대 사회로 돌아온 종교』가 원제목보다 책의 내용을 더 잘 표현하고 있다.

변화보다는 마음의 평화를 얻는 수단이나 교회와 기업 성장의 도구로 사용하고자 한다. 거기에 있는 것은 계몽주의, 실용주의, 개인주의, 소비주의일 뿐 기독교적 영성의 핵심 요소인 공동체성, 역사성, 윤리성이 아니다. 그렇다면 이는 백화점의 영성이지 결코 기독교적인 영성 이해일 수 없다. 이런 상황 속에서 신학은 다양한 영적 경험을 잘 분별하며 올바른 방향으로 인도하는 길잡이 역할을. 해야 할 것이다. 성경은 말한다. "영을 다 믿지 말고 영들이 하나님에게 속했는가 시험해 보라"(요일4:1). 한국 교회와 신학의 큰 과제 하나는 사람들의 영적 경험에 대한 추구를 어떻게 진정한 기독교적 영성으로 이끌어 가느냐 하는 것이다. 여기에서 기독교적 영성은 무엇보다 기독론적, 성육신적 (Christological, Incarnational) 영성이라는 점이 중요하다(요한 일서 4:2 "하나님의 영은 이것으로 알지니 곧 예수 그리스도께서 육체로 오신 것을 시인하는 영마다 하나님께 속한 것이요"). 기독교적 영성은 이 땅에 육신으로 오셔서 우리의 영육을 함께 축복하시고 구원하신 예수를 그리스도로 믿는 믿음에 근거해 있으며 이 점에서 기독교적 영성은 세상적 영성(a worldly spirituality)이다. 그것은 이웃과 사회, 국가, 세계, 자연에 확장되는 영성 곧 이웃 사랑, 역사에 대한 책임, 이 땅의 정의, 평화, 자유, 진정한 인간성 회복, 그리고 온 자연계의 보존과 유지를 위한 영성으로 나타난다. 따라서 개인의 내적 심령의 고양에만 초점을 맞추는 영성 운동은 비기독교적이다. 정녕 예수님의 삶의 과제는 이 땅 한가운데 하나님의 나라를 이루는 것이었으며 그에게 있어서 기도와 사회적 행위는 결코 분리되지 않고 연결되어 있었다. 예수님은 참된 신비주의자(true mystic)였기에 세상을 근본적으로 변화시킨 진정한 혁명가(true revolutionary)가 될 수 있었다.5) 참으로 전 유엔 사무총장 함마슐트의 말처럼 우리 시대의 거룩에의 길은 필연적으

로 행동의 세계를 통해 지나간다[6])고 한다면 이 시대의 한국 신학
은 수많은 영적 경험과 현상들을 제대로 분별할 기독론적이며 성
육신적인, 영성 신학 곧 진정으로 '세상적인' 영성 신학을 형성할
필요가 있다. 이는 이론적이며 동시에 실천적 작업이다. 이는 교회
공동체에 속해 있는 신학자들의 내면에서의 이론과 기도, 명상과
삶의 투쟁에서 이루어질 수 있는 작업, 곧 영성적 실재에 대한 참
여와 그것에 대한 이론적 성찰이 하나로 통합되어 있는 신학 작업
을 통해 이루어질 수 있을 것이다.

　최근 신학은 다양성을 그 특징으로 갖는다. 한때 신학계를 통일
시켰던 대가들이 떠나간 지금 우리는 다양한 신학적 주장이 상호
경합, 보완하는 백가쟁명의 시대를 살고 있다. 하지만 이 같은 다양
성 속에서 우리는 최근의 신학 운동을 개략적으로 정리할 수 있는
몇 가지 중요한 용어들을 발견할 수 있다. 여기에서 필자는 최근의
신학들이 크게 해방, 대화, 생명이란 세 가지 용어로 정리될 수 있
다고 본다. 즉 최근의 신학은 첫째, 인간의 삶을 억압하는 모든 정
치, 경제, 사회, 문화적 억압에 대해 해방을 지향하는 신학들(라틴
아메리카의 해방 신학, 여성 신학, 흑인 신학, 아시아, 아프리카의
신학), 둘째, 기독교 안팎에서의 도전들에 응답하고 대화하는 가운
데 기독교 신앙의 정체성과 관계성의 문제를 질문하는 신학들(변
화된 실재 이해와의 대화: 과정 신학, 신학과 세속 사회의 관계에
대한 대화: 탈자유주의 신학, 개정주의 신학, 기독교적 신 이해로서

5　Henri Nouwen, *The Wounded Healer: Ministry in Contemporary Society*, (Garden City: Image Books, 1979).

6　Dag Hammarskjold, *Markings* (New York: Alfred A. Knopf, 1966), 122. 인용은 Richard H. Bell, Barbara L. Battin (eds), *Seeds of the Spirit: Wisdom of the Twentieth Century* (Louisville: Westminster John Knox Press, 1995), 49.

의 삼위일체론의 정당성과 관계성에 대한 탐구: 삼위일체 신학, 탈근대성(postmodernity)과의 대화: 탈근대주의 신학(post-modern theology), 세계 종교들의 의미에 대한 신학적 탐구: 종교 신학, 기독교의 정체성을 특별히 강조하는 복음주의 신학), 셋째, 핵전쟁 및 환경의 위기 앞에서 생명의 소중함을 신학의 중심에 두는 생명의 신학(생태계 신학)으로 대략적으로 나뉠 수 있다. 이제 다음 장부터는 이상의 세 가지 주요 용어를 중심으로 최근의 신학들을 검토하려고 한다. 즉 해방이라는 주제 아래에서는 라틴 아메리카의 해방 신학, 북미주의 여성 신학, 미국의 흑인 신학을, 대화라는 주제에서는 과정 신학, 복음주의 신학, 삼위일체 신학, 탈자유주의 신학, 종교 신학, 탈근대주의 신학을, 마지막으로 생명이란 주제 아래에서는 생태계 신학을 다루었다.

제1장 해방 신학

들어가는 말

해방 신학은 라틴 아메리카의 억압의 상황에서 태어나서 가난한 자들의 경험으로 성경을 읽고 그 중심 메시지를 해방으로 이해하는 상황적 신학이다. 여기에서는 해방 신학의 역사적 배경, 대표적인 신학자들, 중요한 신학적 특징, 특히 그 죄, 구원, 그리스도, 하나님, 그리고 교회 이해를 소개한 후 그 것이 한국 상황에 어떻게 적용될 수 있는가 논의하려고 한다.

1. 해방 신학의 역사적 배경

라틴 아메리카의 해방 신학은 라틴 아메리카라는 구체적인 사회적 상황(concrete social context)에서 태어났다. 따라서 그 상황을 어느 정도 알아야만 해방 신학을 바로 이해할 수 있다. 그럼 라틴 아메리카는 어떤 곳인가? 한 마디로 말해 라틴 아메리카는 극심한 정치적 억압, 경제적 수탈과 불평 등, 구조화된 실업과 문맹, 그리고 그로 인한 엄청난 빈부 격차로 특징지워진다. 오늘날까지도 대부분의 라틴 아메리카인들은 극도의 가난 속에 살고 있으며 그중 2/3정도는 기아와 영양실조에 시달리고 있다. 대부분의 토지들은 소수 귀족들의 소유로 되어 있으며 사람들은 그들의 소작인으로서

겨우 굶어 죽지 않을 정도의 임금만 받고 있다. 가난한 사람들은 그들의 자녀들이 식량과 적절한 의료 및 위생적 환경의 혜택 없이 죽어 가는 것을 목격해야 하며 직업을 구할 가능성은 별로 많지 않으며 있다고 해도 교육을 받을 기회가 없었기 때문에 정기적이며 안정적인 직업을 구할 수가 없다.

이 같은 라틴 아메리카 사람들의 비참한 상황은 근대의 라틴 아메리카에 대한 서구 세계의 식민지 개척으로 시작되었다. 서구 제국의 식민지 개척의 선두 주자였던 스페인과 포르투갈은 무자비한 방법으로 라틴 아메리카 원주민들을 대량으로 학살하고 그 전통 문화를 파괴하였다. 19세기 중반부터는 영국과 미국의 신식민주의 정책(neo-colonial policy)에 의해 라틴 아메리카의 여러 나라들은 철저한 경제적인 약탈과 경제적인 예속을 경험해야 했다. 제2차 세계 대전 이후에는 라틴 아메리카의 여러 나라들은 명목상으로는 독립 국가가 되었고 미국을 비롯한 몇 나라의 원조도 받았으나 그 결과는 라틴 아메리카의 정치, 경제적 상황 개선이 아니라 오히려 다국적 기업들과 라틴 아메리카 내의 소수의 군부 관료 집단들(military oligarchies)을 앞세운 서구 국가들- 특히 미국에의 철저한 예속이었다. 실상 서구의 여러 나라들이 내세운 근대의 진보, 자유, 평등, 기회와 같은 모토들은 라틴 아메리카의 경우에는 약탈, 가난, 억압, 불평등의 모습으로 찾아왔다.[1]

---

1 라틴 아메리카의 역사에 대해서는 George Pendle, *A History of Latin America* (New York, 1963); Hurbert Herring, *A History of Latin America from the Beginnings to the Present* (New York: 1961); Enrique D. Dussel, *A History of the Church in Latin America: Colonialism to Liberation* (1492-1979), (Grand Rapids, Mich., 1981). 라틴 아메리카의 교회 역사에 대한 좋은 안내는 Enrique D. Dussel, *Historia de la Iglesia en America Latina*, 3판 (Barcelona, 1974). 영어 번역판은 Enrique D. Dussel, *History of the Church in Latin America* (Michigan: Grand Rapids, 1982).

라틴 아메리카 해방신학에 큰 영향을 미친 것은 1950년대와 1960년대의 개신교와 카톨릭에서 일어난 정의와 평화 운동들이었다. 특히 중요한 것은 교회가 인간의 존엄성 고양 및 사회구조 변화를 위해 노력해야 한다는 제2차 바티칸 공의회의 사회적 가르침은 대부분 카톨릭 국가인 남미 전체에 큰 영향을 미쳤다. 특히 제2차 남미 주교단 회의(CELAM)인 메델린 주교 회의는 해방 신학의 탄생을 위한 결정적 계기를 제공했다. 1968년 라틴 아메리카의 주교들은 콜럼비아의 메델린(Medellin)에서 제2차 바티칸 공의회의 사회적 가르침을 라틴 아메리카의 상황에 적용하기 위한 모임을 가졌으며 여기에서 이들은 하나님의 백성으로서 가난한 자들에 대한 인간으로서의 가치를 강조하면서 구조화된 사회악에 대한 도전과 극복을 교회가 외쳐야 할 복음의 중요 요소라고 선포했다.[2] 해방 신학은 메델린 회의에서부터 그 이후 푸에블라에서의 제3차 남

좀더 간결한 것은 Mircea Eliade (ed) *The Encyclopedia of Religion* (New York: Macmillian and Free Press, 1987) Vol 7. 항목 "Christianity in Latin America," 387-399. 라틴 아메리카의 정치적 억압과 경제적 불평등에 대한 미국의 역할은 Jose Comblin, *The Church and the National Security State* (Maryknoll, NY, 1979); Robert Calvo, "The Church and the Doctrine of National Security," in Daniel H. Levine (ed), *Churches and Politics in Latin America* (Beverly Hills, Ca, 1979).

2 메델린 회의는 제2차 라틴 아메리카 주교 회의(conference of Latin American Bishops)로 그 첫머리 글자를 따서 CELAM II라고 부르기도 한다. 이 회의는 제2차 바티칸 공의회의 사목 헌장(Gaudium et Spes)과 교황 바오로 6세의 교서(Populorum Progressio)를 라틴 아메리카의 상황에 적용하려는 회의였다. 이 회의는 900 명의 신부가 서명한 라틴 아메리카: 폭력의 대륙이라는 예비 문서를 수정하여 채택했고 또 파울로 프레이리의 억압당한 자들의 교육(Pedagogy of the Oppressed)을 그들 사목의 원리로 받아들였다. 특히 이 회의에서 중요한 것은 주교단이 가난한 이들에 대한 우선적 선택(Preferential option for the poor)을 교회 사역의 주된 방식으로 공식적으로 선택한 데 있다. 메델린 회의의 내용과 중요성에 대해서는 Joseph Gremillion (ed), *The Gospel of Peace and Justice: Catholic Social Teaching since Pope John* (Maryknoll, NY, 1976).

미 주교단 회의 사이(1979년)의 약 11년 사이에 그 구체적인 모습을 형성했다고 할 수 있다.

이런 역사적인 사건들과 정황들 외에 우리는 해방 신학을 형성시킨 두 가지 외적 요인을. 말할 수 있다. 그 첫째는 1960년대 이후 서독에서 일어난 정치 신학(political theology)의 영향이다. 위르겐 몰트만(Jurgen Moltmann), 요한 뱁티스트 메츠(Johann Baptist Metz), 도로테 죌레(Dorothee Soelle) 같은 2차 대전을 몸으로 겪은 젊은 신학자들은 나치 독일의 등장과 유대인 대학살(Holocaust)은 독일 교회와 신학이 복음을 너무 개인주의적, 사적으로 이해함으로 결국 정치적 보수 반동주의를 정당화한 결과라고 비판하면서 기독교 복음의 정치적 책임성을 말하는 정치 신학을 주장했다. 위르겐 몰트만에 따르면 기독교의 복음은 결코 정치적 맥락에서 분리할 수 없다. 이는 예수 그리스도의 복음 자체가 구체적인 삶의 현실 곧 정치적 현실 안에서 발생했기 때문이다. 예수가 선포한 하나님의 나라는 정치적 요소를 그 한 본질로 품고 있다. 요한 뱁티스트 메츠에 의하면 예수의 십자가 죽음은 로마의 억압 구조에 대한 예언자적 항거의 죽음 곧 정치적 죽음이었다. 이 죽음은 불의한 정치 체제에 대한 위협으로서 언제나 위험한 기억이다(the dangerous memory of the death of Jesus Christ). 교회는 이 위험한 죽음에 대한 기억에 의해 형성되었고 또 그 기억에 의해 살아가는 공동체이다. 따라서 교회의 삶은 결코 개인주의적, 사적, 타계적일 수 없으며 오히려 정치적 책임을 감당하는 삶 곧 고난당하는 가난한 자들과의 깊은 연대 속에서 잘못된 정치 사회 구조에 대한 비판과 저항의 삶이 되어야 한다. 해방 신학, 특히 초기의 해방 신학은 이같은 정치 신학자들의 복음의 정치 사회적 요소에 대한 강조를 받아들였으며 그것을 그들의 상황에서 더욱 철저한 형태로 발전시켰다.

　해방 신학의 형성에 미친 또 다른 영향 하나는 마르크시즘이다. 칼 마르크스에 따르면 자본주의가 발전하면 할수록 사회의 빈부격차는 더 커지며 노동자들은 그들의 노동에서 소외되어 비인간화된다. 따라서 자본주의가 진보한다고 해서 부의 균등한 분배와 그로 인한 인간적 삶은 이루어지지 않는다. 마르크스에 의하면 현실을 변혁시킬 수 있는 것은 진보가 아니라 프롤레타리아의 단결된 힘에 의한 철저한 변혁 곧 혁명 외에는 없다. 해방 신학자들은 1950년대와 1960년대의 개발 독재의 시기에 대한 반성을 통해 마르크스의 이런 비판을 받아들이며 진보대신 혁명의 길, 곧 해방의 길이 라틴 아메리카가 북미, 특히 미국의 정치 경제적 예속에서 벗어날 수 있는 길이라고 믿는다.3)

2. 중요한 해방 신학자들

　2-1. 구티에레즈(Gustavo Gutierrez): 구스타보 구티에레즈는 아마 가장 널리 알려지고 또 영향력 있는 해방 신학자일 것이다. 그는 1928년 페루의 리마(Lima)에서 태어났으며 리마 대학에서 의학, 심리학, 그리고 신학을 공부했다. 뒤에 루뱅 대학과 로마의 그레고리안 대학에서 공부했고 리용 대학에서 신학박사 학위를 받았다. 지금도 페루의 가난한 자들의 공동체에서 살고 있는 그의 대표작으로는 *The Theology of Liberation, The Power of the Poor in*

---

3 1950-60년대의 아르헨티나의 페론, 브라질의 바르가스, 멕시코의 카르데나스 정권은 개발(development)을 기치로 하여 독재를 정당화시켰고 미국을 비롯한 제1세계 국가들은 자국의 이익을 위해서 이들을 지지했다. 그러나 이런 개발 독재의 결과로 빈부 격차는 더 커져 버렸다. 이 시기에 농민, 노동자, 도시 빈민의 삶은 더 열악해지면서 마침내 개발에 대한 믿음은 사라져 버렸다. 해방 신학자들이 점진적인 진보를 포기하고 전면적인 해방(liberation)을 말하는 배후에는 이런 경험이 놓여 있다.

History, We Drink from Our Own Wells, On Job: God-Talk and the Suffering of the Innocent Las Casas: In Search of the Poor of Jesus Christ 등이 있다.

2-2. 호세 보니노(Jose Miguez Bonino): 아르헨티나 출신으로 *Doing Theology in a Revolutionary Situation, Room to be People, Toward a Christian Political Ethics* 등의 저서가 있다.

2-3. 얀 소브리노(Jon Sobrino)는 예수회 신부로서 1938년 스페인의 바르셀로나에서 태어났고 1957년이래 엘 살바도르에 살고 있다. 독일 프랑크푸르트 대학에서 신학박사 학위를 받은 그는 Centro Monsenor Romero의 책임자이며 산 살바도르에 있는 중앙 아시아 대학의 신학 교수이다. 그의 책으로는 *Christology at the Crossroads, Jesus in Latin America, Jesus the Liberator, The Principle of Mercy*가 있다.

2-4. 레오나르도 보프(Leonardo Boff)는 브라질의 예수회 신부로서 1938년 브라질에서 태어났고 독일 뮌헨 대학에서 박사 학위를 받았다. 그는 해방 신학자중 가장 많이 읽혀지는 이 중의 한 명이며 특히 그의 교회론으로 인해 교황청으로부터 몇 년간 저작 금지 명령을 받았다. 대표작으로는 *Jesus Christ Liberator, Ecclesiogenesis, Trinity and Society*, 그리고 *Ecology and Liberation* 등이 있다.

2-5. 이그나시오 엘라꾸리아(Ignacio Ellacuria)는 예수회 신부로서 1930년 스페인에서 태어났고 1949년 엘 살바도르로 파송되어 그곳의 중미 대학의 학장으로 일했다. 1989년 11월 16일 산 살바도르의 정부군에 의해 학살되었고 그의 책으로는 *Freedom Made Flesh* 등이 있다.

2-6. 호세 꼼블린(Jose Comblin)은 1923년 벨기에의 브뤼셀

에서 태어났고 1958년 이후 주로 브라질에서 살고 있다. 그의 책으로는 *The Holy Spirit and Liberation, Retrieving the Human, The Church and the National Security State* 등이 있다.

3. 해방 신학의 주요 특징

지금까지 우리는 해방 신학의 사회, 역사적 배경과 그 중요한 신학자들을 살펴보았다. 이제 아래에서는 해방 신학의 중요한 특징들을 다섯 가지로 살펴보고자 한다. 라틴 아메리카의 해방 신학은 과연 어떤 특징을 가지고 있는가?

3-1. 가난한 자들 속에서 태어난 현장 신학

해방 신학의 가장 중요한 특징은 라틴 아메리카의 억압받고 고난당하는 백성들의 하나님 경험에서 태어난 현장 신학이라는 데 있다. 해방 신학에서 가난한 사람들 곧 남미의 정치적 억압과 계속되는 사회 경제적인 수탈과 빈곤 및 실업, 심지어 계속된 죽음의 위협을 당하고 있는 '구체적인' 사람들이다. 프롤레타리아(무산대중)는 단지 이 약탈당하는 사회 계층의 가장 명확하고 분명한 한 부분이다.[4]

가난한 자들과의 연대와 그들의 경험 속에서 태어난 신학으로서의 해방 신학의 특징은 특별히 서구 신학과 비교해 볼 때 분명하게 나타난다. 대체적으로 서구 신학은 기독교 신앙의 내용을 그들 상황에 맞게 이론적으로 설명하는 일에 노력을 기울여 왔다. 즉 서구 신학은 신학의 주된 과제를 기독교 진리의 내용을 주어진 시대에 맞게 논리적으로 '설명'하고 '해석'하는 데 두어 왔으며 그 결과 서

---

4 Rosino Gibellini (ed), *Frontiers of Theology in Latin America*, trans. Alan P. Neely. (Grand Rapids: Eerdmans, 1975, 1979), 8.

구 신학은 그 성격상 이론적, 추상적인 특징을 가진다. 해방 신학
역시 기독교 신앙의 내용을 이론적으로 잘 정리하는 것이 신학의
중요한 한 과제임을 부인하지 않는다. 하지만 해방 신학은 서구의
대부분의 신학들과 달리 아주 구체적인 현장 곧 고난당하고 죽어
가는 민중들의 공동체란 현장에서 태어났으며 이 현장성을 반영하
고 있다. 서구의 많은 신학자들이 삶의 구체적 현장 없이 그저 책
상 앞에 앉아 신학적 이론을 전개하고 있을 때 해방 신학자들은 고
난당하고 죽어 가는 민중들의 삶에 참여하여 함께 고난당하면서
그 경험에 근거해서 신학을 전개해 나간다. 즉 해방 신학은 몇 명
의 해방 신학자들이나 해방을 지향하는 일부 혁명 집단들에서 유
래한 것이 아니라 라틴 아메리카의 고난받는 가난한 백성들의 신
앙과 이 신앙에 근거한 절망과 희망에서 태어났고 이 점에서 해방
신학은 전통적인 서구 신학과 근본적으로 구별된다.5)

　해방 신학의 이 같은 특징은 특히 사회적 실천을 지향하는 서구
의 정치 신학(political theology)이나 희망의 신학(theology of
hope)과 비교될 때 더욱 분명히 나타난다. 정치 신학이나 희망의
신학의 경우 그 주된 출발은 정의(justice), 실천(praxis), 해방
(liberation)과 같은 개념이나 원리들이다. 즉 정치 신학이나 희망의

5　이 점에서 클로도비스 보프(Clodovis Boff)는 세 종류의 해방 신학 곧 소수
　의 해방 신학자들이 전개하는 전문적 해방 신학(professional liberation
　theology), 라틴 아메리카의 그리스도인 공동체를 이끄는 신부들, 주교들, 종
　교 지도자들의 목회적 해방 신학(pastoral liberation theology), 그리고 억눌
　리는 민중들의 바닥 공동체(base community)에서 형성되는 대중적 해방 신
　학(popular liberation theology)을 구분한다. 이 세 가지 종류의 해방 신학에
　서 가장 포괄적이며 원초적인 것은 대중적 해방 신학이다. 전문적 해방 신
　학자들의 신학적 성찰과 실천은 이 바닥 공동체에서의 경험에 근거하고 있
　다. Clodovis Boff, "Methodology of Theology of Liberation," John Sobrino,
　Ignacio Ellacuria (eds) *Systematic Theology: Perspectives from
　Liberation Theology* (Maryknoll: Orbis Books, 1998), 8-9.

신학은 정치 사회적 변혁이란 원리 내지 정신을 그들 신학의 중심
에 두고 신학 작업을 전개하며 따라서 비록 실천적 관심에 이끌리
지만 여전히 이론적이며 추상적인 면이 많다. 여기에 대해 해방 신
학은 어떤 개념이나 원리가 아닌 구체적으로 억압당하는 민중들과
의 연대와 그 경험에서 그 신학 작업을 시작하며 이로 인해 또 그
들의 억압과 절망 또 희망에 의해 계속 유지되고 발전된다. 정녕
해방 신학이 다른 신학과 근본적으로 구별시키는 것은 그것이 다
루는 주제들(억압, 투쟁, 해방)이나 그 방법들(사회주의적, 마르크
스주의적 사회 분석), 그 언어(예언자적, 열정적, 유토피아적 언어),
그 대상들(가난한 사람들), 그 최종적 목표들(사회 변혁)에 있기보
다 신학자 자신들이 가난한 자들의 삶에 직접 참여하여 그 경험을
신학화 하는 데 있다.6) 이 점에서 해방 신학의 공헌은 오랫동안 소
외되어 온 억눌리는 자들의 목소리 곧 그들의 절망과 희망의 부르
짖음을 신학의 중심 주제로 가져온 데 있다.7)

3-2. 사회 변혁(해방)을 지향하는 신학

해방 신학의 두 번째 중요한 특징은 그 중심 과제를 구체적인
사회, 경제적 해방에 둔다는 데 있다. 전통적으로 교회는(비록 사회
문제에 관심을 보이지 않은 것은 아니지만) 그 주된 사명을 복음
전파와 그로 인한 죄의 회심과 개인적 구원에 있다고 생각해 왔다.
하지만 해방 신학은 그 우선적 과제를 사회 정의와 평등을 이루어
억눌리는 자들의 온전한 해방을 실현하는 데 둔다. 해방 신학에 따

---

6 Boff, *Ibid.*, 7. 하지만 이것은 라틴 아메리카의 해방 신학뿐 아니라 해방을
  신학의 중심 개념으로 삼고 있는 여성 신학, 북미와 아프리카의 흑인 신학,
  그리고 아시아 신학에서도 나타난다. 이들 신학은 상아탑의 신학들과 달리
  구체적인 억압의 현장에서 출발하여 그 경험으로 기독교 전통을 재해석, 비
  판, 수용하는 현장 신학의 특징을 가진다.
7 *Ibid.*, 5.

르면 이와 같은 해방이야말로 라틴 아메리카의 상황에서 가장 우선적이고 긴급한 것이다.

물론 해방 신학자들이 개인적인 영혼의 굶주림이나 구원의 문제 또 교회 공동체의 성장에 관심을 갖지 않는 것은 아니다. 해방 신학은 복음은 세 가지 변혁 곧 개인적, 사회적, 그리고 종말론적 변혁을 말하며 그리스도의 교회는 이 세 가지 변화에 헌신해야 한다고 믿는다. 즉 해방 신학 역시 교회의 과제는 가난한 자의 해방(사회 변혁)뿐 아니라 개인적 회심을 지향하며 또 그리스도의 부활로 인해 온 세계에 주어진 하나님 안의 소망을 널리 전파하는 데 있다고 믿는다. 하지만 그들은 라틴 아메리카라는 억압과 수탈의 상황에서는 사회 변혁 곧 해방이 역사적 긴급성을 갖는다고 주장한다. 즉 전통적 신학이 개인적 구원에 초점을 맞추면서 사회 변혁까지 포함시키려 한다면 해방 신학은 반대로 사회 변혁의 빛 안에서 개인 구원의 문제에 관심을 가진다. 해방 신학에 따르면 이 두 가지 접근법은 사실상 상호 모순적이기보다 상호 보완적이다.

3-3. 열정적, 예언자적, 종말론적 신학

해방 신학은 그 성격상 열정적, 예언자적, 종말론적 신학이다. 서구 신학은 주로 신학의 가치를 그것이 얼마나 학문적인가 곧 얼마나 그 논증이 합리적이며 엄정 중립적인가 하는 데서 찾아왔다 하지만 해방 신학은 신학이 구체적인 사회 변혁을 얼마나 이끌어 내느냐에서 그 가치를 찾는다. 따라서 해방 신학은 논리적, 교리적, 객관적이기보다 열정적이며 예언자적이다. 그것은 현실을 고발하는 데 있어서 구약 예언자들의 사회 비판적 언어를, 그렇게 되어갈 종국의 목표를 말하는 데서 유토피아적, 이상주의적 언어를 사용한다. 실상 해방 신학이 비판을 받는 큰 이유 하나는 바로 이 같은 사회 변혁적 특징 때문이다. 즉 해방 신학은 주어진 사회 현실을 비판, 거부하기 때문에 더욱 비판과 고난을 받아 왔다. 많은 해방 신학자들이 가택에 연금되고, 통신과 저작의 제한을 받으며 투옥되고 심지어 학살되기까지 했던 큰 이유는 바로 그들이 주어진 현실을 전면적으로 비판하고 하나님 나라의 빛에서 새로운 대안을 제시하려고 시도해 왔기 때문이다.

3-4. 당파성의 신학

해방 신학의 목표는 남미 상황에서의 가난한 자들의 해방이다. 그리고 이를 위해 이 신학은 처음부터 가난한 자들을 분명히 편드는 당파성의 신학을 전개한다. 해방 신학자들에 의하면 남미와 같은 특수 상황에서는 교회가 결코 지배자들과 피지배자들의 중간에 중립적인 자세로 서 있을 수 없다. 교회는 우선적으로 가난한 이들과 함께 있고 그들 편을 들어야 한다. 이는 오직 그 때에만 교회는 가난한 자들로 생존하게 하고 마침내 해방을 경험하게 하기 때문이다. 그래서 해방 신학은 당파성 즉 가난한 자들을 위한 우선적 선택, 혹은 가난한 이들을 위한 편애(preferential option for the poor)를 그 실천의 중심으로 삼는다. 푸에블라 주교단의 선언에 따르면 가난한 이들은 그들이 처해 있는 도덕적 혹은 개인적 상황이 무엇이든 간에 편애적 주의를 받을 권한이 있다.8)

하지만 해방 신학자들은 그들이 가난한 자들 편을 우선적으로 드는 것이 단지 남미의 상황 때문에 그런 것은 아니라고 주장한다. 이들에 의하면 가난한 자들을 위한 우선적 선택은 구약과 신약 전체를 관통하는 위대한 성경적 정신이다. 성경의 하나님은 우선적으

8　*Puebla Final Document*, no. 1142. 인용은 Gustavo Gutierez, "Option for the Poor," in Sobrino, and Ellacuria (eds), *Systematic Theology*, 27.

로 약자, 억눌리는 자, 고통당하는 자의 하나님이다. 성경 전체는 가인과 아벨의 이야기부터 요한 계시록에 이르기까지 하나님이 우선적으로 사회적 약자와 억눌리는 자들을 우선적으로 돌보시며 편애하신다는 기사로 가득 차 있다. 특히 하나님이 약자에 대해 우선적 관심과 편애를 보이는 것은 예수 그리스도의 삶과 가르침에서 분명하게 드러났으며 산상수훈의 핵심 정신을 구성하고 있다. 따라서 가난한 자를 위한 우선적 선택 혹은 가난한 자의 편을 드는 것은 반드시 지켜져야 한다.9) 더 나아가 해방 신학은 하나님이 가난한 자들의 편에 우선적으로 계시고 그들을 우선적으로 돌보기 때문에 가난한 자들이야말로 진정으로 하나님을 바로 이해할 수 있다고 주장한다. 그리스도인의 삶의 길이 예수 그리스도를 통해 자기를 계시하신 하나님의 뜻을 따라 살아가는 길이라고 했을 때 그리스도인에게 궁극적으로 중요한 질문은 하나님이 어디 계신가? 하나님의 뜻이 무엇인가? 하는 질문이다. 여기에 대해 해방 신학은 하나님이 가난한 자들을 편애하시며 가난한 자들 속에서 지금 일하고 계시기 때문에 가난한 이들이야말로 하나님을 제대로 이해할 수 있다고 주장한다. 즉 해방 신학에 따르면 가난한 자들이 하나님과 그 뜻에 대한 해석학적 특권(hermeneutical privilege)을 가진다. 이 점에서 해방 신학은 서구의 많은 신학을 하나님이 일하시는 현장에서 분리되어 있는, 가진 자들의 신학이며 따라서 의심의 시각(the eye of suspicion)으로 보아야 할 것이라고 비판한다.10)

---

9 이런 관점에서 좋은 책으로 서인석, 『성서의 가난한 사람들』(서울: 분도 출판사, 1987).

10 따라서 해방 신학에 따르면 오직 구체적인 역사 상황 안에서 헌신된 삶을 살 때만 우리는 하나님을 제대로 인식하며 또 순종할 수 있다. 보니노에 의하면 "사람들이 대리자(agents)로 연관되어 있는 구체적인 역사적 사건들 밖에 혹은 너머에 있는 진리란 없다. 따라서 행위 그 자체, 즉 역사에 참여

하지만 해방 신학의 가난한 자들을 위한 우선적 선택이 오직 가
난한 자들만이 하나님 나라의 백성이 되며 부자들은 배제된다는
것을 말하는 것은 아니다. 해방 신학은 그 초기부터 계속해서 하나
님의 사랑의 보편성을 말해 왔다. 해방 신학이 가난한 자들을 위한
우선적 선택 혹은 가난한 자들에 대한 편애를 강조하는 것은 남미
상황에서의 역사적 필요성 때문이다. 즉 남미에서는 가난한 자들의
해방 없이는 가진 자들의 회개와 구원도 불가능하기 때문이다. 즉
해방 신학이 강조하는 신학의 당파성은 그것이 지향하는 사회 변
혁과 해방을 위해 방법론적으로 요청되는 것이라고 할 수 있다.

3-5. 사회 분석 방법으로서의 마르크시즘

해방 신학은 마르크스적인 역사 이해와 사회 분석 방법론, 특히
자본주의에 대한 비판으로서의 종속이론(dependency theory)을 라
틴 아메리카 사회를 이해하는 도구로 채택한다. 해방 신학에 의하
면 라틴 아메리카는 신제국주의적 자본주의의 폐해가 가장 극단적
으로 나타난 곳이다. 따라서 자본주의에 대한 비판으로 나온 마르

함으로 세계를 변화시키는 과정 안에 있지 않고는 어떤 지식도 없다."
Miguez Bonino, *Doing Theology in a Revolutionary Situation* (Philadelphia:
Fortress Press, 1975), 88. 또 세베리노 크로아토에 의하면 이와 같이 현장에
참여함으로 진정한 하나님 인식을 얻는 길이야말로 성경이 하나님을 말하는
방식이다. 즉 "성경의 메시지는 구원적 사건에서부터 길러지며... 이것이 신
학의 출발점이다." Severino Croatto, *Exodus: A Hermeneutics of
Freedom*, trans. Salvator Attanasio (Maryknoll: Orbis, 1973, 1981), v. 즉
해방 신학에 의하면 구체적 해방에의 실천 없이는 하나님을 알 수 없다. 진
정한 신학은 실천 및 이 실천에 대한 신학적 성찰로서 이루어진다. 즉 해방
신학에 의하면 신학은 실천-실천에 대한 이론적 성찰과 실천- 그 실천에 대
한 이론적 성찰이라는 해석학적 순환(hermeneutical circle)에 의해 유지된다.
따라서 이론적 성찰이 구체적으로 적용되는 현장이 없을 때 신학 작업은 공
허하게 되고 더 나아가 무가치하게 된다. 이 점에서 해방 신학자들은 서구
신학이 현장이 없는 공허한 신학이라고 비판한다.

크시즘, 특히 종속이론이야말로 남미의 상황을 분석하며 그 사회의 미래의 프로그램을 제시하는 데 가장 적절하다. 미구에즈 보니노에 의하면 해방신학자들의 생각들은 엄밀한 과학적-이데올로기적 분석 즉 막시스트적 방법에 의해 특징된다. 그것은 실천(praxis)과 이론(theory)을 연관시키는 그들의 방법에서 또 그들의 합리성 및 정치적 영역에서의 갈등과 철저성에 대한 주장에서 분명히 보인다. 그것은 또한 계급 투쟁에 대한 인식에서 또한 보일 수 있다.[11]

해방 신학자들은 마르크시즘의 역사 및 사회 이해를 채택하여 그들이 처해 있는 종속적 상황을 이해하며 또 그것을 변혁시키려고 한다. 즉 해방 신학은 마르크시즘으로부터 계급 투쟁의 필요성을 채택하며 이로 인해 미국식 자본주의가 내세우는 진보 이론(developmentalism)이나 개혁주의(reformationism) 혹은 자본주의와 공산주의를 넘어선 제3의 길을 남미 상황에는 맞지 않는 것으로 거부한다.[12]

해방 신학이 마르크시즘을 그들 신학의 한 구성 요소로 사용하는 것에 대해서는 카톨릭 신학자들 뿐 아니라 개신교 신학자들도 많은 비판을 해 왔다(가령 카톨릭 신학자 James V. Shall이나 Michael Novak 그리고 개신교 신학자인 Emilio Nunez). 또한 이 것이 교황청의 해방 신학에 대한 가장 큰 비판이었다. 로마 카톨릭의 교리성 장관인 라찡어 추기경은 해방 신학이 기독교의 영원한 복음을 세속적 이데올로기인 마르크시즘으로 왜곡, 축소시킴으로 인해 기독교의 메시지를 상대화시킬 위험성이 있다고 비판한다.[13]

---

11 Bonino, 71.
12 Gustavo Gutierez, *A Theology of Liberation*, trans. *Sister Caridad Inda and John Eagleson* (Maryknoll: Orbis, 1971, 1988), 21.
13 라찡어 추기경, 교황청 신앙 교리성 "해방 신학의 일부 측면에 대한 훈령." 『자유와 해방』 (서울: 한국 천주교 중앙 협의회, 1986), VII-VIII장.

여기에 대해 해방 신학자들은 마르크시즘을 자본주의 비판 및 라 틴 아메리카의 상황 분석의 도구로 사용할 뿐이지 결코 하나의 사 상적, 철학적 체계 전체로서 받아들이는 것은 아니라고 반박한다. 가령 구스타보 구티에레즈는 해방 신학은 마르크스 사상의 일부인 그 사회 과학적 통찰을 받아들일 뿐 그 인간 이해나 무신론을 결코 받아들이지 않는다고 주장한다.14) 하지만 해방 신학은 남미의 가 난한 자들의 해방이라는 구체적 목표를 최우선적으로 이루기 위해 노력하는 신학이며·이를 위해 역사 속의 한 특수한 이데올로기인 마르크시즘에 많이 기대고 있기 때문에 복음을 지나치게 상대화, 역사화시킬 위험성을 가지고 있는 것은 사실이다. 이 같은 위험성 은 실상 해방 신학자들 자신도 인식하고 있으며 그것을 탈피하기 위해 계속해서 노력하고 있다.

4. 죄, 구원, 그리스도, 교회, 그리스도인의 삶에 대한 이해

지금까지 우리는 해방 신학의 주요한 특징을 다섯 가지로 살펴 보았다. 이제 여기에서는 해방 신학의 죄, 구원, 그리스도 및 교회, 그리고 그리스도인의 삶에 대한 이해를 간략히 살펴보겠다.

4-1. 해방 신학의 죄와 구원 이해

해방신학은 죄를 단순히 개인적인 비도덕적 행위나 실존적인 분 리나 절망으로 이해하지 않는다. 해방 신학에 있어서 죄는 일차적으 로 사회 구조적인 맥락 안에서 이해된다. 죄는 단지 개인적일 뿐 아 니라 사회 정치적인 것이다. 그것은 하나님이 원래 의도하신 인간 공동체의 모습 곧 자유와 평등 및 사랑의 삶을 거부하는 구조적인

---

14 Gustavo Gutierrez, *The Truth Shall Make You Free*, trans. Matthew J. O'Connell (Maryknoll: Orbis, 1986, 1990), 37.

악의 힘이다. 특별히 죄는 고통을 일으키며 이 고통은 특히 역사 속의 가난한 자들 위에 떨어진다. 이런 해방 신학의 죄 이해는 특별히 서구 신학의 죄 이해와 비교해 볼 때 그 특징이 분명히 드러난다.

일반적으로 보아 서구 신학은 죄의 개인성과 보편성을 강조해 왔다. 즉 서구 신학전통에 의하면 죄는 무엇보다 개인적인 것이며 (personal sin) 따라서 각 개인이 책임져야 하는 것이다. 서구 신학이 죄에 대한 책임과 심판을 말할 때는 죄의 이 개인적 성격을 전제하고 있으며 이는 또한 서구의 개인주의적 문화와 긴밀히 연결되어 있다.15) 또한 서구 신학은 죄의 보편성(the universality of sin)을 주로 말해 왔다. 서구 신학은 원죄론에 근거해서 사람들은 모두 죄를 지어 다 죄의 영향 아래 있고 심판 받을 수밖에 없음을 주로 강조한다. 하지만 해방 신학은 죄의 개인성과 보편성보다 죄

---

15 이런 개인주의적인 인간 및 죄 이해의 예로 카톨릭 신학자 칼 라너의 신학을 들 수 있다. 라너에 따르면 인간은 존재적으로 하나님의 구원의 은혜를 지향할 수밖에 없도록 만들어져 있다. 따라서 그의 일생의 상황이 어떠했든 간에 그것과 관계 없이 하나님 앞에서 그의 구원의 문제에 대해 책임적으로 응답할 수밖에 없다. 즉 모든 인간은 그의 구원의 문제에 대해 책임이 있다. Karl Rahner, *Foundations of Christian Faith: An Introduction to the Idea of Christianity*, trans. William V. Dych. (New York: Crossroad, 1994), 24-89. 복음주의 신학자 존 스토트(John Stott) 역시 우리 사람들은 환경의 지배를 받으며 성경이 말하는 것처럼 우리의 기질, 세상, 사탄의 영향 안에 있지만 여전히 우리는 자유로운 선택을 할 수 있는 존재라고 이해한다. 이 점에서 그는 모든 사람은 그 지은 죄에 대해 책임을 져야 하며 또 그것에 대한 하나님의 심판도 정당하다고 주장한다. 더 나아가 그는 인간이 자유로운 선택할 수 있는 책임적 존재로 지어졌기 때문에 어떤 이의 범죄를 그의 유전이나 환경의 탓으로 돌려서 그를 죄인 아닌 희생자나 치료가 필요한 사람으로 보는 오늘날의 인간 이해는 잘못이라고 하면서 오히려 그에게 적절한 벌을 주는 것이 그를 하나님의 형상으로 지음 받은 이로서 존중하는 것이라고 주장한다. 존 스토트, 『그리스도의 십자가』, 황영철, 정옥배 역 (서울: IVP, 1992). 이런 주장에는 분명 일말의 진실이 있다. 하지만 구조화된 사회 악이 인간의 삶을 얼마나 황폐화시킬 수 있는지에 대해서는 충분한 관심을 보이지 않고 있다.

의 구조성과 특수성(역사성)을 더 강조한다. 해방 신학에 의하면 죄는 개인적이지만 동시에 구조적이다. 모든 죄는 인간의 이기적 욕망에서 시작하지만 그것은 언제나 구조적 죄(structural sin)가 되어 부정의(injustice)의 형태로 나타나 진리를 거부하고 인간을 비롯한 모든 생명을 억압하며 마침내 하나님을 거부한다. 또한 해방 신학은 죄의 보편성보다 특수성 혹은 역사 속에서의 구체성을 강조한다. 비록 해방 신학자들이 죄의 보편성 곧 모든 사람이 죄를 지어 하나님의 심판 아래 있다는 것을 거부하지 않으나 이들은 죄의 보편성에 대한 이 같은 강조는 결국 우리 모두가 죄인이니 그 누구도 다른 사람을 정죄할 수 없다는 논리로 연결되어 마침내 사회의 부정의와 억압을 고발하고 극복하는 힘을 상실하게 된다고 본다. 따라서 해방 신학자들은 인간의 죄됨이 구조화되고 역사적으로 특수화 형태에 더 관심을 보인다. 해방 신학에 있어서 죄는 무엇보다 먼저 가진 자, 폭압자들의 이기심이며 그것에 의해 형성되는 사회 구조악이다. 따라서 죄의 극복도 이같은 억압적 사회 구조의 변혁을 통해 나타나며 여기에서 다시 해방 신학이 강조하는 '해방'의 필요성이 제기된다. 즉 해방 신학에서 죄의 극복은 우선적으로 사회 구조악에서의 해방됨을 뜻한다. 물론 해방 신학이 죄의 개인적, 실존적 또 보편적 차원을 간과하지 않으며 또 그 극복으로서의 구원도 말하고 있으나 그 초점은 보다 구조적이며 역사 안에 특수한 죄악의 극복에 있다. 따라서 해방 신학이 말하는 구원은 보다 총체적이다. 즉 해방 신학에서의 구원은 단지 개인적, 실존적인 죄의 극복일 뿐 아니라 집단적, 총체적, 역사적인 죄에서의 해방이다.

4-2. 해방 신학의 그리스도 이해

해방 신학에 있어서 그리스도는 무엇보다 먼저 이 같은 총체적 구원 즉 해방을 가져온 이로 이해된다(해방자 그리스도). 특히 해방 신학은 이 같은 구체적인 해방의 메시지를 위해 사셨던 예수를 말하기 위해 선포된 이로서의 그리스도(케뤼그마의 그리스도)보다 역사적 예수에 더 강조점을 둔다. 하지만 이때의 역사적 예수는 19세기의 자유주의 신학의 개인주의적, 도덕주의적, 종교적으로 이해된 예수나 오늘날 북미의 예수 세미나(Jesus Seminar)의 예수 이해와 달리 1세기의 정치, 사회적 구조 안에서 정치적으로 이해된 예수이다. 가령 엘살바도르의 예수회 해방 신학자 얀 소브리노(Jon Sobrino)는 그의 그리스도론을 교회사 속에서의 예수 그리스도에 대한 교리적 이해가 아닌 복음서 본문 자체에서 시작한다. 그는 복음서가 기록되던 당시의 정치 사회적 배경과 그 갈등을 분석하면서 이 갈등 구조 안에서 예수가 어떻게 살아갔는가에 관심을 가진다. 그 결과 그는 예수의 십자가 죽음을 무엇보다 먼저 정치적 사건으로 곧 하나님 나라를 이루기 위한 정의와 생명의 싸움의 결과로 이해한다. 즉 예수는 가난한 민중들과 함께 살며 그들을 우선적으로 사랑했고 하나님 나라가 그들 위에 먼저 임한다고 가르쳤다. 예수의 이 같은 삶의 행태는 필연적으로 당시의 지배 계층과 마찰을 일으킬 수밖에 없었고 이 점에서 예수의 십자가 죽음은 가난한 자들과 함께 하나님 나라 운동을 일으켰던 그의 삶의 예상된 귀결이었다. 예수의 부활, 즉 하나님이 그를 다시 살리심은 곧 예수의 삶에 대한 하나님의 승인이었고 이 부활은 이제 예수를 따르는 이들에게 하나님의 최후의 승리를 기대하면서 사회적 부정의와 억압에 대해 저항하라는 약속이며 또한 부르심이다.[16)

---

16 Jon Sobrino, *Christology at the Crossroads; A Latin American Approach* (Maryknoll: Orbis, 1976, 1978).

4-3. 해방 신학의 교회 이해

해방 신학에 있어서 교회는 바로 이 예수를 뒤따르는 공동체, 예수처럼 하나님 나라를 이 땅에 구현하는 공동체로 이해된다. 특히 해방 신학에 있어서 하나님의 백성으로서 또 하나님 나라의 선포자 예수 그리스도의 제자 공동체로서의 교회는 남미의 경우에는 가난한 사람들의 바닥 공동체(base community)에서 발견된다. 그리고 이 바닥 공동체의 경험에서 해방 신학자들은 기존의 로마 카톨릭 교회의 교회 이해를 비판한다. 즉 대부분이 카톨릭 신학자들인 해방 신학자들은 교회를 하나님의 백성들로 이해한 제2차 바티칸 공의회의 이해를 받아들이면서도 한 걸음 더 나아가 전통적인 로마 카톨릭 교회의 성직자 및 계층 질서 중심적 교회 이해를 거부하고 교회를 하나님의 자유와 해방의 영이 깃든 곳에서 자연 발생적으로 형성되는 그리스도인의 공동체로 이해한다. 가령 레오나르도 보프는 전통적인 카톨릭의 교회 중심주의와 권위주의를 비판하면서 '민중들의 삶 가운데 성육신하는 새로운 사역들과 새로운 형태의 종교적 삶'을 추천한다. 보프는 "이러한 교회 이해야말로 보다 신약 성경에 부합되는 것이며 이 관점에 의해 기존의 권위주의적 교회 이해는 바뀌어야 한다"고 주장한다.17) 하지만 이러한 교회 이해는 기존의 권위주의적, 계층 질서적인 로마 카톨릭 교회와 필연적으로 충돌을 일으킬 수밖에 없었고 이런 맥락에서 우리는 교황청의 보프 신부에 대한 저작권 박탈을 이해할 수 있다.

4-4. 해방 신학에서의 그리스도인의 삶/윤리

해방 신학에 있어서 그리스도인이 된다는 것은 역사 속에서의

---

17 Leonardo Boff, *Church: Charism and Power; Liberation Theology and the Institutional Church* (New York: Crossroad, 1981, 1985), 9.

하나님의 자유와 해방에 참여하는 것을 뜻한다. 하나님은 오늘도 고난당하는 민중 속에서 그들에 대한 편애(preferential option for the poor)하시는 분이다. 따라서 하나님을 따르는 것은 곧 가난한 자들의 자유와 해방을 위해 헌신하는 것을 의미한다. 구티에레즈에 따르면 "하나님의 사랑은 고마운(gratuitous) 선물이다... 가난한 자들을 우선적으로 편애하심으로서 하나님은 그의 고마우심(gratuity)을 보이신다. 그리고 결과적으로 예수 그리스도를 따르는 자들로서 우리 역시 가난한 자들을 위한 우선적 선택(preferential option for the poor)을 해야 한다."18) 따라서 해방 신학에 있어서 신앙과 이웃 사랑 혹은 사회 정의는 결코 분리될 수 없다. 해방 신학의 관점에서 그리스도인이 된다는 것은 가난한 자들 속에 역사하시는 하나님의 활동을 주의깊게 분별하고 그들과 함께 하나님 나라를 바라보면서 사회 구조의 철저한 변혁에 헌신하는 것을 뜻한다. 해방 신학에 있어서 교회는 다름 아닌 이와 같은 신앙의 실천(the praxis of faith)을 위해 부름 받았다. 이 신학에 있어서 그리스도의 몸으로서의 교회는 결코 주어진 사회 문화에 동화되어서도, 분리되어서도 안 되며 오히려 사회의 전적인 변혁을 위해 헌신해야 한다.

5. 한국 상황에서의 해방 신학의 수용

지금까지 우리는 라틴 아메리카의 해방 신학의 역사적 배경, 주요한 신학자들과 신학적 특징, 그리고 그것의 죄, 구원, 그리스도, 교회 이해를 살펴보았다. 이제 우리가 던져야 할 질문은 과연 21세기 초반 한국 땅에서 살고 있는 우리가 이 신학에서 배울 것은 무엇이냐 하는 것이다. 과연 우리는 해방 신학에서 무엇을 배울 수

---

18 Gustavo Gutierrez, *Theology and Spirituality in a Latin American Context*, Harvard Divinity Bulletin, 14 (June-August 1984): 4.

있을까?

첫째, 무엇보다 먼저 해방 신학의 상황적 충실성을 들 수 있다. 해방 신학은 기본적으로 라틴 아메리카의 억압의 상황에서 출발하여 그 억압의 경험으로 성경과 교회 역사를 읽고 거기에서 얻은 통찰과 힘으로 그 사회를 변혁하고자 하는 상황적 신학이다. 해방 신학이 영향력 있는 신학이 된 것은 기독교적 전통을 소중히 여기면서도 그것을 그 구체적 현장에 적절히 상황화한 데 있다. 따라서 해방 신학에서 배운다는 것은 단순히 그것을 반복하는 것이 아니라 우리의 현장에서 우리의 신학을 전개해야 함을 뜻한다. 이는 우리의 상황은 남미의 상황과 여러 면에서 다르기 때문이다. 해방 신학은 오늘 우리의 상황 신학을 전개하라고 도전하고 있다.

둘째, 해방 신학의 또 다른 도전 하나는 신학함에 있어서 가난한 이들, 고난당하는 이들의 중요성이다. 해방 신학은 교회가 가난한 이들과 함께 있고 그들의 절망과 희망 속에서 하나님을 발견해야 한다고 도전한다. 실제로 하나님이 가난한 이들 속에 함께 계시고 그들을 구원하신다면 교회의 자리는 가난한 사람들이다. 신학 역시 가난한 이들의 고통과 눈물, 아픔, 한숨에 민감해 있어야 하며 그렇지 않을 때 신학은 자칫 가진 자들의 언어적 유희, 더 나아가 잘못된 사회 질서를 정당화하는 도구가 될 수 있다. 해방 신학은 신학 하는 이들이 고통당하는 이웃과 함께 있고 그들의 아픔과 기쁨의 빛으로 신학 작업을 할 때 건강하며 복음에 합당한 신학을 할 수 있음을 잘 말해 주고 있다.

셋째, 해방 신학은 복음이 기본적으로 해방의 메시지임을 잘 말해 주고 있다. 복음은 결코 개인주의적이나 사적으로 해석될 수 없다. 죄도 구원도 개인주의적이며 내세적, 피안적으로 이해될 수 없고 구체적 삶의 현실 속에서 총체적으로 이해되어야 한다. 복음은 개인의 변화와 사회의 변화를 같이 이끌어 내며 종말론적 하나님의 나라를 향해 헌신하게 한다. 복음은 총체적인 복음이며 또 총체적인, 절대적인 헌신을 요청한다. 이 점에서 해방 신학은 지극히 개인주의화되어 있고 또 내세적, 소비주의적으로 되어 있는 오늘날의 한국 교회에 복음을 보다 총체적으로 이해하도록 도전한다.

하지만 해방 신학은 구체적인 사회 변혁을 지향하는 신학으로서 자칫 영원한 기독교의 복음을 역사 안의 잠정적이며 일시적인 것과 동일시할 위험 곧 복음을 하나의 이데올로기로 축소시킬 위험을 가지고 있다. 이것은 복음이 역사 속에 구체화될 때 언제나 일어날 수 있는 위험이며 해방 신학자들 역시 이를 깊이 인식하고 있다. 한국 상황에서 해방 신학을 수용할 때는 해방 신학의 이런 면모를 제대로 이해할 필요가 있을 것이다.

참고 도서

Gustavo Gutierrez, *A Theology of Liberation*, Sister Caridad Inda/John Eagleson역 (Maryknoll: Orbis, 1971, 1988). 해방 신학의 초창기의 대표적인 책으로 해방 신학의 전모를 파악하기 위한 필수적인 책이다. 1988년 2판이 새로 나왔고 그 서문에서 저자는 그 동안의 해방 신학을 둘러싼 논쟁들에 대해 간단히 답하고 있다.

Miguez Bonino, *Doing theology in a Revolutionary Situation* (Philadelphia: Fortress Press, 1975). 비교적 초기의 해방 신학 소개서.

Jon Sobrino, *Christology at the Crossroads: A Latin American Approach* (Maryknoll: Orbis, 1976, 1978). 해방 신학의 관점에서 대단히 독창적이면서 또 체계적인 그리스도론을 전개하고 있다.

Leonardo Boff, *Church: Charism and Power; Liberation Theology and the Institutional Church* (New York: Crossroad, 1981, 1985). 해방 신학의 교회론 이해. 이 책에서 저자는 바닥 공동체에서의 경험으로 로마 카톨릭의 성직자 중심적, 권위주의적, 계층 질서적 교회 이해를 비판하면서 새로운 교회 이해를 제시한다.

Leonardo Boff, *Trinity and Society trans. Paul Burns* (New York: Maryknoll, 1988). 해방 신학의 관점에서 삼위일체론을 이해한 책. 이 책에서 저자는 삼위일체 하나님의 페리코레시스 (통교)적 연합과 일치에서 해방 신학이 지향하는 자유, 평등, 사랑의 인간 공동체의 모형을 찾고 있다.

John Sobrino, Ignacio Ellacuria (eds) *Systematic Theology: Perspectives from Liberation Theology* (Maryknoll: Orbis Books, 1998). 주요한 해방 신학자들이 해방 신학의 관점에서 하나님, 그리스도, 죄, 은혜, 종말 등의 주제들을 체계적으로 정리한 책. 종전의 책들에 비해 가장 체계적이며 원숙한 모습으로 해방 신학을 정리하고 있다.

제2장 여성 신학(Feminist Theology)

여성 신학은 아마 최근의 여러 신학 중 가장 포괄적이며 또 영
향력 있는 신학일 것이다. 이 신학은 라틴 아메리카의 해방 신학처
럼 여성의 해방을 지향한다는 점에서 해방 신학에 속한다. 하지만
그 속박의 원인을 가부장 사회의 성차별에서 찾음으로써 여성 신
학은 남미의 해방 신학 및 다른 해방 신학들과 구별된다. 여성 신
학은 교회와 사회 속에서의 여성 억압적 현실을 고발하며 대안을
제시해 왔고 구체적으로는 하나님과 사람을 지칭하는 데 있어서
포용적 언어(inclusive language)의 사용 및 여성 안수를 비롯한 교
회에서의 여성의 지도력 확보를 위한 노력을 해 왔다. 이 장에서는
여성 신학의 역사적 배경, 주요한 신학자들, 그 신학적 특징, 그리
고 그 하나님, 죄, 구원, 그리스도 이해를 살펴보려고 한다.

1. 여성 신학의 역사적 배경

여성 신학은 영국, 서유럽, 남미 그리고 아시아와 아프리카에서
도 일어났으나 그 대부분은 주로 북미 특히 미국에서 발전된 신학
이다.1) 여성 신학의 역사적 뿌리는 이미 17세기 초반부터 찾아볼

---

1 아시아, 아프리카, 유럽, 북미 및 남미의 여성 신학의 역사와 현황에 대한 간
   단한 소개로는 Feminist Theologies in Letty M. Russell and J. Shannon
   Clarkson (eds), *Dictionary of Feminist Theologies* (Louisville: Westminster
   John Knox Press, 1996), 100- 116.

수 있다. 1667년 초기 퀘이커파의 창시자 죠지 폭스(George Fox)
의 아내로서 이 운동의 지도자였던 마가렛 휄(Margaret Fell)은
『성경에 의해 정당화되고 찬동, 허용되는 여성의 발언권』
(*Women's Speaking Justified, Approved and Allowed of by the
Scriptures*)을 써서 그리스도 안에서의 여성과 남성의 동등성 및
동등한 설교권, 교도권 및 행정권을 주장했다. 이 같은 전통은 그
뒤에도 계속되어 19세기의 미국에서 퀘이커교는 여성 지도자들이
자랄 수 있는 토대 역할을 해 왔다. 가령 1837년 퀘이커 교도이며
노예 해방론자 및 여성주의자였던 사라 그림케(Sarah Grimke)는
창세기 1장 27절에 근거해서 남성과 여성의 동등성을 주장했다. 그
녀에 의하면 여성 역시 하나님의 형상으로 지음을 받았기 때문에
교회와 가정 그리고 사회에서 남성과 똑같은 지배권 및 지도권을
가지고 있다. 그녀는 더 나아가 가부장 제도는 하나님의 형상으로
지어진 여성의 권한을 거부하는 죄된 구조라고 보면서 교회와 사
회의 가부장적 제도를 고쳐 갈 것을 주장했다.[2] 특히 19세기의 미
국의 여권론자들은 교회가 성경을 남성의 지배를 정당화하는 도구
로 사용하는 경향을 비판하면서 교회와 사회에서의 남성과 여성의
동등성을 주장했고 그 대표자로는 엘리사벳 캐디 스태톤(Elisabeth
Cady Staton)과 마틸다 죠슬린 게이지(Matilda Joslyn Gage)를 들
수 있다.[3]

하지만 본격적인 여성 신학 운동은 대개 1968년 전후를 그 출발

---

2 Sarah Grimke, *Letters on the Equality of the Sexes and the Condition of
   Woman*, 1837. (New Haven: Yale University Press, 1988). 인용은
   "Feminist Theology," in Russell and Shannon (eds), *The Westminster
   Dictionary of Christian Theology*.
3 Elisabeth Cady Staton, *The Woman's Bible*, 1895-1898; Matilda Joslyn
   Gage, Woman, Church and State, 1893.

점으로 삼는다. 이때부터 오늘날의 대표적 여성 신학자들인 메리 데일리(Mary Daly), 래드포드 로즈마리 류터(Radford Rosemary Ruether), 엘리사벳 피오렌자(Elisabeth Fiorenza), 필리스 트리블 (Philis Trible) 등이 나타나 본격적인 활동을 시작했으며 또 오늘날의 여성 신학의 주요 의제들이 거의 전부 이 시기를 전후해서 등장했다.

2. 대표적인 여성 신학자들

2-1. 메리 데일리(Mary Daly)

메리 데일리는 현재의 여성 신학 운동의 불을 지핀 대표적 인물이다. 그녀는 일찍부터 사회 전반에 널리 퍼져 있는 여성에 대한 생물학적, 철학적 편견들이 학문이라는 이름으로 얼마나 여성을 억압해 왔는가를 고발하고 극복하는 데 앞장 서 왔다. 특히 그녀는 '아버지로서의 하나님'과 '남성인 그리스도'라는 기독교의 핵심적 상징이 구제 불가능할 정도로 성차별적이며 여성 억압적이라고 주장하면서 진정한 여성 해방은 기독교를 떠나야만 가능하다는 급진적 여성 신학을 전개했다. 데일리에 따르면 비록 예수가 여성에 대해 동정적이며 심지어 여권론자(feminist)라고 해도 그것 자체가 여성 해방에 도움을 줄 수 없다. 왜냐하면 여성들을 위한 궁극적인 권위는 성경이나 교회 전통과 같은 과거의 것들이 아닌 오늘날 여성들이 그들의 경험에 비추어서 정당하다고 믿는 것이 되어야 하기 때문이다. 그녀에 의하면 여성 해방 운동은 오직 그 자체에 근거를 가진 가부장적인 기독교에 대한 철저한 대안 운동이자 해방 운동으로 존재해야 한다.

가부장 제도에 대한 메리 데일리의 공격은 여러 가지 형태로 나타난다. 먼저 그녀는 그녀의 책 『아버지인 하나님을 넘어서』

(*Beyond God the Father*)에서 여성들은 하나님을 남성으로 이해하는 가운데 남성들을 그들의 실제보다 두 배 이상 크게 여겨 왔다. 하지만 여성들이 이와 같은 허위를 더 이상 참고 견딜 이유가 없다. 여성들은 이런 우상을 거부하며 그들 자신이 모든 참된 운동들이 시작하는 생명의 선한 힘이 되어야 한다고 주장한다. 그녀의 다른 책 *Gyn/Ecology*에서 그녀는 삼위일체를 가장 불결하며 가장 추악한, 전력을 다해 거부해야 할 대표적인 성차별적 상징이라고 주장한다. 그녀는 "우리는 신에 의해 구속받거나 아들로 택함 받는 것을 혹은 하나님의 아들의 영이 우리 마음에 인위적으로 주입되어 아버지라고 부르는 것을 원치 않는다"라고 짤라 말한다.

메리 데일리는 그 어떤 여성 신학자들보다 더욱 과격한 형태로 여성 신학을 전개한다. 또 그녀 자신이 철학자로서 훈련받았기에 다른 여성 신학자들의 글에 비해 읽기가 쉽지 않다. 하지만 그녀의 명확하고 날카로운 논리와 확신에 찬 삶은 많은 사람들에게 큰 영향을 끼쳐 왔다. 오늘날 여성 신학 운동에서 메리 데일리는 이미 그 자체로 하나의 신화이자 상징이 되어 있다.

2-2. 필리스 트리블(Phillis Trible)

메리 데일리가 철학적 논의로 남성적 기독교를 비판하는 여성 해방운동을 지향한다면 필리스 트리블은 구약 신학자로 성경 본문을 여성 신학적 시각으로 분석하며 대안을 제시하는 여성 해방 운동을 전개한다. 또한 데일리가 기독교 전통에 대해 극단적인 거부를 보이는 반면 트리블은 성경을 제대로 해석한다면 성경 안에서 여성 해방의 자원들을 얻을 수 있다고 하여 비교적 온건한 여성 신학을 지향한다.

트리블에 따르면 성경에는 가부장적이며 여성 억압적인 본문들이 많이 있다. 하지만 성경에는 동시에 하나님을 여성으로 이해하며 남성과 여성의 건강한 파트너쉽을 지향하는 표현들도 찾을 수 있다. 이런 관찰에 근거해서 트리블은 한편으로 성경 자체가 얼마나 여성 억압적인가를 보여줌과 동시에 또한 성경이 여성 해방의 자원이 될 수 있음을 보여주려 한다. 가령 그녀의 책『하나님과 성의 수사학』(God and the Rhetoric of Sexuality) 2장에서 그녀는 하나님의 여성적 특징을 보여주기 위해 자궁 혹은 동정이라는 한 단어에 집중한다. 가령 신명기 32:18은 하나님을 아이를 낳은 바위로 묘사한다. 이 본문은 여인이 고통 중에 아이를 낳듯 하나님도 해산의 고통을 당하면서 이스라엘을 낳았다고 묘사한다. 이런 본문들은 곧 성경이 하나님을 남성으로만 아니라 여성으로 묘사하는 것이며 따라서 이런 본문들은 결국 성차별의 극복과 여성 해방에 사용될 수 있다고 주장한다.

2-3. 엘리사베스 쉬슬러 피오렌자(Elisabeth Schussler Fiorenza)

하버드 대학 신학부 신약학 교수인 엘리사베스 쉬슬러 피오렌자 역시 트리블과 마찬가지로 성경 안에 무수히 많은 여성 억압적인 본문들이 있다고 본다. 하지만 트리블처럼 그녀도 성경을 적절히 해석함으로 성경에서 여성 해방의 근거를 찾을 수 있다고 믿는다. 그녀에 따르면 여성 신학적 입장에서의 성경 해석은 첫째, 가부장적, 여성 억압적, 성차별적으로 성경을 해석해 온 전통을 고발하는 단계, 둘째, 이 성경 해석의 역사에서 여성 해방적 요소를 발견하는 단계, 셋째, 여성 신학적 입장에서 여성 해방적인 성경 읽기의 재구성이란 단계를 거친다. 특별히 신약 신학자로서 피오렌자는 예수를 중심한 첫 제자 공동체가 가졌던 탈 가부장적, 양성 평등적인 사회 이념을 중시한다. 그녀에 의하면 예수를 중심한 첫 제자 공동체는 당시의 가부장 사회를 근본적으로 비판, 거부하는 양성 평등의 공동체였으며 그곳에서는 남녀가 평등하게 리더쉽을 형성했다. 하지만 시간이 지남에 따라 당시의 가부장 문화의 영향으로 여성의 리더쉽은 거부되었고 마침내 교회 자체가 하나의 대표적인 가부장 체제가 되었다. 따라서 그녀는 여성이 중심이 된 여성 교회를 형성함으로 여성의 해방과 양성의 평등을 찾아가야 한다고 주장한다.

2-4. 로즈마리 래드포드 류터(Rosemary Radford Ruether)

로즈마리 래드포드 류터는 아마 가장 많은 저작을 남긴 여성 신학자일 것이다. 그녀는 여성 이슈와 관련된 다방면의 주제들을 다루지만 특히 교회사 전통에서 여성 억압의 역사를 찾아 비판 고발하고 또 여성 해방의 역사를 찾아 여성 신학의 근거로 삼는 작업을 주로 하고 있다. 그녀의 대표작으로는 *To Change the World: Christology and Cultural Criticism* (London, 1981); *Sexism and God-Talk: Toward a Feminist Theology* (London, 1983); *Woman guides: Readings Towards a Feminist Theology* (New York, 1985); *Women-Church: Theology and Practice of Feminist Liturgical Communities* (New York, 1985) 등이 있다.

3. 여성 신학의 특징

3-1. 여성의 경험에서 나온 신학

여성 신학의 중요한 특징은 그것이 여성의 경험에 근거해 있는 신학이라는 데 있다. 여성 신학은 여성들의 경험은 생리적 또 사회 문화적 요인들로 인해 남성들의 경험과 근본적으로 다른 것에 주목하며 남성들의 경험이 정당한 가치를 가지듯이 여성들의 경험 역시 정당한 가치를 가지고 있어야 한다고 주장한다. 하지만 가부

장 사회는 남성들과 그들의 경험만 표준적이며 정당한 것이라고
하면서 여성들과 그 경험을 구조적으로 배제시켰다. 신학에 있어서
도 이것은 마찬가지여서 여성들의 하나님 경험은 신학의 소재로
부적절하거나 가치 없는 것, 심지어 악한 것으로 간주되었다. 여기
에서 여성 신학은 여성 역시 하나님의 형상을 가진 자이며 남성과
똑같이 하나님을 체험하고 하나님을 말할 수 있는 존재임을 강조
한다. 여성 신학은 여성들의 독특한 경험에 근거해서 남성들의 하
나님 이해와 독립되어 있는, 여성들이 만나고 느끼고 체험한 하나
님을 말하려고 한다.

3-2. 가부장 사회의 성차별 구조에서의 여성 해방을 지향하는 신학

하나님을 말함에 있어서의 여성의 독특한 경험을 중요하게 여기
는 여성 신학은 특별히 여성의 특성과 인간으로서의 존엄성이 가
부장 사회에서 계속 왜곡되거나 무시되어 온 것에 주목하며 그것
을 극복하고자 한다. 즉 여성 신학은 무엇보다 먼저 가부장 사회의
성차별을 고발, 극복하여 진정한 남녀의 평등과 여성의 해방을 도
모하는 것을 그 주된 과제로 삼는다. 여성 신학에 따르면 인류사의
아주 초기를 제외하고는 인류 역사는 남성의 여성 지배로 특징지
워진다. 역사를 통해 여성은 남성들이 만든 사회 구조 속에서 열등
한 존재, 남성이 되다 만 존재, 악한 존재로 이해되어 왔다. 여성 신
학은 이런 남성 위주 사고의 여성에 대한 왜곡과 편견에 도전하며
하나님의 형상으로서의 여성 위상을 회복하려고 한다.

3-3. 여성 신학의 세 가지 의제: 여성 억압의 전통에 대한 저항과 비판(protest and critique: deconstruction), 여성 해방 전통의 발견(historical revision), 여성 신학적 관점에서의 신학의 재구성 (theological reconstruction)

가부장 사회의 여성 억압의 경험에서 출발하여 여성의 해방을

지향하는 여성 신학은 다음의 세 가지 의제(agenda)를 그 실천적
과제로 채택한다. 첫째 여성 신학은 가부장 사회와 그 체제를 정당
시해 온 기독교 전통에 대한 저항과 비판을 그 첫 번째 의제로 받
아들인다. 여성 신학에 의하면 기독교 전통은 남성 중심적이며 여
성 억압적이었다. 로즈마리 류터에 따르면 성경과 교회 교부들 그
리고 후대의 신학자들은 여성에 대해 세 가지 왜곡된 이해를 해 왔
다. 첫째 여성들은 소유물 내지 재산, 혹은 어떤 목적을 위한 도구
로 간주되었다. 둘째 여성들은 남성을 유혹하거나 타락시켜서 하나
님의 구원에서 멀어지게 하는 위험하고 사악한 존재로 간주되었다
(ex: 모든 악과 인간 타락의 원인으로서의 하와). 셋째, 때로 여성
들은 낭만적으로 미화되어 도덕적 혹은 영적으로 남성들보다 우월
하나 또한 연약하고 어린아이 같아서 보호가 필요한 공적인 영역
에는 적합하지 않는 존재로 간주되었다(ex: 성모 마리아).[4] 여성
신학은 이 같은 왜곡된 여성에 대한 이해로 인해 여성들은 그 능력
을 발휘할 모든 기회를 처음부터 박탈당했을 뿐 아니라 온전한 인
간으로 인정받지 못했음을 고발한다. 특히 여성 신학은 이 단계에
서 교회가 전통적으로 하나님, 그리스도, 교회, 죄, 구원 이해 등을
이해해 온 방식이 어떤 식으로 여성을 왜곡하며 억압해 왔는가를
탐구하고 그것을 폭로한다.[5]

---

4 Rosemary Radford Ruether, *New Woman, New Earth: Sexist Ideologies and Human Liberation* (New York: Seabury Press, 1975).

5 성경과 교회 전통이 여성을 왜곡하고 억압한 사례들에 대해서는 K. E. Borresen, *Subordination and Equality: The Nature and Role of Woman in Augustine and Thomas Aquinas*, 1968; Mary Daly, *The Church and the Second Sex*, 1968; Rosemary Ruether, *Religion and Sexism*, 1974; Elizabeth Clark and Herbert Richardson (eds), *Women and Religion: A Feminist Source Book of Christian Thought* (New York: Harper and Row, 1977). 가령 토마스 아퀴나스는 창조 질서로 볼 때 남성은 여성보다 우월하다고 보았으며 여성을 '잘못 태어난 남자'라 불렀다.

여성 신학의 두 번째 의제는 여성 억압의 전통을 대신할 다른
전통을 찾는 것이다. 이는 역사적 재구성의 단계(historical revision)
이며 여기에서 여성 신학은 여성의 온전한 인간성을 지지해 줄 여
성 해방적 전통을 찾으며 이 부분에서 기독교 전통에 대한 이해에
있어서 여성 신학자들은 두 그룹으로 나뉘어진다. 첫째 그룹은 '기
독교 전통은 구제불능일 정도로 여성 억압적, 성차별적이어서 전혀
여성 해방적인 메시지를 찾을 수 없다'라고 보아 기독교 전통에 머
물기를 포기하고 고대의 여신 전통 등과 같은 다른 전통에 의지해
서 여성 해방의 자료와 동력을 찾는다.6) 메리 데일리에 따르면 기
독교 전통, 특히 그 삼위일체론적 하나님 이해는 가장 가부장적이
어서 하루빨리 극복되어야만 한다. 이런 전통을 포기하고 극복하는
길이야말로 여성이 참여성이 되는 길이다.7) 그 자신을 마녀(witch)
로 이해하고 이름도 그렇게 고친 스타학(Starhawk)은 기독교적 전
통에 대한 모든 희망을 포기하고 여성이 참으로 인간다울 수 있었
던 고대의 여신 숭배의 시대로 돌아가서 거기에서 여성 해방의 길
을 모색한다.8) 하지만 더 많은 수의 여성 신학자들은 제대로 해석

---

6 이런 경향의 대표적인 것으로 Mary Daly, *Beyond God the Father*, 1973;
   Starhawk, Carol P. Christ and Judith Plaskow (eds), *Womanspirit Rising:
   A Feminist Reader in Religion* (San Francisco: Harper and Row, 1979),
   The Spiral Dance, 1979. 카롤 크라이스트에 의하면 남성으로 이해된 기독교
   전통에서의 하나님 이미지는 여성의 인간으로서의 성장에 치명적인 악영향
   을 주기 때문에 기독교 전통을 떠나서야 여성은 해방될 수 있다.
7 메리 데일리에 의하면 가장 불결한 삼위일체에 의해 유발되며 또 가장 불결
   한 기독교의 삼위일체 상징에 의해 반영되는 파괴의 범위는 여성들 곧 가부
   장적 정의에 의하면 강간의 대상인 여성들이 새로운 자기 이해를 외면화하
   고 또 내면화함으로서 부수어 버릴 수 있다... 악마적 삼위일체를 축출하는
   것이 여성이 되는 길이다. 인용은 Mary Grey, "The Core of Our Desire:
   Re-imaging the Trinity," *Theology* 93 (1990): 363.
8 크라이스트에 따르면 고대의 여신 숭배 종교는 가부장제도에 저항하는 여성
   의 능력에 대한 긍정, 여성의 몸과 그 생명 주기에 대한 축하, 마술과 주문

하기만 하면 유대-기독교 전통 안에 여성 해방의 많은 메시지가
들어 있다고 주장한다. 이들은 종래의 성경 및 기독교 역사 해석
또한 그 하나님, 그리스도, 인간, 죄, 구원 등의 이해는 대부분이 남
성적 시각에 의해 기술된 남성의 역사(his-tory)이지만 이것을 여
성의 경험과 시각이 반영된 여성의 역사(her-story)로 새롭게 이해
하면 거기에서 여성 억압적인 현실을 극복할 내용과 에너지를 얻
을 수 있다고 본다. 즉 이들은 남성의 역사(his-story)가 여성의 역
사(her-story)에 의해 비판받고 균형잡힐 때 인간의 역사는 제대로
바로 이해될 수 있다고 주장한다.9) 이 같은 여성적 관점에서의 기
독교 전통 이해는 다양한 형태로 나타나고 있다. 첫 번째 방법은
성경에서 무시되거나 왜곡되어 온 하나님의 여성적 모습을 찾아내
는 것이다. 가령 필리스 트리블은 구약 성경에 나오는 하나님의 여
성적 이미지를 찾음으로 하나님을 주로 남성으로 이해하고 그로
인해 남성 중심적 신학과 교회 운영을 정당화하는 것을 비판한다.
그녀는 또한 남녀가 동등하고 서로 사랑의 관계 속에 있다는 창세

에 의해 의식화된 여성의 뜻, 여성들의 유산과 여성들의 연합의 존중 등의
네 가지 요소를 가지고 있다. 스타학(Starhawk)에 따르면 "마녀(Witchcraft)
는 그 가르침을 자연에서 취하며 태양, 달, 별들의 움직임, 새들의 비상, 나
무의 점진적 성장, 그리고 계절의 주기적 변화에서 영감을 읽는다. 어머니인
여신은 계속 깨어나며... 우리는 우리의 원초적 출생 때의 권리, 순수한 각성,
그리고 살아 있음의 기쁨을 다시 발견한다. 우리는 새 눈을 떠서 바깥으로
부터 우리를 구원할 어떤 것도 없으며 우주를 거역하는 어떤 생명의 투쟁도,
두려워하고 복종해야 할 세계 밖의 어떤 하나님도 없다는 것을 볼 수 있다.
오직 그의 깜빡이는 눈동자가 출생과 죽음, 재 탄생의 맥박인... 여신 곧 어
머니만 (있다)."라고 주장한다. 인용은 Starhawk, "Why Women Need the
Goddess: Phenomenological, Psychological, and Political Reflections," in
Christ and Plaskow, 273-287.

9　이런 관점의 역사 서술로서 Gerda Lerner, *The Creation of Patriarchy*
(New York: Oxford University Press, 1986); Carl Degler, *At Odds:
Women and Family in America from the Revolution to the Present*
(New York: Oxford University Press, 1980).

기 첫 머리의 증언은 그 이후의 성경 본문들 곳곳에 스며 있는 가
부장주의에 대한 비판의 목소리(counter-voices)로 존재한다고 주
장한다.10) 샌드라 슈나이더 (Sandra Schneider)나 엘리자베스 죤
슨 (Elizabeth Johnson), 캐더린 라쿠냐 (Catherine LaCugna)는 예
수가 이해한 아바 아버지로서의 하나님은 그 성격상 남성적이기보
다 여성적인 분임을 지적함으로써 하나님을 주로 남성적 이미지로
만 이해해 온 기독교 전통을 비판하고 여성적 하나님 상을 구축하
려고 한다.11) 또 다른 방법은 교회사 전통에서 무시되거나 억압되
었던 여성들의 역할을 재발굴 해내는 것이다. 엘리자베스 피오렌자
에 의하면 예수를 중심한 초기 기독교 공동체는 그 이전의 가부장
적 남성 중심적 사회에 대한 대안 운동이었고 그 공동체 안에서는
남성과 여성이 동등하게 지도력을 행사했다. 하지만 시간이 지남에
따라 이 양성의 평등에 근거한 예수의 제자 공동체는 주변의 가부
장 사회의 압력에 의해 가부장적 체제로 변질되어 버렸다. 그러나
아직까지 카리스마적인, 신비적 전통을 유지하는 기독교의 소종파
들 안에서는 여성의 동등성과 그 지도력을 인정하는 전통이 있으
며 오늘날 우리가 해야 할 일은 이 소중한 전통을 다시 회복하는

---

10 Phyllis Trible, *God and the Rhetoric of Sexuality* (Philadelphia: Fortress Press, 1978).
11 샌드라 슈나이더에 따르면 예수는 가부장적인 하나님 이미지를 철저히 변형 시킨다. 예수는 인간의 권력 구조의 이미지 안에서 가부장적으로 이해되어 왔던 아버지 이미지를 치유하며 하나님의 사랑으로 감싸진 그 원래 의미를 회복한다. Sandra M. Schneider, Women and the Word: 1986 *Madaleva Lecture in Spirituality* (New York: Paulist Press, 1986), 20. 캐더린 라쿠냐 역시 예수가 하나님을 아버지(Abba) 라고 불렀을 때 그는 결코 하나님이 인간의 아버지와 같다거나 남성이라는 뜻이 아니었다. 예수의 아버지는 오히려 그의 자녀를 위해 자기를 희생하는 어머니와 같은 특징을 가진 분이다. 따라서 예수의 아버지는 오늘날의 가부장적 아버지 이해를 철저히 비판하고 거부한다고 주장한다. Catherine LaCugna, "God in Communion with Us" in LaCugna (ed), *Freeing Theology*, 104.

일이라고 주장한다.12) 로즈마리 류터는 초기 기독교 공동체 안에
서 여성들이 예언자들과 사도들로서 활동한 사례와 고대 및 중세
기에서의 여성 지도자들의 사례 그리고 19세기의 유럽과 미국에서
의 여성 종교 사회 개혁자들의 사례를 발굴함으로 여성의 지도자
됨의 근거를 찾는다.13) 또한 어떤 여성 신학자들은 중세 신비가들
이 예수를 어머니로(Jesus as Mother) 부르며 또 하나님의 모성
(motherhood of God)을 강조한 것에 주목하며14) 또 성령을 여성적
인격으로 이해해 온 기독교 전통의 중요성을 지적한다.

가부장적 전통이 여성을 억압하고 왜곡시킨 사례를 찾아 고발하
는 첫 단계와 교회 및 일반 역사 속에서의 여성의 소중한 유산을
다시 발견하는 두 번째 단계 이후 여성 신학자들은 여성 신학의 세
번째 의제로 여성 신학의 신학적 내용을 구성하려고 한다. 여기에
서 여성 신학은 여성의 경험에 근거해서 전통적인 기독교의 교리
전체를 의심의 시각으로 보며(의심의 해석학: hermeneutics of
suspicion), 그 시각에 의해 하나님, 그리스도, 교회, 인간론, 죄론,
구원, 은혜 등의 주요 교리들을 재구성한다. 이제 우리는 아래에서
여성 신학이 특히 초점을 맞추고 있는 하나님, 그리스도, 죄와 구원
이해를 중심으로 여성 신학을 살펴보려고 한다.

---

12 가령 Elisabeth Fiorenza, *In Memory of Her: A Feminist Theological Reconstruction of Christian Origins*, 1983; R. Ruether, E. McLaughlin, *Women of Spirit*, 1979.

13 Rosemary Ruether, Eleanor McLaughlin, *Women of Spirit: Female Leadership in the Jewish and Christian Traditions* (New York: Simon and Schuster, 1979).

14 Caroline Bynum Walker, *Jesus as Mother: Studies I the Spirituality of the High Middles Ages* (Berkeley: University of California Press, 1982); Caroline Bynum Walker, and Paula Richman, (eds) *Gender and Religion: On the Complexity of Symbols* (Boston: Beacon Press, 1986).

4. 여성 신학의 주요 내용

4-1. 여성 신학의 하나님 이해

여성 신학은 먼저 기독교의 전통적인 신 이해가 너무 남성 중심적이었다고 비판한다. 여성 신학에 의하면 그리스도 교회는 비록 신이 남성과 여성이란 성을 초월해 있는 분이라고 말은 했지만 실제로는 신을 거의 전적으로 아버지, 왕, 군주, 지도자 같은 남성적 이미지로 묘사함으로 남성이 여성보다 하나님의 형상에 더 가까운 존재처럼 느끼게 함으로써 결국 남성의 여성 지배를 정당화해 왔다.[15] 이런 경향성에 대해 여성 신학자들은 두 가지로 응답한다. 첫째, 여성 신학자들에 의하면 하나님에 대한 어떤 언어적 표현도 하나님의 실재 자체를 있는 그대로 묘사할 수 없다. 즉 하나님에 대한 언어는 모두 은유적으로만(metaphorically) 사실이다. 따라서 하나님은 문자 그대로 아버지가 아니다. 만약 하나님이 아버지로 이해된다면 이때의 아버지는 인간 세상의 아버지, 가부장적으로 이해된 아버지와 완전히 다른 종류의 아버지이다.[16] 둘째, 성경의 하

---

15 엘리자베스 존슨에 따르면 하나님은 모든 궁극적 실재를 부르는 이름이며 따라서 우리는 하나님을 이해하는 대로 실재(현실)를 이해한다. 따라서 하나님이 남성으로 이해될 때 남성 내지 남성적 요소가 본래적이고 표준적이 되며 여성적인 것은 비 본래적, 부수적이 된다. 하나님을 남성으로만 이해할 때 하나님의 형상을 입은 존재로서의 여성의 존엄성은 거부된다. Elizabeth Johnson, *She Who Is*, 36. 또한 "The Incomprehensibility of God and the Image of God Male and Female," *Theological Studies* 45 (1984): 441-465, 특히 442-45. 메리 데일리는 하나님에 대한 남성적 은유가 남성과 여성의 관계에 미치는 영향을 다음과 같이 아주 단순하나 힘있게 표현한다. "만약 하나님이 남성이면 (이젠) 남성이 하나님이다 (If God is male, male is God.)" Mary Daly, *Beyond God the Father* (Boston: Bacon Press, 1973), 18.

16 신에 관한 우리의 언어는 문자 그대로 사실이 아니라 언제나 은유적으로 사실 일 수밖에 없다는 것은 토마스 아퀴나스를 비롯한 교회사의 모든 신학자

나님, 특히 예수 그리스도의 하나님은 그 성격상 남성적이기보다
오히려 여성적이다. 따라서 하나님은 여성적 이미지 내지 은유로
표현될 수 있고 또 되어야 한다. 하나님이 남성뿐 아니라 여성 이
미지로 표현될 때 우리는 하나님을 오직 남성으로만 표현함으로
하나님을 유한한 존재로 가두는 우상 숭배에서 벗어날 수 있고 또
한 성차별을 극복하여 진정한 남녀의 평등한 파트너쉽을 확보할
수 있다.17) 하지만 문제는 현재 이용 가능한 어떤 종류의 여성 이
미지로 하나님을 표현해도 하나님에 대한 주도적 이미지는 여전히
남성적인 것이라는 문제는 여전히 남아 있다는 데 있다. 여성 신학
자들은 이 문제를 계속 인식하고 있으면서 계속해서 다양한 여성
적 혹은 중성적 이미지들을 하나님 표현에 사용함으로 하나님에
대한 성차별적 이해를 극복하려고 시도하고 있다.

4-2. 여성 신학의 죄 이해

전통적으로 죄는 어거스틴의 전통을 따라 피조물이 하나님을 신
뢰하지 않고 그 스스로 하나님의 자리에 앉으려고 한 것 곧 불신앙
과 교만 또 그로 인한 왜곡된 욕구(정욕)로 이해되어 왔다. 하지만
여성 신학에 따르면 죄를 불신앙이나 교만 또한 정욕으로 이해하
는 것은 남성의 경험이 반영된 것이지 여성의 경험에 근거한 것은
아니다. 여성의 경험에 있어서 죄는 교만 곧 과도한 자기 표현과
주장이기보다 그 반대인 하나님의 형상을 입은 자로 자기를 당당

들이 계속 말해 온 곳이다. 이 주제에 대해서 최근 신학에서 특히 인상적인
것은 Sallie McFague, *Metaphorical Theology: Models of God in
Religious Language* (Philadelphia: Fortress Press, 1982); *Models of God:
Theology for an Ecological, Nuclear Age* (Philadelphia: Fortress Press,
1987). 또한 Elizabeth Johnson, "The Incomprehensibility of God and the
Image of God Male and Female," *Theological Studies* 45 (1984): 441-465.
17 특별히 Johnson, *She Who Is*, 36 쪽 이하.

하게 표현하지 못하는 것이다. 여기에서 여성 신학자들은 가부장 사회가 아주 오랫동안 구조적으로 여성의 정당한 자기 표현을 억압해 왔음을 고발하면서 여성들로 하여금 자신들을 하나님의 딸로 소중하게 주장하도록 도전한다. 즉 여성 신학에 의하면 여성들의 근본적인 죄악은 결코 교만이 될 수 없다. 만약 죄가 교만이라면 여성들은 계속해서 정당한 자기 주장 없이 살아야 하며 결국 죄를 교만으로 보는 이해 자체가 여성 억압의 허위의식(ideology)이 된다. 여성들에게 있어서 근본적인 죄는 오히려 하나님의 딸답게 당당히 살지 못한 것이며 여기에서 여성 신학자들은 여성들을 이렇게 만든 가부장 제도를 원죄 곧 근본적 죄악으로 지적한다.[18]

4-3. 여성 신학의 그리스도 이해

여성 신학에서 중요한 질문 하나는 남성인 그리스도가 여성을 해방할 수 있는가? 하는 질문이며 이 질문에 대한 답변에 따라 여성 신학자들은 크게 두 그룹으로 나뉜다. 첫째 그룹의 여성 신학자들은 비록 예수의 삶과 메시지에 여성 해방적인 요소가 있을지라도 예수는 남성이기 때문에 결코 여성 해방의 궁극적 규범이 될 수 없다. 만약 예수를 여성 신학 및 그 운동의 규범으로 보면 여성은 다시 남성 중심주의의 사슬에 빠진다고 본다. 따라서 이들은 예수 그리스도 아닌 여성들의 경험이나 여성 공동체(여성 교회)를 그 신학의 궁극적 규범으로 삼는다.[19] 하지만 좀더 온건한 입장의 여성

---

18 여기에서 필자의 유학 시절의 한 에피소드를 소개하고자 한다. 세계 종교와 기독교의 관계를 주제로 한 세미나에서 교수가 문득 "예수를 정말로 죽인 이는 누구인가?"라고 물었다. 학생들이 로마 정치 권력, 유대 사두개파와 바리새파 등으로 대답하는 중에 한 여학생이 당당하게 "그것은 남자들이다. 예수는 가부장제도 안에서 그 희생자로 죽었다(It is men. Jesus died as a victim in a patriarchal society)"라고 대답했고 많은 여학생들이 박수를 치며 좋아했던 것을 지금도 인상적으로 기억하고 있다.

신학자들은 비록 교회사를 통해서 예수가 남성이란 사실이 여성의
지도력을 거부하는 도구로 사용되어 왔으나 올바르게 해석되기만
하면 예수 그리스도와 그의 삶은 여성 해방을 위한 강력한 모형
(model)과 규범(norm)이 될 수 있다고 주장한다. 이들에 의하면 예
수의 삶에 있어서 정말 본질적인 것은 그의 남성됨이 아니라 정의
와 평등, 사랑과 자비의 하나님 나라를 위한 믿음과 헌신의 삶이며
바로 여기에서 그의 삶은 여성 해방과 양성 평등의 궁극적 근거가
될 수 있다. 이런 근거에서 그들은 예수가 남성이란 사실에 근거해
서 교회내의 여성의 지도력과 양성의 평등함을 거부하는 교회의
관행 가령 예수와 신체적 유사성(physical resemblance)을 가진 남
성들만이 신부(목사)가 될 수 있다고 주장해 온 로마 카톨릭과 일
부 개신 교단의 주장을 비판한다. 로즈마리 류터는 하나님의 아들
로서의 그리스도보다 1세기의 팔레스틴 땅에 살면서 하나님 나라
를 선포했던 역사적 예수에 초점을 맞춘다. 그녀에 의하면 예수가
남자였다는 것은 역사적 우발성에 불과하다. 예수에게 있어서 중요
한 것은 그의 하나님 나라 운동이며 이 운동은 가부장 사회에 대한
강력한 비판이며 또한 남성과 여성의 진정한 평등과 상호 존중에

---

19 이런 주장을 하는 신학자로서 Carol P. Christ, "Why Women Need the
Goddess," in Carol P. Christ and Judith Plaskow (eds). *Womanspirit
Rising: A Feminist Reader in Religion* (San Francisco: Harper and Row,
1979); J. C. Brown and C. R. Bohn (eds), *Christianity, Patriarchy, and
Abuse: A Feminist Critique* (New York: Pilgrim Press, 1989); Joanne
Carlson Brown, "Divine Child Abuse?," in *Daughters of Sarah* (Summer
1992): 18:24-28; Rita Nakashima Brock, *Journeys by Heart: A
Christology of Erotic Power* (New York: Crossroad, 1988, 1992); Mary
Daly, *Beyond God the Father: Toward a Philosophy of Women's
Liberation* (Boston: Beacon Press). 메리 데일리는 남성인 예수 그리스도만
이 구원자가 될 수 있다는 생각을 그리스도 우상(christolatry)이라고 부르면
서 여성은 이런 구원자를 필요로 하지 않는다고 주장한다.

근거한 공동체 형성 운동이었다. 따라서 예수는 여성 신학에 있어서도 규범이 될 수 있다.[20] 엘리사벳 피오렌자는 예수 그리스도를 여성과 남성의 온전한 동등성과 평등에 기초한 하나님 나라를 외친 지혜(소피아: Sophia)의 예언자로 이해하면서 비록 후대에 와서 이 공동체는 초기의 양성 평등적, 반 가부장적 요소를 상실하였으나 여전히 강한 여성 해방적인 요소를 품고 있다고 주장한다.[21] 엘리자베스 죤슨 역시 초대 교회에서 예수를 지혜(Wisdom)와 연관해서 이해한 지혜 기독론(Wisdom Christology)이 말씀 기독론(logos Christology)보다 시간적으로 앞섰다는 데 주목하면서 예수-소피아론을 주장한다. 그녀에 따르면 예수는 지혜의 성육신이며 그 삶과 가르침, 행위를 통해 진정한 인간의 평화와 양성의 동등함을 지향하는 하나님이 온전히 나타나셨다. 따라서 예수의 삶 자체는 가부장 제도의 비판과 극복이며 양성의 평등에 근거한 완전히 새로운 삶의 규범이 된다.[22]

4-4. 여성 신학의 대속론(속죄론) 이해

그리스도론과 깊이 연관되어 있는 것이 그리스도의 십자가 죽음에 대한 해석 곧 대속론이다. 비록 신약 성경이 예수 그리스도의 십자가 죽음이 어떻게 인간의 죄를 해결하고 인간과 하나님을 화해시킬 수 있는가에 대해 통일된 답변을 제시하지는 않으며 교회사 역사 속에서도 다양한 대속 이론이 제시되었으나 적어도 예수

---

20 Rosemary Ruether, *Sexism and God-Talk: Toward a Feminist Theology* (Boston: Beacon Press, 1983),

21 피오렌자의 소피아의 예언자로서의 예수 이해는 Elisabeth Schussler Fiorenza, *In Memory of Her: A Feminist Theological Reconstruction of Christian Origins* (New York: Crossroad, 1983, 1995); *Jesus: Miriam's Child, Sophia's Prophet* (New York: Continuum, 1994).

22 Johnson, *She Who Is*.

의 십자가 죽음이 대속 죽음이었다는 데에는 의견이 일치되어 왔다.[23]

　그러나 오늘날 일부 여성 신학자들은 예수의 죽음을 대속 죽음으로 이해하는 이 공감에 도전하고 있다.[24] 그들에 따르면 예수의 십자가 죽음을 대속 죽음으로 보는 것은 적어도 세 가지 문제점을 안고 있다. 첫째, 이것은 불필요한 인간 고통을 정당화시킨다. 만약 구원이 오직 십자가의 고통을 통해 이루어진다면 그것은 불의하고 악한 고통도 정당화하고 미화시킬 수 있다.[25] 둘째로 그리스도의

---

23 신약 성경은 여러 가지 형태로 예수 그리스도의 죽음을 대속의 죽음으로 이해한다(가령 고후 5: 21). 다양한 대속 이론에 관한 고전적 연구로는 Gustav Aulen, *Christus Victor: A Historical Study of the Three Main Types of the Idea of the Atonement* (New York: Macmillan, 1969).

24 이런 비판의 대표적인 책들로 Philip Greven, *Spare the Child: the Religious Roots of Punishment and the Psychological Impact of Physical Abuse*, (Knopf, 1991), 46-54, 204-212. Alice Miller, *The Untouched Key: Tracing Childhood Trauma in Creativity and Destructiveness*, (Doubleday, 1990); Rita Nakashima Brock, *Journeys by Heart: a Christology of Erotic Power* (New York: Crossroad, 1988); Joanne Carlson Brown and Carole R. Bohn, eds., *Christianity, Patriarchy, and Abuse: A feminist Critique* (New York: Pilgrim, 1989). 하지만 모든 여성 신학자들이 이런 비판에 동의하는 것은 아니다. 많은 여성 신학자들은 대속 죽음으로 이해된 예수의 십자가가 가지고 있는 여성 해방적 요소에 주목한다.

25 J. C. Brown and R. Parker, "For God so Loved the World?" in *Christianity, Patriarchy, and Abuse*, J. C. Brown C. R. Bohn (eds), (New York: Pilgrim, 1989), 2. 이들에 따르면 그리스도의 십자가 죽음은 고통을 정당화시키는 가운데 매맞는 아내를 또 다른 폭력을 위해 그 야만적인 남편에게 되돌아가게 하고 또 모든 종류의 희생자들이 아무런 저항 없이 그들의 희생을 받아들이게 하는 도구로 사용되어 왔다. 실제로 이런 비판이 전혀 새로운 것은 아니다. 이미 12세기의 신학자 아벨라르(Peter Abelard)는 안셀무스의 대속 이해를 반대하면서 "그 누가 어떤 대가 지불로 무죄한 자의 피를 요구하는 이가 있는가?... 더 나아가 어떻게 하나님이 온 세계와 화해하기 위해 그의 아들의 죽음을 요구할 수 있는가?"라고 말한다. Peter Abelard, "Exposition of the Epistle to the Romans," in *A Scholastic Miscellany*, E. R. Fairweather (ed). (Philadelphia: Westminster, 1956), 283.

십자가 죽음을 대속 죽음으로 보는 것은 하나님을 피에 굶주린 복수의 하나님으로 이해하게 한다. 즉 그의 영광의 회복이나 인간의 죄 용서를 위해 아들을 버리는 하나님의 행위는 구원 행위 아닌 '하나님의 아동 학대'(divine child abuse)에 불과하다.26) 셋째로 대신 형벌(vicarious punishment)이란 생각은 도덕적으로 무의미하다. 도덕적 행위에 있어서는 그 누구도 대신해 줄 수 없으며 각자 자기의 행위에 대해 책임을 져야 한다. 따라서 그리스도의 십자가를 통해 어떤 것이 일어났고 그것이 우리에게 직접적인 영향을 미친다는 것은 무의미하다. 그리하여 이들은 그리스도의 십자가는 오직 한 개인으로서의 예수에게 일어난 것에 불과하며 하나님의 뜻의 반영이기보다 예수 같은 인물을 용납하지 못하는 인간 죄악의 표현이며 거부되어야 할 악이라고 주장한다. 캐나다의 여성 신학자 파멜라 디키 영(Pamela Dickey Young)에 의하면 십자가에서 예수가 받은 폭력적 고통과 죽음은 구원에 대해 말하지 않는다. "그것은 인간의 악과 파괴, 실패 그리고 통전성의 결여이다... 예수의 고통에 초점을 맞추는 것은 우리들로 하여금 우리 자신이나 다른 사람의 고통을... 극복되어야 할 것이 아니라 표준적인 것으로 생각하게 만든다."27)

우리는 이와 같은 주장을 어떻게 평가해야 할까? 정녕 예수의 십자가 죽음은 대속 죽음이 아니라 '하나님의 아동 학대(divine child abuse)'에 불과한가? 과연 대속에 대한 논의는 그 성격상 억

---

26 예를 들면 Dorothee Soelle, *Suffering*, trans. Everett R. Kalin. (Philadelphia: Fortress Press, 1975); Elizabeth Johnson, *She Who Is*, (New York: Crossroad, 1994), Rita Nakashima Brock, *Journeys by Heart: a Christology of Erotic Power* (New York: Crossroad, 1988), 특히 53ff. Joanne Carlson Brown and Carole R. Bohn, (eds), *Christianity, Patriarchy, and Abuse: A Feminist Critique* (New York: Pilgrim, 1989).

27 Pamela Dickey Young, "Beyond Moral Influence to an Atoning Life," *Theology Today*, 52: 344-356.

압적이며 또 무의미한가? 실제로 예수의 십자가 죽음을 잘못 이해
할 때 우리는 하나님을 압제자이며 피에 굶주린 복수의 신으로 오
해할 가능성이 있으며 또한 억눌리는 이들, 특별히 여성들의 희생
을 정당화함으로 이들의 진정한 자유와 해방을 거부할 수 있다. 실
상 여러 여성 신학자들이 주장하듯이 고통당하는 그리스도의 이미
지는 자주 억눌리는 사람들, 특별히 여성들로 하여금 그들의 고통
의 원인이 무엇이든 그 고통을 있는 그대로 받아들이고 참게 하는
거짓된 지배 계층의 도구로 사용되어 왔고 지금도 사용되고 있음
이 사실이다. 하지만 동시에 이런 이해는 몇 가지 중요한 부분에서
기독교 전통을 오해하고 있다. 첫째 이 이해는 신약 성경이 말하는
대속에 대한 올바른 이해가 아니다. 이 이해는 성경에 근거해서 대
속의 교리를 살펴보기보다 그저 대속의 교리를 회화적, 통속적으로
이해한 다음 그것을 여성 학대적이라고 결론 내리고 있다. 가령 이
런 주장의 대표적 인물인 죠앤 칼슨 브라운(J. C. Brown)은 안셀무
스의 만족설을 다음과 같이 평가한다: "하나님은 '그 자신(himself)'
을 세계와 화해시킬 수 없는 이로 묘사된다. 왜냐하면 그(he)가 죄
에 의해 침해당했기 때문이다... 하나님의 자리는 비극적이며 상상
컨대 하나님은 그 아들이 하나님과 인간 가족이라는 서로 소외되
어 있는 두 집단에 대한 넘쳐 나는 사랑으로 그 자신을 죽음에 내
어 주고 희생함으로 인해서만 자유롭게 된다."[28] 여기에서 그녀가
이해하는 것은 아버지와 아들 사이에 분열이 있다는 것이다. 아버
지는 '그의' 깨어진 영광을 회복하기 위해 '그의' 외아들까지 죽일
수 있는 이로 이해되며 아들은 불순종한 인류 위에 쏟아질 하나님
의 진노를 달랠 무죄한 희생 제물로 이해된다. 한마디로 말해 성부

---

28 Brown, *Christianity, Patriarchy, and Abuse*, 8.

는 피에 굶주린 악마로, 예수는 죄 없고 힘없는 희생자로 그려진다. 만약 이것이 정녕 성경이 말하는 예수의 십자가 죽음의 의미라면 이것은 "우주적인 자녀 학대"이며 무죄한 고통에 대한 미화와 영속화라 불러 마땅할 것이다.

그러나 대속을 하나님과 예수 사이의 어떤 거래처럼 이해하는 이런 이해는 신약 성경이 말하는 대속과는 거리가 멀다. 신약 성경에는 서로 분리되어 있는 두 신적 인격들 사이의 신적 거래라는 생각이 나타나지 않는다. 오히려 그것은 성부 자체가 하나님과 인간 사이의 화해의 대리인(agent)이며 또한 대상(object)이라고 말한다.[29] 곧 신약 성경은 아버지와 아들이 다같이 대속의 주체자이며 선도자라고 증거한다.[30] 예수가 그저 한 인간 아닌 신적 존재이며 또 하나님과 예수 사이의 일치 내지 연합이라는 이 두 가지 요점들이 지켜지지 않을 때는 반드시 성경이 증언하는 대속 죽음에 대한 왜곡된 이해가 일어나서 신은 안셀무스 시대의 봉건 영주처럼 학대적이며 피에 젖은 괴물로 이해되어 버린다. 따라서 여기에서 핵심적인 요점은 예수 그리스도의 신성과 십자가에서의 삼위일체 하나님의 일치성이 긍정될 때만 대속에 대한 모든 논의는 의미를 가지며 설득력을 갖게 된다는 것이다. 즉 대속 교리는 삼위일체 구조 안에서만 가능하며 또 의미를 갖게 된다. 둘째로 십자가를 대속 죽

---

29 예를 들어 고후 5: 18-19; "모든 것이 하나님께로 났나니 저가 그리스도로 말미암아 우리를 자기와 화목하게 하시고 또 우리에게 화목하게 하는 직책을 주셨으니 이는 하나님께서 그리스도 안에 계시사 세상을 자기와 화목하게 하시며 저희의 죄를 저희에게 돌리지 아니하시고 화목하게 하는 말씀을 우리에게 부탁하셨느니라."

30 가령 요한 복음 10:17-18에서 요한 기자는 아래와 같이 예수가 십자가에서 희생자 아닌 주체자로 계셨음을 말한다. "아버지께서 나를 사랑하시는 것은 내가 다시 목숨을 얻기 위하여 목숨을 버림이라. 이를 내게서 빼앗는 자가 있는 것이 아니라 내가 스스로 버리노라. 나는 버릴 권세도 있고 다시 얻을 권세도 있으니"

음으로 이해하는 것은 '신적인 자녀 학대'라는 일부 여성 신학자들의 주장은 단지 예수 그리스도의 신성과 삼위일체 하나님 사이의 일치성만을 훼손시킬 뿐 아니라 예수의 인간성까지 훼손시킨다. 앞에서 언급한 칼슨 브라운에 따르면 예수는 하나님 앞에 제물로 드려진 단지 한 수동적인 희생자에 불과했다. 그러나 예수는 아무 힘도 선택권도 없는 한 어린아이가 아니었다. 그는 스스로 선택하며 또 그 선택의 뜻이 무엇인지를 잘 알고 있는 어른이었다. 겟세마네 언덕에서의 예수의 기도에서 볼 수 있듯이 예수는 자진해서 십자가의 길을 가셨다. 그의 고난과 죽음은 브라운이 말하는 것처럼 단지 악의 세력에 대한 도전의 결과만이 아니라 그의 아버지에 대한 자발적인 순종의 표현이었으며 또한 하나님의 뜻을 준행하면서 살아온 그의 삶의 최고 극치였다. 셋째로 십자가 사건을 하나님의 자녀 학대로 보는 이해는 예수의 죽음을 그의 전 생애 및 부활과 분리시켜 논의하고 있다. 그러나 예수의 십자가 죽음의 의미를 이해하려면 죽음에까지 이르는 그의 삶의 행적을 먼저 이해해야 한다. 실상 예수의 전 삶은 그의 하나님의 나라 메시지가 보여주듯 인간의 진정한 자유와 해방을 지향하고 있었으며 이런 삶의 방식은 당시의 정치 종교 지도자들 및 그 사회 구조와 충돌할 수밖에 없었다. 따라서 예수의 삶이 옳았다는 것을 검증해 주는 부활이 있을 때만 그의 죽음은 의미를 갖게 되며 대속에 대한 논의도 가능하게 된다. 즉 예수를 죽은 자 가운데 다시 살리심으로 하나님은 악과 억압의 세력이 결코 최후의 승리자가 될 수 없음을 확증하신 것이다. 결국 예수의 하나님 나라 선포와 이로 인한 죽음 그리고 부활이란 그의 전 생애를 종합적으로 이해할 때만 대속에 대한 논의는 의미를 갖게 된다. 이 점에서 볼 때 통상적인 대속 이해는 예수의 십자가 죽음의 의미를 그의 하나님 나라 선포와 그것이 갖는 사회 정치적 중요성과 연결시키지 않았고 이 점에서 대속을 개인주의화, 추상화 혹은 영화(spiritualization)하는 오류를 범하고 있음도 사실이다.

　요약하건대 신약 성경은 서로 분리된 두 인격으로서의 하나님과 예수 사이에 인간을 사이에 둔 어떤 거래가 있다고 보지 않는다. 성경은 하나님 아버지와 예수 그리스도가 다같이 화해의 주체이며 또 대상이라고 말한다.[31] 이런 예수의 신성과 삼위 하나님 사이의 일치가 전제되지 않으면 성경이 증언하는 속죄 사건으로서의 십자가는 완전히 왜곡된다. 그때 하나님 아버지는 가학적 폭군이 되며 예수 그리스도는 무력한 희생물이 되어 버린다. 따라서 속죄론에 대한 논의는 그리스도의 신성과 삼위 하나님 사이의 일치가 전제 될 때 의미를 갖게 된다. 간단히 말해서 속죄론은 삼위일체론의 맥락 안에서 그 진정한 의미와 가치를 갖게 된다. 칼슨 브라운 등의 공헌은 대속론이 잘못 이해될 때 여성을 포함한 모든 억눌린 자들을 억압하는 도구가 될 수 있음을 잘 보여준 데 있다. 그러나 제대로 이해될 때 대속론은 기독교 신앙의 핵심이며 생명을 살리는 해방의 능력이 된다.

맺는 말

　이상에서 우리는 여성 신학의 역사적 배경, 대표적 신학자들, 몇 가지 주요 특징 및 그 하나님, 죄, 그리스도, 대속 이해를 살펴보았다. 가부장 사회에서의 여성 억압의 경험에 근거해서 남성 중심의 신학과 교회의 역사를 비판하며 양성 평등의 대안을 제시하는 여

---

31 가령 고후 5: 18-20: "모든 것이 하나님께로 났나니 저가 그리스도로 말미암아 우리를 자기와 화목하게 하시고 또 우리에게 화목하게 하는 직책을 주셨으니 이는 하나님께서 그리스도 안에 계시사 세상을 자기와 화목하게 하시며 저희의 죄를 자기에게 돌리지 아니하시고 화목하게 하는 말씀을 우리에게 부탁하셨느니라."

성 신학은 어떤 부분에서는 다소 극단적인 면도 있으나 전체적으로 그동안 지나치게 남성 중심화되어 하나님의 본래적 뜻에서 벗어나 있던 교회를 새롭게 하는 개혁 운동의 일환이다. 교회가 그 속에 들어 있는 예언자적 목소리를 잘 받아들이고 그로 인해 자기를 변혁할 수 있다면 이 신학은 돌멩이 아닌 떡(bread not stone)[32]이 될 수 있다. 한국의 신학계는 오랫동안 여성 신학 논의에서 많은 발전을 보여 왔다. 그 논의들이 교회 현실과 연결되어서 새로운 형태의 교회관과 선교적 사명을 모색하고 있는 한국 교회를 변화시키는 은혜(transforming grace)[33]가 될 수 있기를 기대한다.

---

32 Elizabeth Schussler Fiorenza, *Bread Not Stone: The Challenge of Feminist Biblical Interpretation* (Boston: Beacon Press, 1984, 1995).

33 Anne Carr, *Transforming Grace: Christian Tradition and Women's Experience* (San Francisco: Harper and Row, 1988).

참고 도서

Anne Carr, *Transforming Grace: Christian Tradition and Women's Experience*, San Francisco: Harper and Row, 1988. 하바드 대학의 여성 신학자인 앤 캐르는 칼 라너 신학 전공자이다. 이 책에서 그녀는 비교적 온건한 입장에서 여성 신학의 여러 모습들을 서술하고 있다. 여성 신학을 처음 접하는 이들에게 큰 도움이 되는 책이다.

Rita Nakashima Brock, *Journeys by Heart: A Christology of Erotic Power*, New York: Crossroad, 1988. 나카지마 브락은 미국의 일본계 여성 신학자로 급진적인 여성 신학을 전개한다. 저자가 일본계여서 그런지 이 책은 북미의 신학자가 쓴 글로는 무척 동양적 느낌이 드는 책이다. heart(마음/심장)이란 은유를 중심으로 신학을 전개하는 것이 우선 그러하다.

Carol P. Christ and Judith Plaskow, eds. *Womanspirit Rising: A Feminist Reader in Religion*, San Francisco: Harper and Row, 1979. 급진적 여성 신학자들의 글 모음집. 이 책의 필자들은 기독교 전통에서 상당히 벗어난 신학을 전개하고 있다.

Phyllis Trible, *God and the Rhetoric of Sexuality*, Philadelphia: Fortress Press, 1978; *Texts of Terror: Literary-Feminist Readings of Biblical Narratives*, Philadelphia: Fortress Press, 1984; *Rhetorical Criticism: Context, Method, and the Book of Jonah*, Minneapolis: Fortress Press, 1994. 대표적인 여성 구약 신학자의 가부장적 성경 본문에 대한 해체(deconstruction)와 재구성 (reconstruction)의 방법론과 내용을 담은 책.

Rosemary Radford Ruether *Sexism and God-Talk: Toward a Feminist Theology* (London, 1983, 1993); *Women-Church: Theology and Practice of Feminist Liturgical Communities*, New York: Harper and Row, 1985; *Gaia and God: An Ecofeminist Theology*

of Earth Healing, San Francisco: HarperCollins, 1992. 대표적인
여성 신학자이며 사상가의 글. 특히 *Sexism and God-Talk*는 이
미 여성 신학의 고전이 된 책이다.

Mary Daly, *The Church and the Second Sex*, New York: Harper and
Row, 1968; *Beyond God the Father: Toward a Philosophy of
Women's Liberation*, Boston: Beacon Press, 1973; *Gyn/
Ecology: The Metaethics of Radical Feminism*, Boston: Beacon
Press, 1978; *Pure Lust: Elemental Feminist Philosophy*,
Boston: Beacon Press, 1984. 여성 신학의 선구자이며 대표적인
급진적 여성 신학자의 주요 저서들. 시간이 감에 따라 그녀의 신
학이 점점 더 급진적으로 되어 가는 것을 볼 수 있다.

Elisabeth Schussler Fiorenza, *In Memory of Her: A Feminist
Theological Reconstruction of Christian Origins* (New York:
Crossroad, 1983, 1995); *Bread Not Stone: The Challenge of
Feminist Biblical Interpretation* (Boston: Beacon Press, 1984,
1995.; *Jesus: Miriam's Child, Sophia's Prophet* (New York:
Continuum, 1994). 대표적인 여성 신약 신학자의 글.

Elizabeth Johnson, *She Who Is: The Mystery of God in Feminist
Theological Discourse*, New York: Crossroad, 1992. 탁월한 여성
신학적 저서. 이 책에서 저자는 지혜 기독론(Wisdom Christology)
에 근거하여 여성 신학적 삼위일체론을 전개하며 그 가운데 기독
교 전통과 여성 신학이 결코 충돌하지 않음을 보여주려 한다.

제3장 흑인 신학, 아프리카 신학

들어가는 말

흑인 신학(black theology)은 북미, 특히 미국과 남아프리카 공화국의 흑인들의 경험에서 형성된 신학을 가리킨다. 이 신학 역시 다른 해방 신학들과 마찬가지로 억압의 경험에서 출발한다. 하지만 남미의 해방 신학이 남미의 신식민주의적 정치, 경제적 억압을, 여성 신학이 가부장 사회에서의 여성 차별을 배경으로 하고 있는 데비해 흑인 신학은 미국과 남아 공화국의 인종차별(racism)에서 출발하여 그 극복을 그 신학의 주된 과제로 삼는다. 반면 아프리카 신학은 인종 차별 문제보다는 아프리카 흑인들의 전통 문화 안에서 기독교 복음이 가지는 의미에 대한 질문 곧 기독교 복음의 아프리카적 수용에 더 큰 관심을 보인다. 이런 차이에도 불구하고 흑인 신학과 아프리카 신학은 다같이 '흑인'으로 살아가는 것을 신학화한다는 점에서 서로 일치한다. 역사적으로 볼 때 흑인이라는 것 자체는 결코 가치 중립적인 개념이 아니었다. 그것은 언제나 인간적 멸시를 짊어지고 살아가야 한다는 표시였다. 흑인 신학과 아프리카 신학은 이런 흑인의 경험에서 출발하여 흑인으로서의 진정한 정체성을 확보하고 그 해방을 지향하고자 하는 신학이다. 이 장에서는 미국의 흑인 신학 및 아프리카 신학의 역사적 배경과 그 신학적 특징 및 앞으로의 전망을 살펴보기로 한다.

1. 흑인신학

1) 미국 흑인 신학의 배경과 역사

미국의 흑인 신학은 흑인들의 노예 경험에 그 기원을 두고 있다. 현재 미국 흑인들의 조상은 백인 노예 상인들에 의해 미국으로 끌려온 아프리카 원주민들이었으며 이들은 처음부터 하나의 상품으로 또 약탈과 착취, 폭력, 강간의 대상으로 여겨졌다. 오늘날 미국 사회에 깊이 뿌리 박혀 있는 흑인 차별 및 그 열등성에 대한 신화는 흑인 노예 제도에 근거하고 있다.

아프리카의 흑인들이 처음 미국 땅에 끌려왔을 때 그들의 아프리카 종교는 엄격히 금지되었고 대신 그 주인들의 종교인 기독교를 받아들이도록 강요되었다. 하지만 이때의 기독교는 흑인의 열등함과 백인 지배의 정당성을 가르치는 종교였으며 또 현재의 슬픔을 내세의 위로로 달램으로 인해 흑인들로 하여금 억압의 현실을 받아들이게 하는 종교였다. 하지만 하나님의 말씀은 놀라워서 흑인들은 성경 이야기를 듣는 가운데 그들 백인 주인들의 의도와는 달리 고난을 승리로 바꾸시는 노예 해방의 하나님과 예수 그리스도를 만났다. 이들은 백인들의 감시의 눈을 피해 숲 속의 비밀스러운 장소에 모여서 성경을 이야기로 또 노래와 춤으로 재해석해 내었다. 흑인 영가(the Negro Spirituals)는 이렇게 태어났으며 여기에서 우리는 흑인 노예들의 슬픔과 희망, 복음 안에서의 해방과 자유를 향한 몸부림을 읽게 된다.[1]

노예 해방이 이루어진 뒤 흑인 교회는 크게 두 가지 형태를 보

---

1 흑인 영가 속의 사회 비판과 해방에의 부르짖음에 대해서는, James Cone, *The Spirituals and the Blues* (New York, 1972).

였다. 일부 교회는 백인 교단에 그대로 남아 그 신학과 교회 예전
을 따르되 다소 흑인적인 요소를 가미하는 정도에 만족했다. 그러
나 더 많은 수의 흑인 교회는 미국 사회에서의 흑인들의 경험과 문
화를 반영하는 독립교회로 독립해 나갔다. 그리고 이 두 종류의 교
회는 모두 흑인들의 삶에 아주 중요한 역할을 했으니 흑인들은 교
회에서 그들의 인간적 존엄성을 발견함으로 고달픈 억압의 땅에서
살아갈 힘을 얻었다.[2]

흑인 신학이 하나의 신학 운동으로 발전한 것은 비교적 최근의
일이다. 그것은 보통 1966년 7월의 흑인 교인들의 국가 위원회 선
언(A Statement by the National Committee of Negro Churchmen)
에서 시작된 것으로 여겨진다.[3] 미시간의 디트로이트에서 모인 이

---

2 필자는 미국과 캐나다 유학 시절 백인 및 흑인 교회를 찾아가 예배 드릴 기
   회를 몇 차례 가졌다. 이 두 교회는 우선 느낌부터 달랐다. 백인 교회는 방
   문객인 필자에 대해 무심하거나 겉치레의 친절을 보였고 심지어 어떤 중산
   층 백인 교회는 난처함이나 가벼운 적대감마저 보였다. 반면 흑인 교회는
   호들갑스러울 정도로 필자를 환영해 주었으며 떠날 때 꼭 다시 오라고 몇
   번씩 다짐을 하기도 했다. 백인들의 예배는 대개 무겁고 엄숙하고 절도 잡
   힌 정통 장로교식 예배였고 흑인들의 예배는 비록 장로 교회라 하더라도 훨
   씬 자유롭고 복음성가 같은 찬양이 많았으며 특히 교인들의 목사의 설교에
   대해 아주 열정적인 반응을 보였다. 예배 시간도 비교적 길었다. 무엇보다
   인상적인 것은 교회에 참석한 흑인들의 화려하고 멋있는 복장들이었다. 실
   상 흑인들은 가지고 있는 최고 좋은 옷을 입고 교회에 나오며 이는 교회가
   그들의 삶에 차지하는 비중을 말해 준다. 이같은 차이는 교회뿐 아니라 신
   학교에서도 그대로 보였다. 필자가 공부했던 프린스턴 신학교의 경우 흑인
   학생들이 인도하는 예배는 그 열정과 자유분방함, 그리고 사회 고발적인 메
   시지에 있어서 차분하고 정돈된 분위기의 백인 학생들의 예배와 분명하게
   구별되었다.
3   C. S. Wilmore, James Cone (ed), *Black Theology: A Documentary
   History*, 1966-1979, (London, 1978), 23-30. 인용은 Patrick A. Kalilombe,
   "Black Theology," David Ford (ed) *The Modern Theologians: An
   Introduction to Christian Theology in the Twentieth Century*, Vol. 2.
   (Oxford: Basil Blackwell, 1989), 196.

회합은 흑인 신학이 흑인의 경험에서 출발하여 그 해방을 지향함을 분명하게 선포한다: 흑인 신학은 흑인 해방의 신학이다. 그것은 예수 그리스도 안의 하나님의 계시의 빛에서 흑인의 조건을 자세히 살핌으로 인해 흑인 공동체로 하여금 복음은 흑인 공동체의 형성과 함께 완성됨을 보게 한다. 흑인 신학은 '흑인됨'(blackness)의 신학이다. 그것은 흑인을 백인 인종차별로부터 해방하는 흑인 인류의 긍정이며 그로 인해 백인과 흑인 모두에게 진정한 자유를 주려는 것이다. 그것은 백인 억압의 고리를 거부함으로써 백인들의 인간성을 긍정한다.[4] 흑인 신학자 제임스 콘(James Cone)은 흑인 신학의 태동에 영향을 미친 세 가지 운동을 든다. 그 첫 번째는 1950년대와 1960년대의 흑인들과 소수의 백인들의 시민 권리 운동(the Civil Rights movement)이었다. 마틴 루터 킹과 많은 흑인 교회 지도자들이 참여한 이 운동은 흑인들로 하여금 복음이 말하는 자유와 해방을 새롭게 이해하도록 도전했다. 둘째로 1964년 출판된 흑인 학자 조셉 워싱턴(Joseph R. Washington Jr.)의 책 『흑인 종교: 미국의 흑인과 기독교』(Black Religion: The Negro and Christianity in the United States)의 영향을 들 수 있다. 이 책에서 워싱턴은 흑인 종교와 교회는 백인 교회와 분리되면서 기독교 전통에서 단절되었기에 다시 백인 교회와 연결될 때만 기독교 복음의 진정한 요소를 회복할 수 있다고 주장했다. 이 책은 흑인 교회 지도자들로 하여금 백인들의 신학에서 독립되어 있으며 흑인들의 경험에 근거한 체계적인 흑인 신학이 긴급히 필요함을 일깨워 주었다. 셋째로 보다 직접적인 영향은 좀더 호전적인 흑인 운동인 흑인의 힘 운동

---

4 'Black Theology: A Statement by the National Association of Black Churchmen, June 13, 1969', 인용은 C. S. Wilmore, James Cone(편), *Black Theology: A Documentary History*, 1966-1979, 28.

(Black Power Movement)에서부터 왔다. 말콤 엑스 등의 지도 아래 젊은 흑인들은 이전의 흑인 운동이 미국내의 흑인 차별을 극복하기에는 너무 미온적이라고 주장하면서 흑인의 완전한 분리와 자치를 주장하기에 이르렀다. 이런 도전들 앞에서 흑인 종교의 본질과 흑인들의 정체성의 문제를 심각하게 고려하는 흑인 신학이 구체적으로 형성되기 시작했다.5)

월모어(Gayraud S. Wilmore)에 의하면 흑인 신학은 1960년대 말부터 오늘에 이르기까지 세 가지 단계를 거쳐 발전해 왔다. 1966년부터 1970년 사이의 흑인 신학은 주로 교회 모임에서의 흑인들의 정체성과 그 종교적 특징에 대한 질문들에 대한 답변 속에서 형성되었다. 이때의 중요 주제는 흑인의 인권과 사회 정의 달성에 있어서의 폭력 사용의 문제와 기독교적 사랑과 사회 정의의 관계 문제였다. 두 번째 단계인 1970년부터 1977년은 흑인 신학의 중심이 교회에서 대학과 신학교로 옮겨 간 때이다. 이때부터 흑인에 대한 연구가 대학 커리큘럼의 일부가 되고 또 흑인 신학도 신학교의 한 과목이 되기 시작했다. 이에 따라 흑인 신학에 대한 교회의 영향력은 점차적으로 약해지고 흑인 신학은 좀더 학문적인 형태로 발전하게 되었다. 이때의 중요 이슈는 흑인들의 고난과 해방의 본질이 무엇인가 하는 것이었다. 셋째로 1977년 이후 오늘까지의 흑인 신학의 방향이다. 1970년대 중반 이후의 흑인 신학은 흑인 신학이 다

---

5 J. H. Cone, *For My People: Black Theology and the Black Church* (Maryknoll: Orbis Books, 1984), 6-11. 마틴 루터 킹의 흑인 민권 운동과 말콤 엑스의 흑인의 힘 운동이 흑인 신학에 미친 영향에 대해서는 J. H. Cone, *Martin and Malcolm and America: A Dream or a Nightmare,* (Maryknoll: Orbis Books, 1991); L. V. Baldwin, *To Make the Wounded Whole: The Cultural Legacy of Martin Luther King, Jr* (Minneapolis: Fortress Press, 1992); C. S. Wilmore, James Cone (ed), *Black Theology: A Documentary History,* 1966-1979, (London, 1978).

른 다양한 형태의 해방의 신학들과의 만남을 통해 그 자체의 내용
을 더욱 세분화, 구체화시킨 때이다. 가령 1975년의 미국의 신학
(Theology in the Americas) 계획은 젊은 흑인 신학자들로 하여금
라틴 아메리카의 해방 신학 및 미국 내의 인디언, 히스페닉 카톨릭,
여성들 등의 소수 집단들과 접촉하게 만들었고 이 가운데 흑인 신
학은 좀더 체계화, 조직화되기 시작했다. 특히 1976년에 결성된 제3
세계 신학자 협의회(EATWOT: The Ecumenical Association of
Third World Theologians)이후 흑인 신학자들은 아시아와 아프리
카의 여러 신학에 접하면서 그들과의 대화를 통해 자기들의 신학
을 계속 검토하고 발전시키기에 이르렀다.[6] 최근의 흑인 신학은
그 흑인됨의 경험을 공유하고 있는 아프리카 신학과의 대화를 통
해 인종 차별과 정치, 경제적 이슈뿐만 아니라 흑인의 문화적 뿌리
및 정체성에 대한 심도 깊은 연구를 하고 있다.

중요한 흑인 신학자로서는 앞에서 말한 제임스 콘 외에 로버츠
(J. Deotis Roberts), 윌모어(G. S. Wilmore), 세실 콘(Cecil Cone),
링컨(G. Eric Lincoln), 웨스트(Corel West), 롱(Charles Long), 하
딩(Vincent Harding), 영(Josiah Young), 홉킨스(Dwight Hopkins),
그리고 여성주의적 관점에서 흑인 신학을 전개하는 그랜트
(Jacquelyn Grant), 윌리암스(Delores Williams)를 들 수 있다. 이제
아래에서는 흑인 신학의 주요한 특징 여섯 가지를 그 대표적 신학
자인 제임스 콘(James Cone)의 신학을 중심으로 살펴보기로 한
다.[7]

---

6 Wilmore and Cone, *Black Theology*, 4-11.
7 제임스 콘은 *Black Theology and Black Power* (1969) 이후로 가장 중요한
   흑인 신학자가 되었다. 특히 그의 *God of the Oppressed* (1975)는 신학자로
   서 그의 개인적 삶뿐 아니라 흑인 신학의 방향을 결정적으로 규정한 책이다.
   비록 모든 흑인 신학자들이 콘의 신학에 완전히 동의하지는 않으나 그것은

2) 흑인 신학의 특징
2-1. 흑인의 경험에서 출발한 흑인 해방의 신학

흑인 신학은 미국에서의 흑인에 대한 구조적 인종 차별과 정치, 경제적 억압의 경험에서 태어난 신학이다. 흑인들은 면화와 옥수수 밭의 노예로 미국 땅을 처음 밟았으며 이 노예 경험은 자유인이 된 지금까지도 숙명처럼 그들을 굴레 씌우고 있다. 미국에서 흑인은 언제나 원시적이며 게으르고 범죄적이며 적절한 통제 없이는 제대로 살지 못하는 열등한 존재로 여겨져 왔다. 미국 사회에서 흑인으로 산다는 것은 언제나 이등 시민 혹은 비인간으로 살아가도록 정해져 있음을 뜻한다.8) 흑인 신학은 이런 사회적 편견과 억압 때문에 생기는 흑인들의 슬픔과 분노 및 절망을 기독교 복음의 빛으로 해석하여 흑인의 진정한 정체성과 해방을 일구려는 신학이다. 콘과 윌모어는 이런 흑인 신학의 모습을, 흑인 신학은 적대적인 백인 사회에서의 흑인 존재들의 종교적 중요성을 정립하려는 필요에서 일어난 신학이며, 그것은 흑인들이 성령의 인도 아래에서 흑인들의 경험을 반성하며 그들의 삶에 대한 기독교 복음의 관련성을 다시 정의하려는 것이다.9)라고 규정하고 있다.

흑인 신학에 있어서 표준적인 역할을 하고 있다. 콘의 다른 책으로는 *A Black Theology of Liberation* (1970); *The Spirituals and the Blues* (1972); *Black Theology: A Documentary History*, 1969-1979 (Gayraud S. Wilmore와 함께 편집); *My Soul Looks Back* (1982); *For My People* (1984); *Speaking the Truth* (1986); *Martin and Malcolm and America: A Dream or a Nightmare?* (1991), *Black Theology: A Documentary History*, 1980-1992 (Gayraud S. Wilmore 와 함께 편집) 등이 있다. 제임스 콘의 신학에 대한 종합적 연구로는 Rufus Burrow, Jr., *James H. Cone and Black Liberation Theology* (Jefferson: McFarland, 1994).

8 Edward Antonio, Black theology, in Christopher Rowland, *The Cambridge Companion to Liberation Theology* (Cambridge: Cambridge University Press, 1999), 66.

따라서 흑인 신학의 과제는 인종 차별 및 정치, 경제적 억압으로부터의 해방이다. 콘에 의하면 흑인 신학의 과제는 예수 그리스도 안의 하나님의 계시의 빛으로 흑인들의 상황을 분석함으로 흑인들 가운데 흑인의 존엄성을 새로이 이해하도록 하고 그 사람들에게 필요한 영혼을 제공하여 백인 인종 차별을 분쇄10)하는 데 있다. 즉 흑인 신학은 흑인에 대한 인종 차별 가운데에서 형성되어 흑인의 진정한 인간적 존엄성과 해방을 지향하는 신학이다. 이 신학은 미국의 인종 차별 상황 속에서 기독교 전통을 읽고 그 전통에서 백인 우월주의를 거부하고 흑인의 인간으로의 존엄성과 가치를 확보하는 것을 그 주된 과제로 삼는다.

2-2. 흑인됨(Blackness)의 의미를 중요시하는 신학

흑인 해방을 지향하는 흑인 신학은 흑인됨(blackness)의 의미를 중요하게 여기며 그것을 존중하고자 한다. 역사적으로 볼 때 백색이 주로 선, 밝음, 깨끗함, 순수함 등의 이미지로 표현된 반면 흑색은 악, 어두움, 추함, 더러움과 연관되어 왔다. 이런 백색과 흑색에 대한 사람들의 일반적 관념은 오늘날까지 계속되어 흑인 신학자 로버츠(Deotis Roberts)가 말하듯이 흑색은 지금도 수치, 추방, 열등함, 악, 더러움, 게으름 등의 이미지와 깊이 연결되어 있다.11) 이런 백과 흑의 상징성은 구체적으로는 두 가지 형태로 나타난다. 첫째, 백인들에게는 흑인은 열등하고 악하기 때문에 지배받아 마땅하

---

9   J. Cone and G. S. Wilmore, "Black Theology African Theology: Considerations for Dialogue, Critique and Integration", Cone and Wilmore (편), *Black Theology*, Vol. 1, 468.

10 Cone, *Black Theology and Black Power*, 117.

11 Deotis Roberts, A Creative Response to Racism: Black Theology, Gregory Baum and John Coleman (eds), *Concilium: The Church and Racism* (Edinburgh: T and T Clark, 1982), 38.

다는 잘못된 생각을 불러일으킨다. 둘째, 흑인들에게는 열등감을 내면화시켜 비참과 곤경에서 벗어나지 못하게 한다. 흑인 신학은 바로 이런 뿌리 깊은 흑과 백의 상징성을 극복하고자 하며 한 걸음 더 나아가 흑색에서 흑인의 진정한 정체성과 자유를 찾고자 한다. 흑인 신학에 따르면 흑색이란 억압과 고통의 상징이다. 하지만 그 것은 또한 진정한 인간됨과 해방의 표현이 될 수도 있다. 마치 저 주와 멸시를 뜻했던 십자가가 예수 그리스도로 인해 하나님의 궁 극적 승리와 영원한 구원의 상징이 되었던 것처럼 흑인의 흑인됨 (blackness)도 예수 그리스도 안에서 저주와 고통을 넘어서는 영원 한 승리와 구원의 상징이 될 수 있다.12) 흑인 신학은 흑인임을 찬 양하고 축하하며 존중히 여기려는 신학이다.

2-3. 흑인 상황에서 나온 상황 신학/ 이야기 신학

흑인 신학은 흑인에 대한 인종차별이란 구체적 상황에서 나온 상황적 신학이다. 제임스 콘에 의하면 "신학은 하나님에 관한 인간 의 말"이며 모든 인간의 말이 그렇듯이 구체적인 상황 안에서 발생 하며 그 상황을 반영한다. 즉 신학은 신학자 개인과 그가 속해 있 는 공동체의 정치, 경제, 역사적 상황을 반영하며 그것에 의해 제한 된다. 따라서 보편적 신학이란 사실상 존재하지 않는다. 콘은 이와 같은 신학의 상황성에 근거한 신학 방법론을 "상황적-변증적 방법 (contextual-dialectical method)"이라 부른다. 이 방법론에 의하면 절대적이며 보편적 진리란 없으며 심지어 계시 그 자체에도 없다. 계시는 그것이 구체적인 현장에서 해석될 때는 언제나 상황화되며 또 그렇게 될 때에만 생명을 살리는 말씀이 된다.13)

---

12 Deotis Roberts, *Ibid.*, 38-39.
13 J. H. Cone, "The Content and Method of Black Theology," *Journal of Religious Thought* 32/2 (Fall/Winter 1975): 90-103. 특히 100.

따라서 흑인의 인종 차별이란 구체적 상황에서 태어난 흑인 신학은 결코 억압자들인 백인들의 신학과 같을 수 없다. 흑인들의 신학과 백인들의 신학은 그 역사적 사회, 정치적 경험의 차이 때문에 필연적으로 다른 모습을 띠게 된다: "...생각하는 것 혹은 사고는 결코 우리의 사회-정치적 실존과 분리될 수 없다. 만약 어떤 사람이 노예이면 그의 하나님에 대한 생각은 노예 주인의 그것과 다른 특성을 가질 것이다."14) 결국 백인 신학과 흑인 신학이 다같이 하나님에 대해서 말하지만 그들의 하나님 이해는 완전히 다를 수밖에 없다. 백인 종교와 흑인 종교는 결코 같을 수 없다.15) 가령 백인 신학은 하나님과 그 구원을 논리적 체계로 진술하지만 흑인 신학은 이야기와 노래로 그리고 춤으로 표현한다. 백인 신학이 하나님의 존재함을 증명하려고 하지만 흑인 신학은 하나님의 존재를 당연한 것으로 받아들인다. 백인 신학이 신학적 사고와 실천 혹은 신학과 예배 사이를 구별하지만 흑인 신학은 이들을 하나로 통합하려고 한다. 콘에 따르면 이 모든 차이들은 노예 및 인종 차별을 경험한 흑인들의 사회, 정치적 상황에서 형성되었다. 즉 흑인 노예들의 관심은 백인 노예 주인들의 관심보다 더 긴박하고 실제적일 수밖에 없었고 따라서 다른 신학적 모습을 띨 수밖에 없었다.

특별히 흑인 신학에서 중요한 것은 흑인의 고난과 절망, 희망을 반영하는 구체적인 삶의 경험이다. 이런 삶의 경험은 신학자 개인의 것일 뿐 아니라 그가 속한 흑인 공동체의 것이기도 하다. 이 경험을 반영하기 위해 흑인 신학은 특히 한 사람의 생애 곧 그의 전기(biography)를 이야기하는 것을 중요하게 여긴다. 즉 흑인 신학은 어떻게 한 아프리카 사람이 그의 고향에서 강제로 납치되어 미

---

14 Cone and Wilmore, *Black Theology*, 514.
15 Cone, "The Content and Method of Black Theology," 91 쪽 이하.

국으로 끌려 왔는가? 또 그와 그의 후손들이 어떤 차별을 당하면서 미국 땅에서 눈물의 빵을 먹게 되었는가를 이야기하며 이런 이야기를 통해 하나님의 구원을 말하고자 한다. 오늘날 흑인들의 삶의 정황을 표현하는 이런 전기에 대한 이야기는 흑인 신학이 기독교 복음을 해석하는 구체적 상황이 되며 또 흑인 해방을 향해 가는 모판이 된다. 특히 콘에 따르면 이런 전기에 대한 이야기를 통해서 두 가지가 분명하게 된다. 첫째, 부정적으로는 "이 세상은 하나님이 원하시는 세상은 아니다"라는 것이 분명하게 드러난다. 이런 전기를 이야기함으로 하나님은 인종 차별을 결코 기뻐하지 않으시나 오늘 우리의 현실은 흑인의 인간됨을 거부하는 극단적 인종 차별로 가득 차 있음이 분명해진다.16) 둘째, 긍정적으로는 이런 전기에 대한 이야기는 사람들로 하여금 차별 없는 세상을 꿈꾸게 하며 그런 세상을 향한 해방 운동에 헌신하게 한다.17)

2-4. 흑인 신학의 신학적 기준: 흑인 해방

흑인 신학에 있어서 모든 신학적 진술을 판단하는 중요한 척도는 흑인의 해방이다. 즉 흑인 신학에 있어서 어떤 교리의 진실성 여부는 그것이 얼마나 흑인 해방을 위해 봉사하는가에 의해 결정된다. 콘은 이와 같은 흑인 신학의 모습을 "내가 흑인이라는 사실이 나의 궁극적 실재이다."18) 또 "흑인 신학은 억압의 경험보다 더 중요한 권위를 알지 못한다. 이것만이 종교적 문제들에 있어서 궁극적 권위가 되어야 한다"19)라고 표현한다. 여기에서 흑인 신학은

---

16 Cone and Wilmore, *Black Theology*, 468.

17 *Ibid.*

18 Cone, *Black theology and Black Power*, 32.

19 *Ibid.*, 120.

여러 해방 신학들이 그랬듯이 이데올로기적 모습을 띈다. 즉 흑인 신학은 흑인 해방이라는 유한한 목표를 절대적인 것으로 상정하며 그것을 지향한다.

그러나 이런 신학이 과연 건강한 신학이 될 수 있을까? 흑인 신학의 최종 목표가 인종 차별에서의 흑인들의 존엄성 회복과 해방이라면 그것은 결국 흑인이란 특수 집단의 이익의 표현으로 떨어질 수 있지 않은가? 그것은 영원한 하나님의 복음을 지상의 한 일시적 목표와 동일시 해 버리는 문제를 갖고 있지 않은가? 진정한 흑인 해방을 위해서는 무엇이 해방인지를 평가할 절대적 기준이 다른 곳에서 와야 하지 않을까? 콘 역시 이와 같은 문제점을 직시하면서 그의 책 다른 곳에서 흑인 신학 역시 그것을 비판하고 교정하는 초월적인 근거를 가지고 있어야 함을 말한다. 그는 "기독교의 하나님 교리가 인간에 관한 교리보다 논리적으로 앞서야 한다"[20]라고 말하며 기독교 신학의 중심으로서의 예수 그리스도의 중요성을 강조하며 예수 그리스도의 삶과 죽음 그리고 부활의 빛에서 모든 신학적 진술을 검증해야 한다고 주장하기도 한다. 즉 콘은 흑인 신학을 단지 흑인 해방으로 축소시키려고 하지는 않으며 흑인 해방과 그리스도론과의 상호 긴장 속에서 신학의 규범을 찾는다. 하지만 비록 그가 신학에 있어서 하나님과 그리스도의 우선성을 주장하지만 그의 하나님과 그리스도는 흑인 해방과 너무 깊이 연관되어 있어서 그것을 비판하고 교정하는 역할을 제대로 감당하기 어려워 보인다. 만약에 콘의 말처럼 "흑인들은 오직 백인 인종 차별의 잔혹성을 주시하는 검은 눈을 통해서만 하나님을 볼 수 있다"[21]면 흑인 신학은 여전히 하나의 이데올로기가 될 위험 앞에

20 *Ibid.*, 117.
21 *Ibid.*

서 있다.

2-5. 흑인 신학의 하나님과 그리스도: 흑인인 하나님, 흑인인 그리스도

전통적인 서구 백인 신학은 신에 대해 다분히 추상적이고 개념적인 논의를 해 왔다. 특히 무신론이 주요한 시대 정신이 된 근대 이후 서구 신학은 하나님이 어떤 분이냐는 질문 이전에 하나님의 존재 가능성을 확보하는 데 많은 노력을 기울여 왔다.

하지만 흑인 신학은 하나님의 존재 가능성 문제에는 관심이 없다. 흑인 신학에서 하나님은 이미 여기 고난당하는 흑인들 속에 계신다. 하나님은 남편과 아내, 아들과 딸이 강제로 나뉘어져서 따로 팔려 가는 고통 속에, 린치당하고 버려진 흑인의 눈물 속에, 흑인 영가로 하나님께 하소연하는 교회의 흑인들 속에 계셨고 또 지금도 계신다. 흑인 신학에서 중요한 것은 이 하나님이 어떤 하나님인가 하는 질문이다. 즉 흑인 신학은 백인 신학과 달리 하나님의 현존을 이미 전제하고 있다.

그럼 흑인 신학에서 하나님은 어떤 분인가? 흑인 신학에서 하나님은 무엇보다 먼저 억눌리는 자들의 하나님 곧 억눌리는 자들 편을 드시어 그들을 해방하는 분이다. 흑인 신학은 신학의 역사에서 논의되어 온 신에 대한 수많은 논의를 잘 알고 있다. 하지만 흑인 신학의 경우 흑인들의 해방에 참여하는 하나님 외에는 하나님에 대해 따로 말할 것이 없다. 이는 흑인들에게 의미 있는 하나님은 추상적이며 개념적인 하나님이 아니라 지금 여기서 같이 고난당하시고 해방하시는 하나님뿐이기 때문이다. 제임스 콘은 이런 해방의 하나님을 "하나님은 흑인이다"[22]라는 놀라운 명제로 표현한다. 하나님이 흑인이란 말은 하나님이 억눌리는 자들을 위해 존재하는

---

22 Cone, *God of the Oppressed*, 63.

분이며 또 언제나 그들과 함께 한다는 말이다. 하나님은 지금도 그 스스로 흑인이 되어서 억눌림에서의 해방을 위해 일하는 사람들을 통해 계속 일하고 있다.

콘에 따르면 하나님뿐 아니라 예수 그리스도 역시 흑인이다 (Jesus is black). 콘은 이같은 주장을 뒷받침하기 위해 우선 역사적 예수와 선포된 그리스도를 구분하는 전통을 따른 후 역사적 예수에게 초점을 맞춘다. 하지만 그는 구라파의 신학자들과 달리 학문적인 이유로 이 구분 자체에 관심을 가지는 것은 아니다. 그의 관심은 훨씬 역사적이며 공동체적이다. 그가 역사적 예수를 중요시하는 것은 역사적 예수를 말할 수 있을 때에만 기독교 신앙은 역사적 근거를 가지게 되며 또 흑인 공동체의 고난과 희망과 연결될 수 있기 때문이다: "역사적 예수에 집중하는 것은 곧 흑인 신학이 역사를 그리스도론의 필수적 근거로 인식함을 의미한다."23) 그럼 콘에게 있어서 역사적 예수에게서 특징적인 것은 무엇인가? 그에 따르면 예수의 전 삶은 하나님에 대한 순종 속에서 당시의 지배 계층 및 그 억압 구조와 대결한 삶이었다. 복음서의 예수는 친히 억눌림과 고통을 경험한 분이며 버려진 자, 실패자, 억눌리는 자들과 함께 사신 분이었다. 그는 이런 억눌림과 고통을 통해 하나님 나라의 가까움을 선포하셨다. 예수의 이 같은 삶의 행태는 당시의 지배 계층과 충돌할 수밖에 없었으니 그는 체포되고 심문받은 뒤 십자가에 죽었다. 하지만 예수에게는 죽음이 최후의 말이 될 수 없었다. 하나님은 그를 죽음에서 다시 살리셨으며 그렇게 함으로써 하나님은 스스로를 억눌리고 고난당하는 자들 속에 친히 계셔서 그들을 다시 살리시는 분으로 보이셨다. 곧 콘에 있어서 예수는 친히 억눌리

---

23 Cone, *A Black Theology of Liberation*, 212-13.

는 자를 위해 전 생애를 헌신함으로써 그 자신이 메시야 곧 그리스
도임을 보이셨으며 또 그의 하나님이 해방의 하나님임을 보이셨다.
구체적으로 예수는 첫째, 버려진 소수 민족인 유대인이었다는 것,
둘째, 가난한 집안의 아이로 태어났으며 그의 출생을 축하한 것은
권력자 헤롯 아닌 가난한 목자들과 동방의 현인들이었다는 것, 셋
째, 예수는 세례를 받으심으로 보통 사람들과 온전히 하나되었으며
또 고난당하는 이들과 함께 가기 위해 자기 영광과 권세의 길을 제
시한 사탄의 유혹을 거부하셨다는 것, 넷째, 예수의 사역은 가난한
자들에 집중되었고 그들에게 하나님 나라를 선포하셨다는 것(막
1:14-15),24) 마지막으로 그의 죽음과 부활은 가난한 자들을 위한
그의 사역의 완성이었다는 점25) 등에서 예수는 친히 고난당하는
자였으며 또 고난당하는 이들의 해방자였다.

제임스 콘에 따르면 예수의 이런 삶의 양태는 곧 미국 흑인 신
학의 입장에서 볼 때 그가 흑인임을 뜻한다. 예수는 흑인 예수이다.
이는 오늘날 미국 사회에서 흑인이야말로 바로 예수가 동일시하였
던 고난당하는 민중들이기 때문이다. 정녕 그리스도 안에서 하나님
은 단지 피부 색깔을 심각히 여기실 뿐 아니라 친히 그것을 취하셨
다.26)

"하나님은 흑인이다(God is black)" 또 "그리스도는 흑인이다
(Jesus Christ is black)"이라는 콘의 주장은 당연히 많은 비판을 받
았다. 이 주장은 그리스도의 구속 사역을 흑인에게만 제한시킬 뿐
아니라 예수가 1세기의 유대인이었다는 너무 분명한 사실을 왜곡

---

24 *Ibid.*, 203.
25 *Ibid.*, 205.
26 Cone, *God of the Oppressed*, 136, 또한 *Black Theology of Liberation*,
   119-24.

하는 것으로 보인다. 하지만 콘에게 있어서 흑인이란 단지 피부가 검은 사람들만을 뜻하는 것이 아니라 지배계층에 의해 억울하게 고난받는 모든 사람들을 뜻한다. 곧 그에게 있어서 흑인은 억압과 고통 속에 사는 모든 사람들을 뜻하며 예수는 친히 그 중의 한 사람으로 그들의 해방자로 살았기 때문에 예수는 곧 흑인이라는 것이다.[27] 콘에 의하면 역사적 예수가 이미 억눌리는 소수 민족인 유대인이었다는 것 자체가 예수가 흑인이라는 사실을 분명히 밝히고 있다. "그(예수)의 유대인됨이란 특수성이 가진 구원론적 의미에 근거해서 신학은 예수의 현재의 흑인임의 그리스도론적 중요성을 확언해야 한다. 그(예수)는 유대인이었기에 그는 흑인이다."[28]

2-6. 흑인 신학의 인간 이해: 자유를 향한 인간

제임스 콘에 의하면 인간의 본질은 무엇보다 자유에 의해 규정된다. 즉 인간을 인간으로 만드는 것은 그의 자유이다. 인간이라는 것은 자유로운 것이며 자유로운 것은 인간이란 것이다.[29] 또한 콘에 따르면 자유는 억압의 반대이다. 자유는 모든 억압을 거부하고 그 자신의 인간으로서의 가치를 주장하며 주체적으로 살아가는 능력이다.[30] 이 점에서 자유는 그저 주어지는 것이 아니라 일생을 통해 이루어 가야 할 과제이다. 곧 인간이 된다는 것은 자유를 향해 일생 동안 노력해 가는 것이다. 특별히 미국에서 자유로운 인간이 되는 것은 개인주의와 자기 만족, 소유욕, 고립, 또한 죄의 사유화 등으로 특징되는 소비 문화에 끊임없이 저항하며 살아가는 것을

---

27 Cone, *God of the Oppressed*, 137.
28 *Ibid.*, 134.
29 Cone, *A Black Theology of Liberation*, 1970, 86-87.
30 *Ibid.*, 86-87.

뜻한다. 좀더 구체적으로는 자유를 향한 삶은 다른 사람을 억압하는 자본주의 문화를 거부하며 친히 억압당하는 공동체와 하나되어 그 해방을 위해 싸우는 것이다. 이 점을 콘은 "자유는 억압의 반대이지만 억압당하는 자만이 진실로 자유롭다"[31]라고 역설적으로 표현한다. 이같은 자유를 향한 몸부림은 미국 사회의 흑인과 백인에게 서로 다른 형태로 나타난다. 흑인의 경우 자유는 억압의 상징인 흑색의 피부를 있는 그대로 긍정하면서 백인들의 백색 우월주의에 저항함으로 표현된다. 즉 흑인들은 백인들의 인종 차별주의에 저항하고 흑색이 아름답다(black is beautiful)는 것을 진정으로 받아들임으로 자유를 얻는다. 반면 백인의 경우는 스스로 억압자였다는 것을 깨닫고 그 백인됨(whiteness)을 부끄러움으로 포기할 때 자유는 찾아온다. 이 점에서 피억압자인 흑인과 억압자인 백인의 자유는 서로 밀접하게 연결되어 있다. 흑인들이 그들의 억압자에 저항할 때 그들은 하나님 안에서의 그들의 자유를 긍정하고 축하한다. 그리고 이 저항을 통해 흑인들은 "단지 자기 자신들을 억압에서 해방할 뿐 아니라 억압자들을 그들의 환상의 노예에서 해방시킨다."[32] 즉 미국에서 진정한 자유는 흑인과 백인들에게 서로 다른 형태로 찾아온다. 곧 흑인은 백색 우월주의에 저항함으로, 백인은 그들의 백색 우월주의를 회개함으로 비로소 진정한 자유를 얻을 수 있다.

콘에 의하면 예수는 바로 이 같은 억압에 대한 저항으로 자유를 찾아간 대표적 본보기였다. 정녕 흑인 그리스도는 자유의 성육신이며(The Black Christ as Freedom Incarnate) 이 점에서 그는 신학적 인간학의 표준(norm)이다. 예수는 그 앞에 다가오는 모든 위험

---

31 Ibid.
32 Ibid., 185-186.

을 알면서도 하나님에 대한 믿음으로 기꺼이 고난당하는 이들과 하나되었고 이로 인해 검은 메시야(black messiah) 곧 그리스도가 되었다. 따라서 흑인들에게 진정한 인간이 되는 길은 참인간의 길을 향해, 자유를 향해 간 그리스도를 따라가는 길이다. 그것은 "흑인 존재에 대한 (백인들의) 모든 인권 침해를 거부하는 것이다"[33] 또한 예수는 백인들에게도 자유를 향한 표준이다. 그는 자유의 삶을 방해하는 모든 것에서 자기를 비움으로서(케노시스) 참된 자유를 향해 갈 수 있었다. 마찬가지로 백인들 역시 개인적, 사회 구조적 부분에서 그들이 누리는 백색(피부 빛깔로 인한 모든 사회적 특권과 그로 인한 흑인 억압과 차별)을 포기함으로 자유로운 인간, 참 인간다운 인간이 될 수 있다.

3) 미국의 흑인 신학: 평가와 전망

지금까지 우리는 미국 흑인 신학의 역사적 배경과 몇 가지 주요한 신학적 내용에 대해 살펴보았다. 우리는 이 신학을 어떻게 평가할 수 있을까? 여기에서 우리는 세 가지를 지적하고자 한다. 첫째, 흑인 신학의 공헌은 북미주 특히 미국 내 흑인들의 억압의 경험을 신학의 중요 주제로 제기했다는 데 있다. 전통적으로 서구 신학은 백인들의 신학이었으며 이들은 사회의 중심부에 서 있는 그들의 신학을 표준적인 신학이라고 사회 주변부에 있는 이들에게 강요해 왔다. 흑인 신학의 공헌은 이런 중심부 아닌 주변부에서도 신학이 가능하며 오히려 주변부에서 본 하나님과 그리스도가 실상 더 성경의 하나님과 그리스도에 더 가까울 수 있음을 보여준 데 있다. 무엇보다 흑인 신학은 성경의 하나님과 그리스도는 해방자(흑인인 하나님, 흑인인 그리스도)임을 잘 보여주는 강점이 있다.

---

33 *Ibid.*, 108.

둘째, 흑인 신학은 흑인 해방을 지향하는 상황적 신학이다. 이 신학은 모든 상황에 다 적용될 수 있는 보편적인 신학적 진술에는 관심이 없다. 이 신학의 관심은 미국이란 특수 상황 속에서의 흑인의 인권과 존엄성을 확보하는 데 있다. 이로 인해 이 신학은 하나님의 영원한 계시 말씀과 역사 속의 한 구체적인 목표(흑인 해방)를 동일시하는 성향 곧 이데올로기적인 성향을 가지게 된다. 이는 모든 상황적 신학이 피하기 어려운 문제이며 흑인 신학의 경우 기독교적인 판단의 준거(예수 그리스도의 삶과 죽음 그리고 부활)와 구체적인 흑인의 조건(the black situation) 사이의 긴장을 계속 유지하면서 극복해 나아가야 할 과제일 것이다.

셋째, 그 동안의 흑인 신학은 인종 차별의 문제에 주로 집중함으로 인해 계층 갈등이나 성차별 같은 다른 중요한 문제를 소홀히 여긴다는 비판을 받았다. 실제로 미국의 남성 흑인 신학자들은 성차별이나 계층 차별의 문제에 집중할 때 더욱 심각한 문제인 인종 차별에 대한 관심을 흐트릴 수 있다고 보아 이 문제를 소홀히 한 면이 없지 않다. 하지만 최근에는 그랜트(Jacquelyn Grant)나 개논(Katie G. Gannon) 등의 여성 흑인 신학자들의 등장과 함께 흑인 신학은 흑인 공동체 안에서의 여성 억압 문제 곧 인종 차별뿐만 아니라 성차별까지 다루는 신학을 전개하고 있다.[34] 흑인 신학이 흑인 공동체 안의 여성 억압의 문제를 해결하면서 마침내 통전적인 생명 신학까지 될 수 있을지는 계속 지켜보아야 할 문제이다.

넷째, 그 동안의 미국의 흑인 신학은 노예제 이후의 미국 사회

---

34 가령 Jacquelyn Grant, *White Women's Christ and Black Women's Jesus: Feminist Christology and Womanist Response* (Atlanta, Scholars Press, 1989); *Katie G. Cannon Black Womanist Ethics* (Atlanta, Scholars Press, 1988).

의 구조적인 흑인 차별을 극복하고 흑인의 존엄성을 회복하려는
미국의 '내부적 식민지화(internal colonization)'에 대한 정치, 경제
적인 저항적 신학이었다. 하지만 오늘날 이 신학은 다양한 형태의
세계의 다른 지역에서의 해방 신학, 특히 아프리카 신학과의 만남
을 통해 그 신학적 지평을 문화의 영역에까지 넓히려고 하고 있다.
음비티(J. S. Mbiti)나 화술-룩(E. Fashole-Luke) 같은 아프리카 신
학자들은 흑인 신학이 흑인과 백인 사이의 갈등과 분열에서 출발
하여 폭력 사용을 조장하며 주로 정치, 사회적 문제와 연관되어 아
프리카 신학의 문화, 종교적 깊이를 결여하고 있으며 또 즐겁고 개
방된 정신을 상실한 채, 부정적이고 편협한 모습으로 존재한다고
비판한다. 반면 흑인 신학자들은 아프리카 신학이 너무 아프리카의
과거 문화에 매여 있으며 현재 아프리카가 당면한 정치, 경제적 왜
곡과 사회 구조적 문제를 별로 심각하게 여기지 않는다고 비판한
다. 다시 말하면 아프리카 신학은 흑인 신학이 너무 정치, 경제적인
부분에만 집중하면서 보다 근본적인 흑인됨의 뿌리를 찾을 수 있
는 문화적 접근이 약하다고 비판하며 흑인 신학은 아프리카 신학
이 너무 문화 신학적인 접근만 하는 가운데 억압의 현실을 구조적
으로 보지 못하게 한다고 비판한다. 하지만 흑인 신학과 아프리카
신학은 상호 보완적이 될 수 있다. 흑인 신학은 아프리카 신학의
문화적 깊이를, 아프리카 신학은 흑인 신학의 해방적 메시지를 배
워서 자신들을 풍요롭게 할 수 있다. 이 두 신학 사이의 이런 대화
가 앞으로 얼마나 성공적이 되느냐가 이 두 신학의 가치를 더 깊게
해 줄 것이다.

2. 아프리카 신학

1) 아프리카 신학의 배경과 역사

아프리카에 기독교가 처음 전파된 것은 주후 1세기경으로 이집트의 콥틱(Ccoptic) 교회 전통에 의하면 주후 42년 마가가 이 지역에 와서 복음을 전했다고 한다. 주후 660년경까지는 현재 아프리카 북서부의 모로코에서부터 이디오피아와 수단 지역에까지 기독교가 전파되었고 이때 어거스틴을 비롯한 당대의 탁월한 교회 지도자들이 이곳에서 배출되었다. 하지만 7세기 이후 이 지역에서 이슬람교가 세력을 떨침에 따라 기독교는 이집트와 이디오피아 일부 지역에서만 겨우 명맥만 유지했고 19세기 들어서야 아프리카는 서구의 식민지 개척과 함께 다시 기독교의 영향을 받게 되었다. 하지만 오늘날의 아프리카는 세계에서 기독교가 가장 빨리 성장하는 지역의 하나이다. 통계에 의하면 1900년에 아프리카 전체 인구의 7퍼센트에 불과했던 기독교인이 1950년에는 30퍼센트, 그리고 1978년에는 45퍼센트에 이르렀으며 지금도 연간 약 5퍼센트의 성장을 보이고 있다. 학자들은 2000년대 초반에는 아프리카에만 약 4억 명의 기독교인들이 있을 것이라고 추정한다. 하지만 아프리카는 계속되는 한발, 점점 넓어지는 사막, 정치 경제적 불안정, 빈번한 군사 쿠테타, 그리고 제 1세계에 대한 정치, 경제적 예속으로 인해 계속된 고통 속에 있는 대륙이기도 하다.

아프리카 신학이란 말이 언제 처음 쓰여졌는지를 정확하게 말하기는 어려우나 그 한 기원은 19세기의 북미의 흑인들인 블라이든(E. W. Blyden/ 1893)과 드보아(W. E. B. Dubois/ 1890)의 사상에서 찾을 수 있다. 이들은 주로 정치적 관점에서 노예제도와 식민주의를 비판하면서 흑인의 진정한 정체성을 아프리카의 문화와 종교에서 찾아야 한다고 주장했다. 이 주장은 20세기 초반에 들어서면서 남아프리카 공화국 흑인들의 유럽 백인들의 식민지 정책 및 그들의 기독교에 대한 비판으로 표현되었다.[35] 특히 두 차례의 세계대전 사이와 그 이후에 일어난 아프리카의 민족주의는 종래의 서구 교회의 아프리카 문화 및 종교에 대한 태도를 강하게 비판하기 시작했다. 실상 아프리카에서의 백인 선교는 아프리카의 전통 문화와 종교를 완전히 열등하고 이방적인 것으로 취급했으며 이런 분위기에서 아프리카인이 그리스도인이 된다는 것은 곧 그들의 전통 문화와 종교를 완전히 거부하고 서구 문화를 표준적 기독교 문화로 받아들이는 것을 의미했다. 이 같은 서구적인 복음 이해에 대한 비판은 역사와 문학 그리고 예술에서 흑인의 문화적 정체성을 긍정하는 1930년대 당시 파리의 카리브 해안 및 아프리카 출신 유학생들 운동에서 일어났다. 특히 이 때 유럽 출신의 선교사 템플스(Fr. Placide Tempels)는 그의 책 『반투족의 철학』(La Philosophie Bantoue)을 통해 아프리카의 반투족이 완전히 일관성 있는 사고체계 곧 '실존, 삶, 죽음, 그리고 죽음 이후의 삶에 대한 완전히 적극적인 철학'[36]을 가지고 있음을 지적했다. 그는 이것이 생명력(vital force)이라는 하나의 가치를 중심하여 존재론, 심리학 그리고 삶의 원칙을 통전적으로 아우르는 탁월한 철학체계라고 주장했다. 비록 훗날의 비평가들은 이 책을 아프리카 사고를 너무 유럽식 학문의 틀 안에 끼어 맞춘 것이라고 비판하긴 했으나, 이 책은 아프리카의 전통 종교와 문화가 그 자체의 가치를 갖고 있다는 인식을

---

35 그 대표적인 예는 Bengt Sundkler, Bantu Prophets in South Africa, 2nd ed.(London: Lutterworth, 1961). 인용은 Patrick Kalilombe, Black Theology, 201.

36 Patrick Kalilombe, 202.

널리 알리기에 충분했다. 마침내 1956년도에는 유럽의 대학에서 공부하던 흑인 그리스도인들이 아프리카의 종교 및 전통 문화 또 아프리카 인들의 심성을 반영하는 신학이 필요함을 주장하기에 이르렀고 이것은 뒤에 제2차 바티칸 공의회의 지지를 받으면서 1960년대와 1970년대 아프리카 신학의 방향을 결정하기에 이르렀다.[37] 특별히 1960년 킨샤사의 젊은 학생 치방구(T. Tshibangu)는 아프리카 문화의 특수성에 근거한 '아프리카 빛깔의 신학'의 가능성을 주장했다. 그는 비록 하나님의 계시는 하나이며 인간 이성의 원리도 보편적이나 그것이 아프리카인들에게 의미 있기 위해서는 반드시 아프리카의 토양에 맞는 형태로 전개되어야 한다고 외쳤다. 그의 주장은 기독교 신학은 한 하나님의 계시에 근거해 있고 보편적 타당성을 가지기 때문에 아프리카 신학이란 개념 자체는 적절하지 않으며 고작 해야 아프리카의 경험을 반영하는 아프리카에서 하는 신학 정도가 가능할 것이라는 그의 지도 교수 바네스테(Canon A. Vanneste)와 충돌을 일으켰으나 결국 치방구의 견해가 주도적이 되었고 그 이후의 아프리카 신학의 방향을 결정하기에 이르렀다. 아프리카 신학에 있어서 카톨릭의 경우 제2차 바티칸 공의회가 아프리카 신학 형성에 중요한 역할을 했다면 개신교의 경우는 1963년에 결성된 범 아프리카 교회 협의회(All Africa Council of Churches)가 중요한 역할을 했으니 이 기구가 주도한 학술토론회와 세미나를 통해 많은 학자들이 아프리카 신학을 발전시킬 수 있었다. 1977년에는 범 아프리카 신학자 협의회 (EAAT: the Ecumenical Association of African Theologians)가 결성되어 오늘날 아프리카 신학 발전의 중심이 되고 있다.[38]

---

37 *Ibid.*, 202.
38 *Ibid.*, 203.

2) 아프리카 신학의 특징

2-1. 아프리카 신학의 첫 단계는 주로 아프리카 신학의 정당성을 주장하는 변증적인 단계였다. 즉 이때 아프리카 신학 옹호자들은 아프리카의 전통 문화와 종교들을 기독교 신학의 자료로 사용하는 것의 정당성을 옹호하는 데 주로 초점을 맞추었다. 아프리카 신학자 죤 포비(John S. Pobee)에 의하면 그가 전개하는 아프리카 신학은 "본래적인 기독교 신앙을 우리 시대의 변화와 혼란 속에 있는 참된 아프리카 언어로 해석함으로써 기독교 신앙과 아프리카 문화 사이의 진정한 대화가 있도록 하는 것"39)을 목표로 삼는다. 또한 이 시기의 아프리카 신학은 이 신학의 일반적 모습을 규명하는 데 집중했다.40) 하지만 시간이 지남에 따라 아프리카 신학은 그리스도론, 신론, 죄와 악에 대한 이해, 결혼 등의 신학의 여러 주제들을 폭넓게 다루기 시작했다.

2-2. 아프리카 신학의 핵심적 과제는 아프리카의 전통 문화와 종교를 어떻게 예수 그리스도를 중심한 기독교 복음 메시지와 통전 시킬 것인가에 있다. 이를 위해 아프리카 신학은 크게 두 가지 과제를 수행하고자 한다. 소극적으로는 아프리카 신학은 아프리카의 전통 종교와 문화를 미개하고 열등한 것으로 여겨 온 서구의 사고 방식을 도전하며 극복하고자 한다. 아프리카 신학은 서구의 국가와 교회가 심어 온 이런 사고 방식 때문에 식민지배와 아프리카의 전통 종교와 문화의 무자비한 파괴가 가능했다고 믿으며 이의 극복을 위해 모든 인간의 동등함을 말하는 성경의 주장을 강조한

---

39 John S. Pobee, *Toward an African Theology* (Nashville, 1979), 22.

40 *Ibid.*, 203. 이 때 나온 중요한 책은 Kwesi Dickson, *Theology in Africa* (London, 1984); John S. Pobee, *Toward an African Theology* (Nashiville, 1979).

다. 여기에서 아프리카 신학은 모든 사람 속에 깃들여 있는 '하나님의 형상'을 강조하며 그것을 신학적으로 발전시킨다. 또한 적극적으로는 아프리카 신학은 서구 신학에서는 거의 무시되어 왔으나 아프리카 인들에게는 중요한 요소들을 찾아 그것들을 성경과 기독교 전통의 빛 안에서 새롭게 이해하고자 한다. 가령 아프리카 신학은 아프리카 사람들에게 대단히 중요한 공동체의 의미를 집중적으로 탐구한다. 아프리카 신학에 의하면 서구의·개인주의적 이해와 달리 아프리카 사람들은 항상 공동체 안에 있는 존재로서 사람을 이해해 왔으며 이런 공동체 및 관계성에 대한 강조는 단지 살아 있는 사람들(가족, 혈족, 부족)만 아니라 죽은 이들, 특히 조상들과의 연대까지 포함함을 지적한다. 또한 아프리카 신학은 삶은 눈에 보이지 않는 영적인 세계(하나님, 작은 신들, 영들)와의 연관성으로 이해되어야 한다고 주장한다. 즉 서구 신학이 세계를 인간이 조작하고 통제할 수 있는 하나의 물질적 대상으로 이해하는 반면 아프리카 신학은 세계를 살아 있는 생명체로 유기적이며 생태계적으로 이해한다. 마찬가지로 삶도 보다 통전적으로 곧 건강과 질병, 선과 악의 계속된 연관성 속에서 이해한다. 이런 점에서 아프리카 신학은 구약 성경을 무척 가까이 느끼며 신학 전체를 개념보다 상징과 예식으로 표현하고자 한다.

2-3. 특별히 아프리카 신학은 예수 그리스도의 구원 계시가 아프리카의 전통 문화와 종교와 어떻게 연관되는지를 진지하게 질문한다. 이는 아프리카에 기독교가 소개된 것은 불과 몇 백년에 불과하며 따라서 그 이전의 아프리카의 전통 문화와 종교는 명시적인 기독교 신앙과 관계 없이 몇 천년 이상 존재해 왔기 때문이다. 이런 상황 속에서 여러 아프리카 신학자들은 하나님의 보편적인 구원의 의지와 구원 계시를 강조하며 아프리카 종교와 그 문화 속에

서 하나님의 임재하셨음을 주장한다. 죤 보피에 따르면 비록 기독교는 예수 그리스도 안에서의 하나님의 특별하고 완전하며 결정적인 계시에 근거하고 있으나 예수 그리스도의 계시를 떠나서도 하나님에 대한 다른 계시들이 있으며 이는 성경 자체가 긍정하는 사실이다.[41] 비록 이 계시들은 곧잘 왜곡되고 타락했으나 여전히 그 안에 기독교 신학이 존중히 여기고 사용할 만한 타당한 요소가 들어 있다. 따라서 기독교 신앙을 적절히 이해하며 또 그 것을 잘 해석하기만 하면 아프리카 신학은 가능하며 더 나아가 아주 바람직하다.[42] 더 나아가 이미 아프리카 종교와 문화 속에 하나님의 구원계시는 현존하고 있었다. 하지만 어떤 학자들은 이런 보편 구원론적인 경향을 반대하면서 좀더 조심스러운 접근을 하고 있다.[43]

2-4. 아프리카 문화는 기본적으로 구두 전승의 문화였다. 또한 지식도 논리와 개념 아닌 풍부한 상징적 함축미를 가진 이야기로 전달되어 왔다. 또한 그것은 개인주의적이기보다 공동체적이었다. 아프리카 신학은 아프리카의 이런 문화적 전통을 중요시하며 그 것을 신학화하려 한다. 실상 아프리카 신학은 학자들이 쓴 책들에 의해 전개되기보다 아프리카의 전통 문화 및 종교와 직접 만나는 지역 교회들의 예배와 설교, 그리고 각종 활동 속에서 형성되었고 지금도 계속 형성되어 가고 있다.

3) 아프리카 신학: 비판과 전망

아프리카 신학은 많은 강점과 가능성에도 불구하고 다음과 같은 비판을 받아 왔다. 첫째, 그 동안의 아프리카 신학은 현재 아프리카

---

41 John Pobee, 74.

42 *Ibid.*

43 가령 Byang H. Kato, *Theological Pitfalls in Africa* (Kisumu, Kenya, 1975).

가 당면하고 있는 정치 경제적 수탈과 억압보다는 아프리카의 과거 전통 문화에 초점을 맞추고 있으며 이로 인해 오늘의 고통스러운 현실을 극복하고 나아갈 동력을 충분히 제공해 주지 못했다. 하지만 오늘날의 아프리카 신학은 보다더 오늘의 아프리카 현실에 집중하면서 아프리카의 정치, 경제 현실에 책임적인 신학, 즉 아프리카적인 해방 신학을 지향하려고 한다.

둘째, 어떤 학자들에 의하면 아프리카 신학이 말하는 아프리카의 전통 문화란 실제 존재하는 모습이기보다 학자들이 만들어 낸 이상주의적 모습에 지나지 않는다. 살아 있는 아프리카 문화는 학자들이 말하는 것보다 더 다양하며 생동감 있고 또 원초적이다. 이런 비판 속에서 오늘날의 아프리카 신학자들은 그들 문화의 다양성을 심각히 여기면서 그것을 기독교 신앙과 접목하고자 하고 있다.

셋째, 아프리카 신학의 주요 쟁점 하나는 예수 그리스도의 구원의 범위를 어디에까지 볼 것이냐 하는 것이다. 어떤 아프리카 신학자들은 하나님의 구원 계시가 기독교와 접촉이 없었던 아프리카의 문화와 종교 속에 이미 나타났다고 주장한다. 하지만 또 다른 아프리카 신학자들은 이 같은 보편 구원론적 주장 및 그것과 연관된 제설 통합주의(syncretism)의 문제점에 대해 더 조심스럽게 접근하고 있다.

맺는 말

이상에서 우리는 미국의 흑인 신학과 아프리카 신학을 정리해 보았다. 북미의 인종 차별의 극복을 신학적 목표로 삼고 있는 흑인 신학과 아프리카의 전통 문화의 빛에서 기독교 복음을 이해하려는 아프리카 신학은 둘 다 자기들의 상황에 충실하고자 하는 상황적 신학이다. 이 신학들은 우리들에게 신학은 해방적 과제를 가진다는

것, 그리고 우리의 신학은 우리 전통 문화와 상황 안에서 전개되어
야 한다는 도전을 던지고 있다. 신학이 기본적으로 이어받은 전통
과 현재 주어진 상황과의 계속된 대화라면 흑인 신학과 아프리카
신학은 21세기의 한국이라는 우리의 구체적 상황에서 이런 대화를
계속하도록 우리를 자극하고 있다.

제4장 과정 신학

들어가는 말

20세기 중반 이후 북미 신학계의 가장 창조적이며 영향력 있는 신학의 하나인 과정 신학은 여러 가지로 이해될 수 있다. 우선 넓은 의미에서의 과정신학(Process theology)은 현실을 이해하는 데 있어서 사건(event), 되어 감(becoming), 관계성(relatedness) 등을 실체(substance)나 존재(being)보다 더 본래적 범주로 보는 신학이다. 과정 신학을 이렇게 이해할 때 사상적으로 과정 신학과 유사한 것을 많이 찾을 수 있으니 가령 헤라클레이토스의 만물 유전론(all things are in flux)이나 불교의 연기설, 역사 과정 전체를 절대 정신의 자기 펼침으로 이해한 헤겔의 변증법적 관념론도 실재를 변천이나 관계성으로 이해한다. 또한 다윈의 진화 사상이나 베르그송(Henri Bergson, 1859-1941), 샤르뎅(Pierre Teilhard de Chardin, 1881-1955), 알렉산더(Samuel Alexander, 1859-1938) 등도 실재에 대한 비슷한 이해를 보인다. 하지만 오늘날 과정 신학이라고 했을 때 그것은 화이트헤드(Alfred North Whitehead, 1861-1947)와 하트숀(Charles Hartshorne, 1897-)의 영향을 받아 1960년대 미국의 시카고 대학 신학부를 중심으로 형성된 특정한 신학 운동을 가리킨다. 이 운동의 대표자로는 앞에 말한 하트숀 외에 대니얼 윌리엄스(Daniel Day Williams), 슈베르트 오그덴(Schubert Ogden), 죤 콥(John B. Cobb Jr.), 노만 피텐져(W. Norman Pittenger), 루이스 포드(Lewis S. Ford), 그리고 데이빗 레이 그리핀(David Ray Griffin) 등을 들 수 있다. 이 글에서는 먼저 과정 신학의 기본적인 세 가지 원리를 말한 다음 그 선구적 사상가인 화이트헤드와 하트숀의 사상을 간략히 소개하겠다. 그 다음 과정 신학의 신 이해, 그리스도 이해, 교회와 기도 이해 등을 살핀 후 그 것을 몇 가지로 평가하고자 한다.

1. 과정 신학의 기본 원리

우리가 앞에서 말한 과정 신학자들이 모든 면에서 서로 일치하는 것은 아니다. 가령 과정 신학의 영감의 원천인 화이트헤드와 하트숀은 몇 가지 중요한 점에서 서로 다른 주장을 한다. 하지만 다음의 세 가지가 과정 신학에 있어서 핵심적인 것이라는 데에 대해 과정 신학자들은 모두 일치한다.

첫째, 과정 신학자들은 정말로 실재하는 것은 존재(being)가 아니라 변화(change) 혹은 과정(becoming)이라고 본다. 고대 그리이스의 파르메니데스 이후 서구 철학은 변화하고 소멸되어 가는 것들 이면에 있는 변하지 않고 영원한 궁극적 실재가 무엇인지를 물어 왔으며 또 이런 궁극적 존재는 다른 모든 존재들과 분리되어 존재하며 모든 다른 존재들에게 영향을 미칠 수 있는 자기 충족적 존재(self-sufficient Being)라고 생각해 왔다. 이처럼 자기 충족적 존재로서의 궁극적 실재를 탐구한 이면에는 플라톤의 이데아론이나 플로티누스의 신플라톤주의에서 보이듯이 영원하고 불변하는 것과의 신비적 합일을 통해 구원(영원)에 이르려 한 종교적 동기가 들어 있다.

　그러나 과정 신학자들은 이런 정태적이며 형이상학적인 실재 이
해를 거부한다. 이들에 따르면 불변이란 실제로는 존재하지 않는
하나의 개념에 불과하다. 즉 불변하는 존재(being)란 시간의 흐름
속에서 형성되어 가는 것(becoming)의 한 순간을 절단하여 추상화
시킨 것이며 설혹 그런 것이 있다고 해도 그것은 죽은 것에 불과하
다. 참으로 존재하는 것은 시간 안에서 다른 것들과의 관계 속에서
모두 끊임없이 계속 변화되어 간다. 화이트헤드는 이처럼 관계 속
에서 끊임없이 변화되어 가는, 실재의 가장 기본적인 요소들을 현
실적 계기들(actual entities)라고 부른다. 과정 신학자들에 의하면
우리들이 보통 객체들 혹은 대상들(objects)이라고 부르는 것은 실
제로는 이 현실적 계기들(actual occasions)의 집합체 내지 사회
(society)에 불과하다. 즉 과정 신학에 의하면 참으로 실재하는 것
은 유시간적(temporal)이다. 그것은 경험될 수 있는 것이며 계속 변
화되어 가는 과정 속에 있다. 그럼 이런 실재는 어떤 식으로 세계
를 조성하는가? 과정 신학자들에 의하면 모든 현실적 계기들은 반
응해야 하는 과거를 가지고 있으며 또 그 미래의 계기들에 대해 열
려 있다. 즉 각 계기들은 자신의 특정한 주체적 목표(subjective
aims) 를 가지고 자신의 특정한 만족을 지향한다. 그 가운데 모든
계기들은 이전의 계기들에서 자신에게 적합한 자료를 어떤 것은
배제하고 어떤 것은 포착(prehension)한다. 그리고 이 같은 과정은
끊임없이 계속된다. 따라서 현실적 계기들은 각자 그것이 계승한
과거의 계기들의 상속자이며 또 미래의 계기들의 잉태자이다. 이
세상의 모든 계기들은 모두 서로 연결되어 있다. 세계는 그 자체로
하나의 관계의 망이며 그 관계 안의 모든 계기들은 서로에게 영향
을 미침으로 세계 전체에 영향을 미치며 그 미래를 결정해 간다.
즉 과정 신학에 있어서 모든 만물은 관계 속에 있으며 이 관계 속

에서 부분적으로는 자기 창조적이며 또 부분적으로는 타자 창조적
이다. 이런 점에서 과정 신학은 비록 그 논리 전개에 있어서는 대
단히 개념적이며 추상적이나 철저히 경험적인 실재 이해를 하고
있다.

둘째, 과정 신학은 각각의 현실적 계기가 자기 결정적으로 미래
의 가능성을 향해 나아가게 하는 궁극적인 힘을 사랑의 유혹(lure
of love) 혹은 매력의 설득(persuasiveness of attraction)으로 이해
한다. 즉 과정 신학에 의하면 세계를 움직여서 새로운 단계로 가게
하는 근본적인 힘은 강제력이나 폭력이 아니라 사랑의 설득이다.

셋째, 과정 신학에 의하면 하나님 역시 그 자체로 독립되어 있
는 존재가 아니라 이 세계와의 연관성 속에서 그 자신도 끊임없이
미래의 가능성을 향해 계속 새롭게 결단하며 변화되어 가는 존재
이다. 전통적으로 교회는 그리이스의 정태적인 형이상학의 영향을
받아 신을 피조물에 대해 절대, 필연, 불변, 영원의 존재 곧 모든 유
한한 피조물과 대립되어 있어 세상의 모든 것에 영향을 주나 자기
는 그 무엇에도 영향받지 않는 온전하며 전지 전능한 이로 이해했
다. 이런 이해는 특히 중세의 토마스 아퀴나스 등을 거쳐서 소위
고전적 유신론(traditional theism) 이란 형태로 구체화되었다.[1]

하지만 과정 신학은 신을 세상에 대해 고립된 절대자로 생각하
지 않는다. 화이트헤드에 의하면 신은 모든 형이상학적 원리들의
예외로 취급될 수 없다. 오히려 하나님은 끊임없이 관계를 맺으며
그 관계 속에서 계속 변화되어 가는 실재의 원리들의 주된 예증
(exemplification)이다. 화이트헤드에 의하면 신은 현실화의 과정을
계속되게 하며 또 질서를 잡는 실재이며 또한 이 과정들을 통한 새

---

1 H. P. Owen, *Concepts of Deity* (New York: Herder and Herder, 1971), 1.

로운 것(novelty)의 출현을 가능하게 하는 실재이다. 즉 신이야말로
이 세상의 모든 것과 관계를 맺으면서 끊임없이 자기를 계속 새롭
게 변화시켜 나아가는 존재이다.

  이상 설명한 과정 신학의 기본적인 원리를 구체적 예를 들어 설
명해 보겠다. 오늘 우리가 어떤 사람을 처음 만났다고 생각해 보
자.[2] 그는 자신을 부산에서 줄곧 살았으며 5년 전 결혼한 아내와의
사이에 3살 난 아이를 두고 있는 이 사무엘이란 신학생이라고 소개
했다. 우리가 이 사람에 대해 생각해 볼 때 먼저 사무엘이란 이름
은 이 사람에게 어떤 식으로든 영향을 주었을 것임을 알게 된다.
그것이 흔치 않은 사무엘이란 이름 때문에 친구들의 놀림을 받았
든지 아니면 사무엘처럼 살아야 한다는 부담이나 혹 사무엘처럼
되겠다는 포부이든지 간에 말이다. 또한 그가 다른 지역 아닌 부산
에서 주로 살았다는 것 역시 그의 삶에 어떤 영향을 주었을 것이다.
더 나아가 그가 현재 신학생이며 결혼을 했고 아이가 있다는 것 역
시 그의 삶을 결정하는 중요한 요인이 되고 있다. 즉 오늘 내가 만
난 이 사무엘은 세상에 태어나기 이전 이미 어머니 뱃속에 있을 때
부터 수없이 많은 관계들 속에 있었고 그것들에 의해 형성되어 왔
다. 실상 이 사무엘 뿐 아니라 우리의 삶도 역시 무수히 많은 관계
속에 있고 또 형성되고 있다. 하지만 이 사무엘의 삶은 그가 맺는
관계들에 의해 단지 수동적으로만 만들어지지는 않으니 그는 관계
들의 영향을 받음과 동시에 스스로 새로운 관계를 만듦으로 주변
에 영향을 미치고 있다. 그는 그의 주변의 사람들에게 크고 작은
영향을 미쳤으며 또 설혹 작은 부분이라도 그의 고향인 부산에 영

---

2 이하의 내용은 Marjorie Hewitt Suchocki, *God, Christ, Church: A Practical
  Guide to Process Theology* (New York: Cross Road, 1982, 1997), 6-11을
  다소 수정한 것임.

향을 미쳤다. 또한 그는 남편이자 아버지로 그의 아내와 아이에게 영향을 미치고 있다. 마찬가지로 우리 역시 수동적으로 우리 관계들의 영향을 받으면서 또한 능동적으로 새로운 관계를 만들고 그것들을 통해 영향을 미친다. 그리고 이런 영향은 매순간 순간 이루어진다. 과거의 일은 지금 이 순간에게 영향을 미쳐서 현재의 모습을 만들고 또 이 현재는 미래에 영향을 미친다. 가령 이 사무엘이 내일 있을 시험 준비를 위해 지금 도서관에 앉아 있다고 하자. 그가 지금 시간을 어떻게 쓰느냐에 따라 그의 가장 가깝고 먼 미래, 또 그의 주변의 환경과 사람들에게 영향을 미칠 것이다. 지금 그가 멍하니 몽상에 사로잡혀 있다고 하자. 이 때 그는 그의 시험, 학교, 성적 그리고 그와 연관된 여러 관계 아닌 다른 어떤 것을 선택하는 것이 된다. 그러다가 그가 정신을 차려 공부에 집중하기로 마음을 먹는다면 그는 다시 그의 성적 및 공부와 연관된 미래를 선택하는 것이 된다. 어떤 선택을 하느냐는 그의 현재와 미래에 영향을 즉각적으로 미친다. 그리고 이 선택은 곧 과거의 것이 되며 다시 결단하고 선택해야 하는 새로운 현재가 그를 찾아온다. 즉 이 사무엘의 삶은 계속되는 변화 속에 있으며 또 매순간의 그의 선택과 결단에 의해 형성된다. 또한 그의 선택은 곧 주변의 것들에게 영향을 주며 그것들로 새로운 미래 앞에 서게 하며 이런 과정은 끊임없이 계속된다. 과정 신학은 바로 이런 실재이해에 근거하여 그 위에 하나님, 그리스도, 인간, 구원, 죄, 교회 등의 기독교 교의의 주요한 부분들을 재구성하고자 한다.

이제 아래에서는 오늘날의 과정 신학의 선구자인 화이트헤드와 하트숀의 과정 사상을 간략히 살펴보겠다.

2. 과정 신학의 두 선구자: 알프레드 화이트헤드와 찰스 하트숀

2-1. 알프레드 화이트헤드(Alfred Whitehead)

철학자, 논리학자, 수학자였던 화이트헤드의 주된 관심은 끊임없이 변화되어 가는 실재들의 가장 기본적 구성 요소들을 파악함으로 세계를 철저히 관계적으로 이해하는 세계관을 구성하는 데 있었다. 그에 따르면 세계는 끊임없이 상호 연관되어 있는 사건들(events)로 구성되어 있으며 이 사건들은 다시 그 가장 기본적인 요소로 분할될 수 있다. 화이트헤드는 이 세계를 구성하는 가장 기본적인 사건을 현실적 계기들(actual occasions)이라 불렀으며 아원자 세계에서의 가장 작은 운동들이나 찰나적인 인간의 경험, 더나아가 전 우주적 사건들이 모두 이 현실적 계기들로 구성되어 있다고 보았다. 즉 화이트헤드에게 있어서 실재를 구성하는 가장 기본적인 단위가 바로 현실적 계기이며 이 점에서 라이프니츠의 단자(monad)와 유사하다. 하지만 라이프니츠의 단자는 고립된 실체적 존재(substantial being)인데 비해 화이트헤드의 현실적 계기는 시간적이며 관계적이며 또 우리가 계속 경험하는 것이다.

화이트헤드에 의하면 현실적 계기는 그 자체와 연관되어 있을 뿐 아니라 또한 다른 존재들/사건들과 연관되어 있다. 이 점에서 현실적 계기는 그것이 발생할 때 주체/행위자이며 또한 객체/피동자이다. 가령 인간으로서의 내가 어떤 행위를 할 때 그 행위의 가장 최소 단위인 현실적 계기에 있어서 나는 주체자로 다른 이에게 영향을 미친다. 하지만 동시에 나는 그 행위 속에서 영향을 받아 변화된다. 따라서 이 현실적 계기 속에서의 나는 주체이며 또한 객체이다. 그리고 이것은 단지 인간뿐 아니라 이 세계의 모든 것들에게도 똑같이 해당되니 이 세상의 모든 것은 그 현실적 계기에 있어

서 자기와 또 타자에게 영향을 주며 또 영향을 받는 주체자이며 객
체자이다. 이렇게 말함으로 화이트헤드는 데카르트 이래의 인간 주
체와 자연 객체를 완전히 분리하는 전통을 극복하려 하며 인간을
포함한 모든 실체를 철저히 관계성 안에서 이해하려 한다.

물론 화이트헤드가 고도로 복잡한 인간 경험의 현상뿐 아니라
가장 원초적인 물리 세계의 사건들에게까지 주체자로서 선택과 결
단을 하고 있다고 말할 때 그는 이런 존재들이 인간에게서 보이는
의식(consciousness)의 수준을 가지고 있음을 말하는 것은 아니다.
그에 의하면 의식적 경험은 인간 영혼과 같은 극도의 복잡한 사건
들의 연속 안에서만 가능하다.3) 하지만 각자의 사건이 과거의 영
향을 받을 뿐 아니라 새로운 가능성을 포착하는 것은 세계 구성의
가장 기본적인 법칙이며 여기에서 세계의 새로움의 가능성이 있다.
그럼 이 같은 법칙 혹은 가능성은 어디에서 왔는가? 화이트헤드는
그것은 신에게서 왔다고 말함으로 그의 과정 철학 안에 하나님의
자리를 도입한다.

화이트헤드에 의하면 하나님은 끊임없이 이 세계 안에 있으면서
이 세계의 모든 현실적 계기들이 새로운 창조적 가능성으로 열리
도록 촉진하는 존재 곧 새로움(novelty)의 출현을 가능하게 하는
실재이다. 좀더 구체적으로 말하면 화이트헤드는 하나님의 원초적
본성(the primordial natures)과 결과적 본성(the consequent
natures)을 구별한다. 그에 의하면 하나님의 원초적 본성은 현실의
모든 실재들을 가능하게 하는 하나님 안의 가능성 전체 곧 하나님

---

3 John Cobb Jr., *Process Theology and the Present Church Struggle*, in *Introduction to Christian Theology: Contemporary North American Perspectives*, Roger A. Badham (Louisville: Westminster Press, 1998), 159.

안의 절대적 잠재성(the absolute potentiality of God)을 뜻한다:
"원초적 측면에서 보면 (신)은 절대적으로 풍부한 가능성의 무제약
적인 개념적 실현이다."4) 따라서 현실 세계의 모든 특정체들은 신
의 원초적 양상을 전제한다. 이런 원초적 본질을 통해 하나님은 과
정적인 세계의 형이상학적 성격을 미리 예상하고 또 예시한다. 반
면 하나님의 결과적 본성은 하나님이 자기 자신을 세계와의 관계
에서 형성시킨 결과를 지칭한다. 곧 결과적 본성은 하나님이 그 자
신의 삶의 즉각성을 잃어버리지 않으면서 이 세계에서 현실화되는
모든 것을 의식적으로 수용(conscious receptivity)하고 유지한 것
곧 세계에 영향을 주고받음으로 만들어진 전체를 뜻한다. 따라서
신의 결과적 본성은 곧 "신에 대한 세계의 반응이다... 신은 현실 세
계의 모든 새로운 창조를 공유한다."5) 그리고 하나님이 세계의 결
과가 되기 때문에 우리의 세계와 신은 서로 안에 침투해 들어간다.
곧 신은 계속해서 현실적 계기들에 동화함으로써 변화하고 성장한
다. 각각의 현실적 계기들은 신에게 영향을 주고 신의 부분이 된다.
그리고 시간이 지남에 따라 없어지는 다른 현실적 계기들과 달리
신의 결과적 본질은 시간 속에서 끊임없이 영속한다. 이런 점에서
모든 현실체와 똑같이 신의 본성은 양극적(dipolar)이다. 그 추상적
본성에 있어서 신은 영원하며 자유롭고 무의식적이며 완전하며 또
현실성을 결여하고 있다. 반면 그 구체적, 결과적 본성에 있어서 신
은 시간적이며 확정적이며, 의식적이며, 불완전하며 충분히 현실적
이다. "신은 원초적 본성과 결과적 본성을 지니고 있다. 신의 귀결

4 Alfred North Whitehead, *Process and Reality* (Corrected Edition). David
  Ray Griffin and Donald W. Sherburne (eds). (New York: The Free Press,
  1978), 343. 인용은 존 M. 러셀, 영성: 과정 신학적 접근, 한명덕 역 『기독교
  사상』 통권 369호 (서울: 대한 기독교서회, 1989), 136.
5 Whitehead, *Process and Reality*, 345.

적 본성은 의식이다. 그것은 (신의) 본성과의 통일성 안에서, (신의) 지혜의 변형을 통해서 실현된 현실 세계이다. 원초적 본성은 개념적이며 결과적 본성은 (신의) 원초적 개념들에 대한 (신의) 물적 감응으로 이루어지는 직조물 같은 것이다."6)

이런 이해에 근거해서 화이트헤드는 하나님을 아리스토텔레스의 '부동의 동자'나 줄리어스 시이저 같은 '절대 군주', 또 전 우주의 비타협적인 도덕주의자 내지 도덕적 원리가 아니라 사랑에 의해 천천히 그리고 조용히 움직이는 세계 속의 존재로 이해한다. 화이트헤드에게 있어서 신은 세계에 영향을 줄 뿐 아니라 세계에 의해 영향을 받는 위대한 동반자— 이해하며 같이 고통 당하는 자, 갈망의 영원한 충동, 곧 이 세계와 관계하여 새로움(novelty)으로 나아가게 하는 창조적 전지이다.

2-2. 찰스 하트숀

수학자이며 논리학자, 철학자인 화이트헤드가 실재의 가장 기본적 구성 요소를 경험적으로 파악하고 거기에 근거해서 새로운 세계 이해를 시도한데 비해 그의 제자인 철학자이며 신학자인 하트숀은 보다 선험적인(a priori) 실재 이해를 시도한다. 하트숀은 박사과정을 마친 후인 1925년부터 화이트헤드의 강의를 듣고 또 그의 조교로 일하면서 화이트헤드의 철학의 영향을 받기 시작했다. 그는 형이상학적 진리는 선험적 진리이며 이는 모든 가능한 실재의 상태에 적용될 수 있다고 보았다. 이로 인해 그는 하나님의 실재를 탐구하는 데 있어서 일종의 존재론적 논증을 채택한다. 특히 하나님의 유한성(temporality)에 대한 논증에 있어서 화이트헤드가 신을 살아 있는 한 인격이기보다 한 현실적 실재(a single actual

---

6 *Ibid.*

entity)로 이해하는 데 대해 하트숀은 더욱 발달되고 여러 면에서
성서적 신 이해에 가까운 신 이해를 전개한다. 실상 화이트헤드의
과정 사상에서는 신 이해가 지엽적 자리를 차지하지만 하트숀에게
는 중심적인 역할을 하고 있다. 과정 신학이 주로 하나님에 대한
특별한 교리로 이해되어 온 주된 공은 바로 하트숀 때문이라고 할
수 있다.7)

하트숀에 따르면 19세기와 20세기에 들면서 신의 존재가 널리
거부된 주된 이유는 형이상학 자체의 문제이기보다 고전적 신 교
리 자체에 문제가 있었기 때문이었다. 즉 이 시기에 사람들이 신의
존재를 의심하며 무신론을 발전시킨 이유는 전통적인 신 이해가
새롭게 변화된 시대 상황에 적절하지 못했기 때문이었다. 토마스
아퀴나스 등이 성서적 신 이해와 그리이스의 형이상학을 통합시켜
만든 고전적 유신론은 이 시기에 와서 더 이상 사람들을 설득시킬
수 없게 되었다. 여기에서 하트숀은 고전적 유신론을 변형시킨 신
고전적 유신론(neoclassical theism) 혹은 범재신론(panentheism)을
통해 사람들에게 신 존재의 타당성과 그 필요성을 말하고자 하는
것을 그의 철학적 신학의 과제로 삼는다.8)

하트숀에 의하면 고전적 유신론의 문제는 그것이 신과 인간 사
이의 관계를 잘못 이해한 데 있다. 고전적 유신론에 의하면 신은
세계에 영향을 미치나 인간과 세계는 신에게 영향을 미치지 못한
다. 이는(고전적 유신론의 근거가 된) 아리스토텔레스의 철학에 의
하면 영향을 받는 것은 곧 약하고 부족하다는 증거이며 이는 곧 신
의 신됨을 거부하는 것이기 때문이다. 하지만 하트숀에 의하면 이

---

7 John Cobb, op. cit., 156.
8 Charles Hartshorne, *Man's Vision of God and the Logic of Theism* (New York: Harper and Brothers, 1941).

것은 성서적 신 이해와 다르다. 성서의 신은 그의 피조 세계에 영향을 줄 뿐 아니라 영향을 받는다. 신은 피조 세계의 반응에 따라 반응하며 또 그 반응 속에서 자신을 계속 변화시켜 간다. 여기에서 하트숀은 하나님 안에 양극성이 있다고 주장한다. 곧 하나님은 어떤 부분 곧 하나님의 본질이나 속성에 있어서는 영향받지 않으며 따라서 변하지 않는다(immutable and unchanging). 하지만 하나님은 또 다른 면에서 피조 세계에 반응하며 이 반응 속에서 영향을 받고 변한다(mutable and changing). 즉 신은 끊임없이 새로운 경험을 하며 계속 자기를 변화시켜 간다. 이 때 중요한 것은 신의 변화가 어떤 상실이 아니라는 점이다. 신은 그의 과거의 모든 경험을 그 자신 안에 신적 삶의 한 부분으로 영원히 보존한다. 하트숀은 또한 신의 전지(omniscience)도 다르게 이해한다. 전통적 유신론은 신의 전지를 신이 과거, 현재, 미래의 모든 일을 다 알고 있음으로 이해했다. 하지만 하트숀에 따르면 신의 전지는 신이 과거와 현재의 모든 것을 알고 자신 안에 그것을 품고 있음을 뜻한다. 하지만 그것은 신이 미래의 모든 것을 미리 다 알고 있음을 뜻하지 않는다. 미래는 다양한 가능성 앞에 열려 있으며 행위자들의 선택과 결단에 따라 여러 형태로 발전될 성격의 것이다. 신은 단지 미래의 여러 가능성을 선한 방향으로 이끌어 가는 사랑의 설득력 이상도 이하도 아니다. 따라서 미래는 열려 있다.

고전적 유신론의 신 이해 중 하트숀이 가장 반대하는 것은 신의 전능(omnipotence)에 대한 이해이다. 고전적 유신론은 신의 전능을 신은 무엇이든 할 수 있는 능력을 가진 것으로 이해했다. 하지만 하트숀에 의하면 이런 전능 이해는 곧 인간의 자유 및 신의 선함과 충돌한다. 그것은 일어난 것은 모두 신의 의도에 의한 것이든지 아니면 신의 억제에 의한 것으로 이해할 수밖에 없다. 후자의 경우에는 신은 인간의 자유로운 선택을 위하여 스스로 그 전능한 능력을 억제하는 것으로 이해되어 인간의 자유의 여지를 남겨 둔다. 하지만 이 때는 또 다른 문제 곧 이 땅의 악의 문제가 해결되지 않고 남게 된다.

하트숀에 의하면 신의 전능에 대한 이런 이해는 힘(power)에 대한 잘못된 이해에서 기인한다. 그에 의하면 힘은 그 성격상 관계적(relational)이다. 관계적인 것으로서의 힘은 영향을 줄 뿐 아니라 영향을 받을 수 있는 능력을 그 자체 안에 가지고 있다. 즉 영향을 줄 뿐 아니라 받을 수 있는 것이 힘이다. 힘이 많으면 많을수록 영향을 많이 미치며 또 많이 받는다. 이 점에서 하나님뿐 아니라 이 세상의 모든 것은 전부 어느 정도 이상의 힘을 가지고 있다. 전통적 유신론의 문제는 신에게 잘못된 힘의 이해를 적용함으로 신의 힘을 적절한 힘 아닌 절대적 힘, 맹목적이며 심지어 악마적 힘으로 이해한 데 있다.

결국 하트숀에 의하면 신은 양극성(dipolarity)을 지닌 존재이다. 즉 신은 절대적이며 상대적이고, 추상적이며 구체적이고, 지고의 존재이며 모든 피조물에 의존한다. 하트숀에 의하면 신은 다른 피조물과의 관계를 통해 자신을 끊임없이 변화시킨다. 실상 우리가 이 땅에서 하는 모든 행위 하나 하나는 신과 관계를 맺고 신에게 영향을 미친다. 우리의 행위는 신을 더욱 완전하게 만든다. 신은 이 세상의 모든 존재들과 똑같이 관계성을 가지며 그 관계성에서 계속 변화되어 간다. 하지만 다른 모든 존재가 자기 이외의 존재와 '부분적인' 관계만을 갖는 대신 신은 절대적인 관계 곧 '모든' 존재와 모든 면에서 관계를 맺는다. 그에 의하면 신이 세계와 맺는 관계를 기준으로 볼 때 고전 유신론의 신은 전혀 관계 맺지 않는 이(zero-interaction), 그의 범재신론적 이해에서는 신은 모두와 관계

맺는 이(all-interaction), 그리고 피조물은 부분적인 관계를 맺는
이(some-interaction) 이로 이해된다.9)

3. 과정 신학의 신 이해

이상에서 우리는 과정 신학의 두 사상적 선구자인 화이트헤드와
하트숀의 과정 사상을 간략히 살펴보았다. 그런데 과정 신학이 다
른 신학과 특별히 구별되는 것은 그것의 실재 이해 및 신 이해이다.
따라서 우리는 과정 신학의 신 이해를 조금 더 자세히 살펴본 다음
곧 그것의 그리스도, 교회, 기도 이해를 설명하려고 한다.

하트숀 이후의 대표적 과정 신학자 중 한 명인 존 콥 (John
Cobb)은 과정 신학의 신 이해를 전통적 유신론과 비교해서 다섯
가지로 설명하고 있다. 아래에서는 그의 비교를 따라 과정 신학의
신 이해를 살펴보려고 한다.10)

---

9 하트숀은 범재신론(panentheism)을 다음과 같이 설명하고 있다: "만일 신이
   전적으로 독립적이거나 명백히 비상대적이지 않고, 상대적이고 상호 의존적
   인 것들의 모두"라는 견해에 대해 역사적으로 또 어원학적으로 적절한 용어
   가 "범재신론"이라면 신은 어떤 실재적 양상에서 모든 상대적인 것들로부터
   구별될 수 있고 독립되어 있다는 견해에 대한 적합한 용어가 범재신론이다.
   그럼에도 불구하고 신은 현실적인 전체이며 상대적인 모든 것들을 포함한다.
   Hartshorne, *The Divine Relativity: A Social Conception of God* (London:
   Yale University Press, 1948, 1978), 89. 하트숀의 대표적인 책은 위의 것 외
   에 *Reality as Social Process: Studies in Metaphysics and Religion* (
   Beacon Press, Inc., 1953: 교정판, Hafner Publishing Co., Inc., 1971);
   *Anselm's Discovery: A Reexamination of the Ontological Proof for God's
   Existence* (The Open Court Publishing, 1965); *Creative Synthesis and
   Philosophical Method* (La Salle: The Open Court Publishing, 1970)이다.
   이차 자료로는 Ralph E. James, *The Concrete God: A New Beginning for
   Theology-The Thought of Charles Hartshorne* (The Bobbs-Merril
   Company, 1968); G. L. Goodwin, *The Ontological Argument of Charles
   Hartshorne* (Montana: Scholars Press, 1978)이 많은 도움이 된다. 화이트헤
   드와 하트숀을 비교한 것으로는 Lewis S. Ford (ed), *Two Process
   Philosophers: Hartshorne's Encounter with Whitehead*.

3-1. 변화하며 함께 공감하는 하나님

그리이스 철학의 영향 아래 형성된 전통적인 유신론은 하나님을 변하지 않으며 무감각한 절대자(unchangeable and impassable absolute being)로 이해했다. 이는 그리이스적 사고에 의하면 오직 피조물만 변화와 기쁨, 슬픔, 고통을 느낄 뿐 신은 결코 그럴 수 없기 때문이다. 이처럼 신을 불변의 무감동자로 보는 것은 특히 고전 유신론을 완성시킨 중세기의 안셀름과 토마스 아퀴나스에게 분명히 나타난다.[11]

---

10 이하의 내용은 John Cobb, David Griffin, *Process Theology: An Introductory Exposition* (Philadelphia: The Westminster Press, 1976). 유기종 역 『과정 신학: 과정 신학의 한 개론적 해설서』 (서울: 도서출판 열림, 1993), 13-16, 61-87.

11 안셀름과 토마스 아퀴나스에게 어려운 문제는 성경이 말하는 사랑과 구원의 하나님을 고전 철학의 불변의 무감동자라는 신 이해와 조화시키는 것이었다. 이 문제를 해결하기 위해 안셀름은 "하나님은 우리의 경험 속에서는 동정(compassion- 같이 기쁨과 슬픔 고통을 느낌)하는 것처럼 보인다. 그러나 그 분은 '참으로는' 동정적이지 아니하다"라고 말한다. Anselm, *Proslogium*, VI, VII; *Monologium: An Appendix, In Behalf of the Fool*, by Gaunilon; *Cur Deus Homo*, trans. S. N. Deane (The Open Court Publishing Company, 1903, 19450, 11, 13. 즉 하나님은 실제로는 결코 감동하지 않으나 인간들이 그렇게 느낀다는 것이다. 토마스 아퀴나스 역시 하나님 안에 사랑이 있다는 것을 반대하면서 이렇게 말한다: "왜냐하면 하나님 안에는 열정(passion)이 없다. 그런데 사랑은 일종의 열정이다. 그런고로 하나님 안에는 사랑이 없는 것이다." Thomas Aquinas, *Summa Theologica* I. Q. 20, art. 1, obj.1. 그는 열정을 내포한 사랑과 내포하지 않는 사랑을 구분하면서 하나님은 "열정 없이 사랑하신다"라고 말한다. *Ibid.*, ans. 1. 즉 토마스 아퀴나스와 안셀름에 있어서 하나님은 마치 자선가가 아무런 감정을 느끼지 않으면서 자선의 대상들을 돕듯이 피조물의 고통에 아무런 감정적 개입이나 영향받음 없이 그들을 구원한다. 다른 말로 바꾸면 하나님은 자녀들의 기쁨이나 고통에 대해 아무런 감정을 느끼지 않으나 좋은 것을 준다는 점에서 사랑의 아버지이다. 토마스 아퀴나스는 이를 다음과 같이 표현한다. "그러므로 타인의 비참함을 슬퍼하는 것은 하나님께 속한 것이 아니다. 그러나 그 비참함을 추방하는 것은 진정으로 하나님께 속하는 것이다." *Summa Theologica* I. Q. 21, art. 3. Ans. 인용은 John Cobb, David Griffin, *Process Theology* 유기

그러나 이런 고전적 유신론의 신 이해는 피조물에 대한 사랑 때문에 계속 자기 생각을 바꾸시며 피조물의 순종과 불순종에 의해 영향을 받는 성경의 하나님(가령 아브라함의 간청으로 소돔과 고모라에 대한 심판의 기준을 계속 바꾸시는 하나님)과는 분명히 구별된다. 실상 고전적 유신론은 신의 불변성(unchangeability)과 무감동성(impassibility)라는 철학적 개념에 사로잡혀 성경의 역동적 신 이해를 놓쳐 버렸으며 바로 여기에서 과정 신학자들은 참된 하나님은 변하실 수 있고 또 감정이 있는 분임을 주장한다. 이들에 의하면 변할 수 없거나 감정이 없는 신은 불완전한 신이요 죽은 신이다. 오히려 피조물의 기쁨과 슬픔, 고통에 깊이 참여하여 공감하고 그 자신도 기쁨과 슬픔, 고통을 느끼면서 변화되는 하나님(passible and changeable God)이야말로 참다운 하나님이라고 주장한다.

3-2. 세계를 즐김(향유)으로 인도하는 하나님

전통적 유신론은 하나님을 우주의 도덕적 원리의 창시자이며 준행자로 이해했다. 즉 고전적 유신론에서 신은 자주 우주적 도덕가(Cosmic Moralist)로 이해되었으며 그 결과로 기독교는 곧잘 금욕주의적 종교로 간주되었다. 다시 말하면 기독교 신앙은 하나님을 정해진 도덕 법칙을 따라 사는 정도에 따라 피조물에게 상벌을 내리시는 분으로 가르침으로서 기독교 신앙은 소극적으로는 하나님의 심판을 피하며 적극적으로는 현세와 내세의 보상을 얻는 수단으로 전락했고 결국 도덕주의, 금욕주의적 특징을 띠게 되었다.

하지만 과정 신학은 하나님을 우주적 도덕가로 보지 않으며 또 하나님의 창조 목적을 그의 영광의 확립으로 보지도 않는다. 과정

종 역 『과정 신학』 61-65.

신학은 오히려 하나님의 근본적인 목표를 피조 세계를 기뻐함, 곧 그 만드신 세계의 즐김(향유)으로 이해한다. 곧 과정 신학에서 하나님의 창조 목적은 피조물들이 그 삶을 기쁘게, 즐겁게, 행복하게 사는 데 있다고 본다. 그리고 이것은 결코 하나님의 도덕적 요구와 모순되지 않는다. 이는 하나님이 일부 아닌 모든 피조물들이 즐기기를 원하기 때문이다. 모든 피조물이 즐기기 위해서는 비정상적인 즐거움은 억제되어야 하며 이것은 곧 도덕적인 행위로 표현된다. 즉 하나님은 다른 존재들의 즐김을 증가시키기를 원하시는 방식으로 우리의 즐김이 이루어지기를 원하시며 이는 결국 도덕적인 요구를 만족시키는 형식으로 이루어지게 된다.

3-3. 사랑의 설복의 힘으로서의 하나님

전통적 유신론은 하나님의 속성 중 전능을 강조해 왔으며 이때의 전능은 논리적으로 모순되지 않는 일을 제외하고는 문자 그대로 '무엇이든 할 수 있음'을 뜻했다. 또한 그것은 하나님이 세계 과정의 모든 세세한 것까지도 다스리심을 의미했다. 하지만 하나님의 전능이 이렇게 이해될 때 즉시 문제가 일어난다. 이때 하나님의 전능은 힘(권력)으로 법을 만들고 그 것을 강제적으로 요구하는 지배자의 힘과 성격상 같은 것이 되어 결국 하나님을 우주 전체의 독재자로 만든다. 그것은 인간의 자유와 충돌되며 이 땅의 악의 문제와 조화될 수 없고 마침내 인간의 자유와 책임성의 이름으로 신을 거부하는 인본주의적 무신론자들의 도전을 초래하게 된다. 또한 이때 하나님은 남성적 존재 곧 천상의 군주와 아버지로 이해되어 남성들의 여성 억압을 정당화한다. 무엇보다 이런 이해는 역사와 직접적인 관계 없이 우주 저 위에 있는 신을 말함으로 결국 성경이 말하는 살아 계신 하나님을 희생하게 된다. 여기에서 과정 신학자들은 하나님은 결코 '무엇이든 할 수 있는 강제적인 힘'이 아니라 '사랑의 설득력'으로 이해되어야 한다고 주장한다. 쫀 콥에 따르면 성서는 하나님이 세계를 완전히 다스리고 있다고 단언하지 않는다. 성서에는 신의 섭리가 모든 것을 결정하는 것은 아님을 암시하는 많은 부분이 있다.[12] 이 세상의 현실성 그 자체는 부분적으로나마 자기-창조적이기 때문에 미래의 사건들은 아직 미결정 상태로 있다. 즉 이 세상의 현실성 자체가 자기 결정적이기 때문에 미래는 언제나 여러 가능성들 앞에 열려 있다. 신은 그 모든 것을 통제하려고 하지도 않고 또 통제할 능력도 없다. 이는 신은 사랑이며 사랑은 그 속성상 그 사랑의 대상을 지배할 수 없기 때문이다. 대신 신은 인간을 포함한 이 세상의 모든 것들이 그 현실적 계기들에 있어서 최선의 것이 될 수 있도록 끊임없이 사랑으로 설복하며 방향을 제시한다(화이트헤드는 이를 신은 최초의 목표를 제시한다고 표현한다). 즉 과정 신학자들에 의하면 하나님은 전능하지 않다. 적어도 하나님은 강제로 모든 것을 그 뜻대로 할 수 있는 능력을 가지고 있지 않다. 하나님의 힘은 사랑의 설복력이다. 하나님은 다른 이로 하여금 자유롭게 하고 스스로 결정하게 하고 창조성을 발휘하게 하고 미래로 개방하게 하며 스스로 책임적으로 살도록 한다. 그리고 이런 힘을 발휘하는 데 있어서 하나님은 무한하다. 따라서 하나님의 능력이 이렇게 이해될 때 그것은 결코 인간의 자유와 충돌하지 않는다. 오히려 인간의 자유는 하나님의 힘이 이 땅에서 계속 작용하고 있다는 표현이 된다. 인간의 자유는 하나님이 자신을 이 세계에서 철수시킨 증거가 아니라 하나님이 이 세계에 효과적으로 현존하신다는 증거가 된다. 즉 과정 신학에 있어서는 인간의

---

12 John Cobb, David Griffin, 『과정 신학』, 73.

자유를 향한 몸부림은 곧 하나님이 은혜로 현존하신다는 구체적 표현이다. 과정 신학자들은 이런 힘이 예수 그리스도의 삶과 십자가 죽음에서 대표적으로 드러났다고 본다.

3-4. 모험적인 사랑의 힘으로서의 하나님

과정 신학자들에 의하면 하나님의 사랑의 힘은 또한 모험적인 힘이다. 하나님은 모든 현실성들이 그들 각자의 결단에 의해 미래의 새 것을 만들어 갈 수 있도록 하지만 그럼에도 불구하고 하나님은 그 가운데서 끊임없이 모든 현실적인 계기들이 최선의 선택을 할 수 있도록 격려하고 설득한다. 따라서 하나님의 힘은 모험적인 사랑의 힘이다. 하나님의 일은 현실의 질서에 대한 도전이며 극복이 된다. 하나님은 끊임없이 새로운 가능성으로 이 세상의 모든 것들을 부르시며 이 점에서 하나님은 불안(unrest)의 근본적 원천이다. 화이트헤드는 이를 "순수한 보수주의자는 우주의 본질에 대항하여 싸우고 있다."[13]라고 표현했다.

하나님을 이처럼 모험적인 사랑의 힘으로 이해하는 것은 전통적인 유신론의 '질서의 하나님'과 대립되는 이해이다. 전통적인 유신론은 하나님이 질서를 만드시고 그 질서를 지키시는 분임을 강조해 왔다. 하지만 이런 이해는 결국 현실의 체제가 하나님이 원하시는 체제라는 보수적 가치관을 갖게 하며 사회 반동적인 기능을 수행하게 된다. 과정 신학자들은 이런 이해를 거부한다. 비록 이들 역시 하나님이 질서의 원천임을 인정하지만 이 질서는 하나님의 새로움(신생: novelty)에서 파생되며 그것과 균형이 맞을 때 의미가 있음을 말한다. 특히 어떤 사회의 질서가 그 사회의 구성원들의 향

---

13 Alfred Whitehead, *Adventures of Ideas* (The Macmillan Company, 1933), 354. 인용은 존 쿱, 데이빗 그리핀, 『과정 신학』, 82.

유(즐김)를 극대화하지 않을 때 하나님은 그 속에서 새로움(신생:novelty)을 만드시며 기존의 질서를 무너뜨리는 분이시다. 바로 여기에서 우리는 과정 신학이 현실을 비판하며 변혁하는 정치 신학으로 발전될 수 있는 가능성을 본다.

3-5. 남성적이며 여성적인 사랑의 응답의 하나님

전통적 유신론의 하나님은 주로 우주의 절대 군주, 왕, 아버지와 같은 남성적 이미지로 표현되었다. 즉 여기에서 하나님은 능동적이며 주체적이며 무감동적이며 그 세운 뜻은 결코 변하지 않는 천상의 한 힘있는 남성으로 이해되었고 수동적이며 정서적이며 유연하며 또 인내하며 심미적인 여성적 요소와는 관계없는 이로 이해되었다. 즉 전통적 유신론은 하나님의 여성적인 특징을 거의 말하지 않았다. 과정 신학은 이런 전통을 비판한다. 과정 신학에 따르면 하나님에 대한 이런 일방적 이해는 결국 왜곡되고 병약한 기독교를 초래하였다. 여기에서 과정 신학자들은 하나님을 남성적 특질뿐 아니라 여성적 특질도 같이 가진 분으로 보려고 한다. 이들은 하나님을 남성적이며 또 여성적인 분으로 볼 때 우리는 보다 건강하고 균형잡힌 하나님 이해를 할 수 있다고 본다.

4. 과정 신학의 그리스도 이해

과정 신학은 그 성격상 성서와 기독교 전통 아닌 화이트헤드와 하트숀의 철학에서 출발한다. 따라서 과정 신학은 보다 철학적이며 그 신학적 구조에 있어서 그리스도론이 처음부터 분명한 자리를 차지하고 있지는 않다. 과정 신학의 이런 모습은 예수 그리스도를 통한 하나님의 구원 계시에서부터 신학적 논의를 시작하는 칼 바르트의 신학 등과 분명하게 구별된다. 하지만 바로 그렇기 때문에

과정 신학에는 다른 신학에서 찾아보기 어려운 아주 독특한 그리스도 이해가 들어 있다.[14]

그러면 과정 신학에서 그리스도는 어떻게 이해되는가? 먼저 과정 신학은 교회가 예수 그리스도를 설명하는 데 사용해 왔던 로고스론에 주목한다. 과정 신학자들에 의하면 로고스는 다름 아닌 하나님의 원초적 본성 곧 세계 안에서의 새로운 질서와 질서화 된 새로움의 원천과 동일하다. 로고스는 하나님이 피조물들을 그 사랑의 설복의 힘으로 이끌어 가려는 최초의 목표(initial aim)로서 피조물들 안에 내재하며 또 화육한다.[15] 그리고 이렇게 로고스가 화육한 것이 바로 그리스도이다. 이렇게 볼 때 그리스도는 모든 사물들과 사건들 곧 모든 생명 및 무생명의 세계에 내재한다. 특히 생명의 세계에서 로고스의 현존으로서의 그리스도는 더욱 명백하게 드러난다. 특별히 높은 수준의 유기체 속에서는 그들이 로고스의 최초의 목표에 순응하느냐 거부하느냐에 따라 그리스도는 더 많이 내재할 수도 있고 더 적게 내재할 수도 있다. 즉 그리스도는 사람들이 로고스의 현존에 가장 충분히 개방적일 때 그들 안에 가장 충분히 내재한다.[16] 달리 말하면 그리스도는 사람들이 창조적 변화를 믿으며 그것을 올바르게 이해하고 신뢰하며 거기에 자신을 개방하는 곳에서 가장 충만하게 현존하며 또한 힘을 발휘한다.

그럼 로고스의 현현으로서 그리스도와 한 역사적 인물로서 예수

---

14 하지만 과정 신학이 예수 그리스도의 인격과 삶에 영향을 받지 않은 것은 아니다. 과정 신학의 사상적 모태인 화이트헤드는 개인적으로 예수 그리스도를 지극히 중요하게 여겼다. 그는 예수를 역사상 최고의 인물로 보았으며 그에 의해서 세계의 역사가 두 부분으로 나뉘는 것이 당연하다고 보았다. Whitehead, *Religion in the Making* (The Macmillan Company, 1926), 57. 인용은 존 콥, 데이비드 그리핀, 『과정 신학』, 135.

15 존 콥, 데이비드 그리핀, 『과정 신학』, 136.

16 *Ibid.*, 137.

와의 관계는 어떠한가? 전통 신학은 예수가 바로 그리스도라고 주
장해 왔으며 특히 고대의 존재론적 개념을 빌려 예수를 참 하나님
이자 참 사람(*vere Deus vere Homo*/ 양성론)이라고 표현해 왔다.
과정 신학 역시 예수의 신성을 부인하지 않는다. 하지만 과정 신학
은 전통적인 양성론(two-nature theory)으로는 예수의 인격적 통
일성을 설명하기 어렵게 됨으로 결국 예수의 신성만 주로 강조되
고 그의 온전한 인간성은 충분히 긍정되지 못한다고 본다. 여기에
서 과정 신학은 그 존재론에 근거해서 예수의 그리스도이심을 설
명하고자 한다.

앞에서도 말했듯이 과정 신학에 따르면 그리스도는 어디에도 현
존한다. 하지만 이 로고스의 현현으로서, 세계를 향한 하나님의 최
초 목표의 구체화로서의 그리스도는 특별히 예수 안에서 온전히
나타났다. 이는 예수가 그의 모든 순간 순간의 삶에서 곧 그의 수
없이 많은 삶의 계기들을 통해서 이 원초적 목적을 온전히 드러내
었기 때문이다. 즉 그리스도는 모든 사람 안에 화육하나, "예수는
그 화육이 바로 그의 자신성(selfhood)의 구성적 요소이기 때문에
그리스도이다."17) 좀더 구체적으로 말해 보자: 매순간마다 인간 주
체는 무수한 부조화의 요소들로 구성된 현실 세계를 만난다. 이러
한 부조화들을 처리하는 데는 몇 가지 방법이 있을 것이다. 첫째,
모든 부조화의 요소들을 원천적으로 거부하거나 차단하는 것이다.
이때는 조화는 이루어지나 강렬함은 상실되어 미래로 열려진 창조
적 삶은 불가능하게 된다. 화이트헤드는 이를 무감각증 (anaesthesia)
이라고 부른다. 하지만 때로 부조화의 요소들을 모두 받아들여서
그것들을 조화로우면서도 포괄적이며 창조적인 형태로 변형시킬

---

17 *Ibid.*, 146.

수도 있다. 이때 그 행위자는 그 순간에서 하나님의 최초 목표
(initial aim)를 이루게 된다. 곧 하나님의 최초의 목표가 화육하게
된다. 과정 신학에 의하면 예수는 바로 그의 삶 모든 계기들을 통
해 바로 이 하나님의 최초 목표를 온전히 이룬 이이며 이 점에서
그 인격 자체로 바로 그리스도라고 불릴 수 있다.

5. 과정 신학의 교회 및 영성, 기도 이해

과정 신학의 그리스도 이해는 곧 그 교회 이해와 긴밀히 연결된
다. 앞에서 우리는 과정 신학이 그리스도를 창조적 변화로 작용하
는 화육된 로고스로 이해함을 보았다. 이렇게 볼 때 그리스도는 이
세상 모든 곳에서 발견된다. 하지만 그의 활동은 특히 그의 현존의
새로움을 구현할 수 있는 사람들 사이에서 분명하게 나타난다. 즉
그리스도는 어디에나 있으나 사람들이 자신들을 그에게 개방하며
그의 말씀을 청종할 때 특히 분명하게 드러난다. 교회란 바로 이처
럼 자신들을 그리스도에게 개방하고 그의 말씀을 청종함으로서 이
루어지는 공동체이며 이 점에서 교회는 그리스도의 몸이며 또한
화육의 연장이다. 화이트헤드의 말을 따르면 교회는 하나의 연계체
(a nexus) 곧 "현실체 상호간의 포착에 의해 이루어진 관계의 통일
성을 이루고 있는 현실체들의 일련체"이다. 이 연계체는 사회 곧
사회적 질서를 가진 연계체를 형성하며 교회란 바로 예수 그리스
도의 실재와 중요성을 확신하며 거기에 참여하는 하나의 사회적
연계체이다. 즉 교회란 그리스도 안에서 실현된 하나님의 사랑을
포착하고 그것에 참여하는 개인들로 이루어진 역동적이고 과정적
인 사회이다. 멜러트(Robert Mellert)에 의하면 교회는 "시공 안에
서 그 구성원 개개인들로 이루어진 하나의 연계체이다."[18] 이는
"예수에 대한 첫 신앙인들의 신앙과 그것에 영감을 받은 후계자들

의 신앙의 결과이며 이 신앙은 세계와의 대화를 통해 자신을 새롭게 형성하고, 그 결과로서 교회도 새롭게 한다. 이러한 의미에서 교회는 세계의 절실한 요구에 따라서 끊임없이 변화하며 갱신해 가고 있다."19) 즉 과정 신학자들에 의하면 교회는 전통이란 이름으로 주어진 과거의 무수히 많은 계기들과 동시에 지금 그들 가운데 있는 그리스도의 인도(설복) 사이에 서 있으며 그 가운데 주어지는 현실적인 계기들을 끊임없이 새롭게 포착(prehension)함으로 자기를 계속 변화시켜 나아가는 역동적인 사회적 연계체이다. 과정 신학자들은 교회의 이와 같은 모습이 바울이 말하는 "그리스도 안에 있음"으로 잘 설명될 수 있다고 본다. 즉 이들에 의하면 교회는 그리스도로 현현하는 예수의 영향권 안에 들어가서 그에게 순응하며 계속 변화되어 가는 공동체 곧 예수에 의해서 발생한 힘의 영역(장/ field)을 유지하고, 확장하며, 그리고 강화하는 일에 의식적으로 헌신하는 변화의 공동체로 이해된다.

교회에 대한 이와 같은 과정 신학적 이해는 곧 기도 및 영성에 대한 이해와 연결된다. 과정 신학에 의하면 기도는 하나님과 우리가 서로 계속되는 포착(prehension) 속에 만나는 것이며 그 만남 속에서 함께 변화되어 가는 과정이다. 기도 속에 하나님은 우리를 포착하고 우리는 하나님을 포착한다. 그리고 이 포착을 통해 우리는 우리의 의도를 숙여 하나님께 복종하며 또 하나님은 우리를 받아들이면서 변화된다(즉 하나님의 결과적 본성이 바뀐다). 기도 안에서 우리가 성취하려는 것과 하나님이 성취하려는 것은 서로 만나며 하나로 통일된다. 기도 안에서 신은 우리의 기쁨과 슬픔에 함

18 Robert Mellert, 『과정 신학 입문』 홍정수 역, 현대 신서 148. (서울: 대한 기독교 서회, 1989), 90.
19 멜러트, 91-92.

께 공감한다. 그리고 우리의 기도를 통해서 하나님은 그 우주적 사랑을 이루려는 목적을 실현해 간다. 과정 신학자 노만 피텐져 (Norman Pittenger)는 이를 "기도 시에... 우리가 (신)을 향해서 기도하는 것은 (신의) 목적의 완성에 기여한다..."20)라고 표현한다. 그에 의하면 기도는 "세계 안에서 가장 깊고 높은 우주적 사랑을 향한 인간 삶의 의도적 개방이며 그 사랑에 맞춘 인간 의지의 노선 정렬이며, 그 사랑을 요구하는 인간의 경향이다. 왜냐하면 기도는 진정한 선의 공유와 참여를 향한 세계로 뚫고 들어가는 최대의 돌파력 또는 충동이기 때문이며, 그래서 기도는 하나님이 원하는 인간 인격의 진실로 가능한 성취를 지향한다."21) 영성이란 바로 이처럼 하나님과 인간 존재 사이의 관계적이며 끊임없이 변화되어 가는 연관성에 대한 탐구이며 또 그것의 이름이다. 즉 과정 신학에서 영성이란 함께 기쁨과 슬픔을 나누는 동반자로서 하나님22)과의 총체적 관계성을 지칭하는 것이다.

6. 평가 및 정리

이상에서 우리는 과정 신학의 여러 면모를 살펴보았다. 과정 신학은 정지(stasis)가 아니라 변화(change)가 실재의 성격을 규정한다고 보는 신고전적 형이상학(neo-classical metaphysics)을 발전시켰다. 특히 과정 신학은 신을 전지, 전능, 영원, 불변, 무감동의 저 천상의 존재로 이해한 고전적 유신론을 비판하면서 신을 피조 세계에 대한 그 사랑으로 인해 끊임없이 변해가는 존재 곧 세상과

---

20 Norman Pittenger, *Prayer: A Process Apologia Forthcoming in Encounter* (1969), 146. 인용은 쫀 M. 러셀, 영성: 과정 신학적 접근, 145-146.
21 Pittenger, 27. 인용은 러셀, 144.
22 화이트헤드는 하나님을 이해하고 고통을 함께 나누는 우리의 좋은 동반자로 묘사한다. Whitehead, *Process and Reality*, 351. 인용은 러셀, 147.

연관되고(involved), 영향을 받으며(passible), 애정을 쏟는(affective)
존재, 곧 세계와 철저히 관계 속에 있는 존재로 이해함으로써 우리
시대에 상당히 설득력 있는 신 이해를 제공하고 있다. 이런 과정
신학을 다음의 몇 가지로 평가하고자 한다.

첫째, 과정 신학의 큰 공헌은 전통적인 고전적 유신론의 한계를
잘 지적하면서 그 극복을 위한 좋은 대안을 제시하는 데 있다. 고
전적 유신론은 단지 과정 신학자들뿐 아니라 여러 사람들에 의해
비판받아 왔다. 그것은 철학적인 신 이해이지 기독교적인 신 이해
가 아니다.[23] 그것은 잘못된 계층 질서적, 가부장적, 그리고 남성
중심적 사회 구조를 조장하고 여성의 인간성을 억압하며 남성과
여성의 진정한 파트너쉽을 훼손한다.[24] 결국 인간의 자유와 이 땅
의 고통이라는 이름으로 기독교 신앙을 비판하는 인본주의적 무신
론의 도전을 유발하게 된다.[25] 과정 신학은 이런 비판들 가운데에
서도 특히 논리적으로 명확하며 설득력 있는 비판을 전개하며 동
시에 하나님을 철저히 관계적이며 변화 속의 존재로 이해함으로

23 이런 비판에 대해 Moltmann, *Crucified God*, 87-89, 200ff; John Macquarrie,
Thinking about God (London: SCM press, 1975), 111ff; John O'Donnell,
The Mystery of the Triune God (London: Sheed and Ward, 1988), 1-16.
24 이런 비판의 예로 McFague, *Models of God*, 63-69와 Johnson, *She Who
Is*, 19-22. 존슨에 따르면 이런 고전적 유신론의 신 이해는 가부장적 상상력
의 반영에 불과하다. 같은 책 21쪽.
25 이런 비판의 예로 Moltmann, *Crucified God*, 200-290, Eberhard Jungel,
*God as the Mystery of the World: On the Foundation of the Theology of
the Crucified One in the Dispute between Theism and Atheism*, trans. J.
C. B. Mohr. (Grand Rapids: Eerdmans, 1983), 3-104; Walter Kasper, *The
God of Jesus Christ*, trans. Matthew O'Connell. (London: SCM Press,
1983), 47-123. 카스퍼에 따르면 이런 하나님 이해는 신을 인간의 자유를 억
누르며 그 고통에 대해서는 무관심한 천상의 군주로 만들며 그로 인해 결국
무신론적 주장을 정당하게 만든다. 이 점에서 그는 "유신론이란 이단(the
heresy of theism)"이란 말까지 한다. 같은 책 16 ff, 295.

변화와 과정에 큰 의미를 부여하는 우리 시대 정신에 잘 부합하는 신 이해와 실재이해를 제공해 주고 있다.

둘째, 과정 신학의 다른 공헌 하나는 20세기 이후 신학계의 가장 근본적인 문제의 하나가 된 신정론적 질문에 대해 상당히 설득력 있는 답변을 하는 데 있다. 이 세상의 악과 고난 앞에서 전능하시며 사랑이신 하나님을 어떻게 변증할 수 있는가 하는 신정론적 질문 앞에서 고전적 유신론은 침묵할 수밖에 없다. 하지만 과정 신학은 하나님을 "무엇이든 할 수 있는" 전능자가 아니라 "사랑의 설복력"으로 이해함으로써 적어도 논리적으로 하나님에 대한 믿음과 악과 고난의 문제를 조화시킬 수 있게 한다. 즉 과정 신학은 하나님을 '전능성'을 포기하고 대신 하나님이 '사랑'임을 말하며 또 이 세상의 악과 고난은 많은 경우 인간이 책임적으로 극복해 가야 할 것임을 말함으로 이 문제에 대한 논리적으로 해명하며 또한 악의 극복에 대한 인간의 책임성을 분명하게 말한다. 하지만 여기에서 우리는 하나님의 '전능성'을 그렇게 쉽게 포기할 수 있는가? 질문하게 된다. 분명 하나님의 전능성은 고전적 유신론이 이해하는 것처럼 이해할 수는 없으나 그렇다고 해서 하나님의 전능성 자체를 포기할 수는 없다. 이는 성경 자체가 하나님을 전능한 분으로 고백하고 있기 때문이다. 하나님의 전능이 빠져 버릴 때 거기에 남는 것은 인간이 감당하기 어려운 과도한 책임성이며 이것으로 과연 악과 고난의 문제가 극복될 수 있는지는 의심스럽다. 여기에서 우리는 하나님의 전능을 하나님의 본성에 따른 전능 곧 사랑의 전능으로 이해한 칼 바르트의 이해가 보다 더 적절한 이해가 아닌가 질문하게 된다. 참으로 전능한 하나님만이 우리들을 부르셔서 소망 가운데 이 땅의 악과 고통의 극복을 위해 헌신하도록 할 수 있다. 간단히 말해 과정 신학은 악과 고통의 현실을 '해명' 할 수 있으나 그것의 극복에는 한계를 가질 수밖에 없다.

셋째, 과정 신학의 또 다른 공헌은 그것이 하나님의 역사하심을 단순히 종교적, 영적인 측면에서만이 아니라 구체적 삶의 현실 속에서 볼 수 있는 이론적 근거를 제공하는 데 있다. 대체적으로 보아 비록 하나님이 역사 속에서 일하신다고 고백하면서도 교회의 주된 관심은 개인 전도를 통한 영혼 구원에 있었다. 특히 우리 한국 교회는 오랫동안 하나님을 구체적인 역사와는 관계 없는 인간 영혼 구원의 하나님으로 이해해 왔고 아직도 영과 육, 신앙과 삶, 교회와 사회를 이분법적으로 단절하는 사고를 충분히 극복하지 못하고 있다. 이런 상황에서 하나님이 구체적인 역사 안에 내주하며 또한 인간(피조 세계)의 응답에 의존하고 있음을 말하는 과정 신학은 이런 이분법적 사고를 극복할 이론적 근거를 제공할 수 있다. 돌이켜 보면 한국 교회 안에는 역사의 주관자로서의 하나님을 말하는 오랜 전통이 있었으니 가령 1780년 복음이 처음 전파된 이후 많은 카톨릭 교인들이 복음을 사회 정치적으로 이해한 결과로 박해받고 순교당했다. 또한 개신교인들도 복음의 해방을 영적일 뿐 아니라 정치적 해방으로 해석했기에 일본의 식민 통치 아래에서 독립 운동에 참여할 수 있었으며 이런 흐름은 1970년대와 1980년대의 인권 운동과 민주화, 통일 운동으로 꽃을 피웠다. 과정 신학은 우리의 지극히 작은 선택과 결단이 이 땅에 하나님의 나라를 세우는 데 바로 연결되어 있음을 말함으로 믿음에 근거한 역사적 책임의식을 갖도록 우리에게 도전하고 있다.

참고 도서

김상일, "과정 신학의 발달과 전개,"『기독교 사상』, 1986/7 115- 126 이
    글은 제목 그대로 철학자 화이트헤드의 영향을 받아 태동한 과정
    신학의 1930년대 이후의 발전 및 한국에서의 과정 신학 연구의 동
    향을 간략히 소개하고 있다.

Marjorie Hewitt Suchocki, God, Christ, Church: A Practical Guide to
    Process Theology, New York: Cross Road, 1982, 1997. 제목 그
    대로 과정 신학에 대한 실제적인 입문서.

Alfred North Whitehead, Process and Reality (Corrected Edition). David
    Ray Griffin and Donald W. Sherburne (eds)., New York: The
    Free Press, 1978. 과정 신학의 사상적 기초가 된 책이나 이해하기
    가 결코 쉽지 않다.

Charles Hartshorne, Man's Vision of God and the Logic of Theism.
    New York: Harper and Brothers, 1941.; Hartshorne, The Divine
    Relativity: A Social Conception of God. London: Yale University
    Press, 1948, 1978. 과정 신학의 선구자인 하트숀의 대표적 저서들.

Ralph E. James, The Concrete God: A New Beginning for
    Theology-The Thought of Charles Hartshorne. The
    Bobbs-Merril Company, 1968; G. L. Goodwin, The Ontological
    Argument of Charles Hartshorne. Montana: Scholars Press,
    1978. 하트숀의 사상에 대한 좋은 이차적 자료

John Cobb, David Griffin, Process Theology: An Introductory
    Exposition. Philadelphia: The Westminster Press, 1976. 유기종
    역『과정 신학: 과정 신학의 한 개론적 해설서』, 서울: 도서출판
    열림, 1993. 대표적 과정 신학자들의 과정 신학 입문서. 입문서라
    고 하나 결코 쉬운 책은 아니다.

Robert Mellert,『과정 신학 입문』홍정수 역, 현대 신서 148. 서울: 대한
    기독교 서회, 1989. 비교적 쉽게 쓰여진 과정 신학 입문서.

제5장 복음주의 신학

들어가는 말

오늘날 전 세계적으로 가장 빠르게 성장하고 있는 교회는 복음
주의 교회이다. 이런 현상은 특히 북미에서 분명하여 이 지역 기독
교의 가장 뚜렷한 특징이 되고 있다. 1979년의 미국의 종교 상태에
관한 조사에 의하면 미국 성인 남녀들의 약 1/3이 중생(born again)
체험이 있다고 보고했고[1] 1986년 조사에는 이보다 더 많은 약 40
퍼센트의 성인들이 그렇게 응답했다.[2] 또한 이 조사에 따르면 미
국의 경우 약 4천 5백만 명의 복음주의 그리스도인이 있고 전체 라
디오 방송국의 1/7에 해당되는 1300여 개의 라디오 방송국이 복음
주의적 그리스도인들에 의해 운영되고 있으며 또 그 수는 매주 하
나씩 늘어나고 있다. 복음주의적 텔레비전 방송도 약 30일에 하나
씩 새로 생기고 있으며 매일 1300만 여명 혹은 미국 인구의 20퍼센
트가 고정적으로 이 방송들을 시청하는 것으로 추정된다. 라디오나
텔레비전 방송뿐 아니라 신문, 잡지 등의 언론 매체와 교육 기관들

---

1 Jeremy Rifkin, *The Emerging Order: God in an Age of Scarcity* (New
   York: Putmans, 1979), 99. 인용은 Douglas John Hall, *Thinking the Faith:
   Christian Theology in a North American Context* (Minneapolis: Fortress
   Press, 1991), 231.
2 U.S. News and World Report, (Christian Right Aims Votes at New
   Targets, November 4, 1985), 70. 인용은 Hall, *Thinking the Faith* 231.

에서 미국의 보수적 복음주의자들의 약진은 아주 눈에 두드러지고 있다.3) 오늘날은 그 수가 더욱 늘어나 적어도 미국 기독교인들의 50퍼센트 이상이 자신들을 복음주의 그리스도인으로 이해하는 것으로 추정된다. 반면 신학적으로 진보적 성향을 보이는 주류 교회는 그 수와 영향력에 있어서 점점 더 주변부로 밀려나고 있다.4)

한국 교회 역시 복음주의적 교회가 그 수나 영향력에 있어서 주도적 역할을 하고 있다. 실상 한국에서 수적으로 성장하는 교회는 교단과 관계 없이 거의 복음주의적 교회라고 해도 과언이 아니다. 따라서 복음주의 교회와 그 신학을 빼놓고서 오늘날의 세계 신학의 흐름을 말할 수 없다. 이 장에서 우리는 복음주의의 정의 및 역사, 그 신학적 특징 및 강점과 약점, 앞으로의 전망을 같이 공부하기로 한다.

1. 복음주의의 정의 및 역사

복음주의는 1) 성경이 기독교인의 신앙과 삶에 있어서 근본적 권위를 가지고 있다고 믿으며 2) 영원한 구원은 오직 그리스도 예수와의 인격적 만남을 통한 중생(regeneration/ born again)을 통해서만 가능하며 3) 기도와 성경 읽기 같은 개인적 경건 생활을 영적으로 변화된 삶의 주된 특징으로 강조하는 주로 개신교 안의 운동

---

3 Rifkin, op. cit., 105.
4 Hall, op. cit., 231. 미국의 주류 교회와 복음주의 교회의 양적 성장에서의 차이는 이 두 교회가 교회의 미래와 세계 선교를 보는 시각에도 큰 영향을 주고 있다. 미국의 주류 교회는 이제 소수 집단이 되었으며 교회의 미래와 복음 선교에 대해 회의적이다. 여기에 따르면 교회는 사회의 소수 집단이 되었고 그 동안의 세계 선교는 제국주의 선교였으며 이제는 선교 아닌 다른 종교인들과의 대화가 주가 되어야 한다고 본다. 반면 복음주의 교회 지도자들은 금세기처럼 교회가 급격히 성장하고 세계 선교의 문이 활짝 열린 때가 없었다고 보면서 이 세대가 가기 전에 교회와 선교의 미래를 대단히 낙관적으로 보고 있다.

이다. 독일의 루터파 교회는 복음주의란 말을 개신교(Protestant Church)와 같은 뜻으로 사용했고 신 정통주의 신학은 이 말을 '복음을 믿는 자'란 뜻으로 넓게 이해했다. 그러나 오늘날 일반적으로 복음주의란 말로 지칭하는 것은 영국과 미국에서 비교적 최근에 일어난 근대 및 현대적 현상이다.5)

역사적으로 볼 때 복음주의의 직접적인 뿌리는 18세기 중반의 영국과 미국의 대 각성 운동(the Great Awakening Movement)에서 찾을 수 있다.6) 이 운동의 지도자들인 영국의 부흥 설교가 휘필드(George Whitefield, 1714-1770), 감리교 운동의 웨슬레 형제, 탁월한 목회자이며 설교가였던 챨스 스퍼젼, 또 19세기 미국의 챨스 피니(1792-1875), 디. 엘. 무디(1837-1899)등은 종교 개혁자들의 성서의 절대적 권위에 대한 강조와 인격적이며 개인적인 그리스도에 대한 믿음, 중생 체험, 성결한 삶 등을 기독교 신앙의 핵심으로 강조했으며 이들에 의해 하나의 운동으로서의 복음주의는 그 형태가 갖추어졌다.

영국에서 시작된 복음주의 운동은 처음에는 복음 전파 및 그리스도인으로서의 성결한 삶을 강조했을 뿐 아니라 사회 개혁에 대한 강한 의지도 함께 가지고 있었다. 19세기 전반기의 복음주의자들은 장로교, 감리교, 침례교 등의 교단을 넘어서 그들의 힘을 집결시키는 데 성공했고 이 힘으로 이들은 그 이전의 어느 세기에도 볼 수 없을 정도로 활발하게 주일 학교 창설, 성경 및 기독교 서적 보급, 학교와 병원 설립, 해외 선교 등을 이루어 내었다. 이들은 노동

---

5 Mircea Eliade (ed), *The Encyclopedia of Religion* 15 vol. (New York: Macmillan Publishing Company, 1987), 항목 "Evangelical and Fundamental Christianity," Vol. 5. 190.

6 이하의 내용은 Eliade, *The Encyclopedia of Religion*, vol. 5. 항목 "Evangelicalism and Fundamental Christianity," 190ff를 참고했다.

조건의 완화(주일 휴식의 법제화), 감옥 개선, 개인 자선의 범위 확대를 위해 노력했고 특히 영국의 윌버포스(William Wilberforce, 1792-1875)는 반 노예 운동을 주도하기도 했다. 챨스 피니 역시 미국에서 복음에 의한 사회 변화를 강조하면서 사회 개혁 운동에 앞장섰다. 이들이 이처럼 사회 개혁을 강조할 수 있었던 한 이유는 당시 이들이 역사를 낙관적으로 보는 후천년기설(postmillennialism) 곧 복음 전파를 통해 죄악은 줄어들고 세상이 점점 좋아지며 새로운 세계가 시작되며, 그후 천 년 동안의 새로운 세계(천년 왕국)가 있은 다음 그리스도는 재림하셔서 영원히 통치하실 것이라는 견해를 믿고 있었기 때문이었다. 특히 미국의 경우 이 같은 사회 개혁 운동은 새로운 나라, 미국에 대한 강력한 애국심 및 반카톨릭주의와 결합해서 더욱 힘을 얻었다.

· 그러나 19세기 후반 이후의 복음주의 운동은 그 초기의 사회 변혁에의 열정을 잃어버리고 복음을 철저히 개인적인 것으로 이해하기에 이르렀다. 이 당시 영국과 미국은 다같이 산업 혁명의 여파로 일어난 빈익빈 부익부, 실직자의 급증, 도시 인구의 과밀화, 빈민의 대량 발생 등의 해결하기 어려운 문제들로 시달리고 있었으며 이 상황 앞에서 디. 엘. 무디(D. L. Moody) 같은 이는 사회 개혁의 비전은 접어 두고 오직 개인 영혼의 문제 곧 그리스도를 만남으로 인한 중생 체험, 성결한 삶, 복음 전파의 긴급성 등만 강조하기 시작했다. 그는 그의 앞 세대인 챨스 피니가 후천년기설을 믿었던 것과 달리 전천년기설에 근거해서 이 세상은 깨어져 나가는 배와 같아서 어떤 종류의 사회 개혁도 불가능하며 세상을 치료할 유일한 방법은 임박한 그리스도 예수의 재림뿐인데 그때까지 신자가 할 일은 한 영혼이라도 더 구원하는 것이라고 복음을 철저히 개인 구원의 문제로 국한시켰다. 무디의 이 같은 개인주의적 기독교 운동은

영국의 케스윅 성결 운동(The British Keswick Holy Movement)
과 1900년 이후 일어난 미국의 오순절 운동(Pentecostalism)과 함
께 그 이후의 복음주의 운동의 방향을 결정지웠으니 이때부터 미
국의 복음주의는 기독교 신앙을 개인적이며 사적인 중생 체험 및
성화의 문제로만 간주하기에 이르렀다.

20세기 접어들면서 복음주의는 전혀 새로운 양상을 맞게 되었
다. 20세기 초반의 미국 복음주의는 여전히 기독교 신앙을 개인적,
체험적, 타계적인 것으로 이해하고 있었다. 즉 복음주의는 죄에 대
한 고발, 개인적 회심, 성령 체험, 그리고 변화된 삶의 특징으로써
술, 담배, 도박, 댄스 등의 금지, 세계 선교에의 헌신, 그리스도의 임
박한 재림과 최후의 심판 등을 기독교 신앙의 주요 요소로 이해하
고 있었다. 이 가운데 유럽으로부터 성서 비평학, 다윈주의, 자유주
의 신학 등이 소개되기 시작했다. 당시의 미국의 복음주의는 이 도
전에 능동적으로 반응하기에는 신학적으로 너무 미숙했기 때문에
마침내 근본주의라는 극단적 형태로 정통적 기독교 믿음의 내용을
수호하려고 했다.

근본주의 운동은 열두 권으로 된 기독교의 근본적인 것들(The
Fundamentals) 시리즈의 출판(1910-1915)으로부터 시작된다. 당시
의 복음주의 지도자들은 이 소책자들을 통해 로마 카톨릭주의, 사
회주의, 근대 철학, 무신론, 몰몬주의, 신령주의(spiritualism), 다윈
의 진화론, 특히 자유주의 신학과 그 성서 비평학을 기독교 신앙을
훼손하는 것이라고 공격했다. 1910년에는 북 장로교 총회(the General
Assembly of the northern Presbyterian Church)는 결코 훼손되어서
는 안될 기독교 신앙의 가장 근본적인 다섯 가지 교리로 성경의 무
오설(the inerrancy of the Bible), 그리스도의 동정녀 탄생(the virgin
birth of Christ), 그리스도의 대속적 속죄(the substitutionary atonement

of Christ), 그리스도의 육체적 재림(Christ's bodily resurrection), 기적
의 역사성(the historicity of the miracles)을 말했으며 이 교리들은
1916년과 1923년에 기독교의 가장 근본적인 교리로 이 그룹에서
다시 확인되었다. 이 시기의 대표적인 근본주의 학자인 그레샴 메
이천(J. Gresham Machen)은 19세기 자유주의 신학뿐 아니라 바르
트 신학까지 모두 비기독교적인 신학이라고 공격했다. 그의 주요
저서로는 1923년에 펴낸 *Christianity and Liberalism*이 있다.

근본주의자들의 원래 의도는 교회 안에 들어온 소위 자유주의자
들을 내몰고 교회를 정화(?)하는 데 있었으나 미국의 주류 교회는
오히려 바르트를 중심한 신정통주의 신학을 올바른 것으로 받아들
였고 이들은 소수 집단에 머물고 말았다. 이에 이들은 따로 나가
자체의 교단과 신학교, 그리고 성경 학교를 만들었다. 하지만 그 수
는 얼마되지 않았고 또 영향력도 매우 미미했다.[7]

1940년대 이후 근본주의 진영은 크게 두 갈래로 나뉘게 되었다.
한 갈래는 여전히 근본주의란 말을 사용하면서 그들의 보수적 교
리를 계속 유지하려고 했다. 그러나 다른 한 갈래는 근본주의가 너
무 분파적, 독선적, 반지성적, 그리고 사회적 무관심에 의해 지배되
고 있다고 비판하면서 미국의 다른 주류 교단들-장로교/ 침례교/
감리교/ 성공회 등과 교류를 시도했다. 이 중 첫 번째 갈래의 근본
주의 운동은 American Council of Christian Churches(ACCC/
1941)의 결성에 의해 주도되었다. 이들에 의해 세워진 학교로는 밥
존스 대학 (Bob Jones University), 무디 성서학원(Moody Bible

---

7 이들이 만든 교단으로는 The General Associaton of Regular Baptist
  Churches(1932), The Presbyterian Church of America(1936/ 뒤에는 The
  Orthodox Presbyterian Church로 바뀌었다). 또한 The Bible Presbyterian
  Church(1938), The Conservative Baptist Association of America(1947),
  The Independent Fundamental Churches of America(1930) 등이 있다.

Institute), 그리고 세대주의적 근본주의 학교인 달라스 신학교
(Dallas Theological Seminary) 등이 있고 대표자로는 밥존스 대학
의 설립자인 밥 죤스(Bob Jones, St. 1883-1968), 주님의 칼(The
Sword of the Lord)의 편집인인 죤 라이스(John Rice 1895-1980),
그리고 한국 교회 분열에 크게 공헌한 칼 맥킨타이어(Carl McIntire)
등을 들 수 있다.8)

반면 두 번째 그룹은 복음주의 신앙의 포용성과 활력이 근본주
의에 의해 왜곡되었다고 주장하면서 근본주의와 자기를 구분하기
위해 1948년부터 스스로를 신복음주의(neoevangelical)라고 부르면
서 근본주의의 약점인 독선, 분파주의, 반지성주의 등을 극복하려
고 시도했다. 이들은 전통적 기독교 신앙을 고수하면서도 현대 정
신과 대화하는 것이 가능하며 또 필수적이라고 믿었다. 신복음주의
는 전국 복음주의 연맹(The National Associations of Evangelicals
(1942)), 풀러 신학교 (1947), 그리고 잡지인 오늘의 기독교 (Christianity
Today(1956) 등으로 대변되며 지도자로는 보스톤의 Park Street Church
의 목사이며 1942년에 전국 복음주의 연맹(The National Associations of
Evangelicals)의 초대 회장이 되고 또 1947년 풀러 신학교의 초대 총
장이 되었으며 신복음주의란 말을 처음 사용했던 하롤드 오켕가
(Harold J. Ockenga), 풀러 대학의 설립자인 챨스 풀러(Charles E.
Fuller), 기독교 변증 신학자인 에드워드 카넬(Edward J. Carnell),
부흥사 빌리 그래함(Billy Graham), 그리고 복음주의의 최고의 신
학자인 칼 헨리(Carl F. H. Henry) 등을 들 수 있다. 이들은 전통
적 기독교 내용을 고수하면서도 현대 정신과의 대화, 신학의 학문
성 강조, 그리스도인의 사회적 책임성, 주류 교회와의 대화 등을 지

8 미국 교회의 분열과 한국 교회에 미친 영향에 대한 간단한 소개로는 김명용,
『열린 신학, 바른 교회론』 (서울: 장로회 신학 대학교 출판부, 1996), 190ff.

향해 갔다.

하지만 근본주의, 혹은 보수적 복음주의는 여전히 살아 있다가 1970년대 이후 특히 1980년대 초 레이건 정권의 출범과 함께 새로운 도약을 하게 되었다. 이 시기의 근본주의 지도자들은 미국 사람들이 전체적으로 느끼고 있던 정치, 경제, 도덕, 종교적 위기에 대한 강력한 답변으로서 근본주의적 신앙 및 도덕 체계를 제시했다. 이들은 그들의 새로운 적을 세속적 인본주의(secular humanism)로 규정하면서 이 세속적 인본주의를 조장하는 것으로 보이는 진화론, 정치적, 신학적 자유주의, 상대주의적 도덕성, 성윤리, 낙태 허용 운동, 사회주의, 공산주의, 또 성경의 권위를 약화시키는 운동 등에 대해 아주 군사적, 전투적 태도를 보인다. 그 지도자로 극보수적인 기독교 논쟁가 제리 화렐(Jerry Falwell), 세대주의적 근본주의자인 팀 라헤이(Tim La Haye) 및 홀 린세이(Hall Lindsey) 그리고 유명한 텔레비전 부흥사인 팻 로버슨(Pat Robertson) 등을 들 수 있다. 이들이 초기의 근본주의자와 다른 것은 단지 그들이 생각하는 성경적 기독교를 옹호하는 데 그치지 않고 정치, 경제, 사회 전반에 걸쳐서 근본주의적, 보수적 가치관을 주입시키려고 하는 데 있다. 이런 노력에 있어서 이들은 때로 복음주의자들과 겹치며 또 강한 정치적 색채를 띤다. 미국 공화당은 이 근본주의자/ 복음주의자들의 큰 지지를 받으니 부시가 미국의 대통령이 된 데는 근본주의자들의 도움이 아주 컸다. 반면 복음주의자들은 근본주의와 갈라진 이후 전통적, 정통적 기독교 신앙의 내용을 고수하면서도 미국 주류 교단과의 교류, 학문적 신학, 그리스도인의 사회적 책임에 대한 강조한다. 이런 복음주의는 미국 교인들 중 적어도 40퍼센트 이상이 되며 근본주의 그리스도인들은(근본주의자들의 주장에 의하면) 미국 전역에 약 200~300만 명 정도가 된다.

2. 복음주의 신학의 특징

오늘날의 복음주의는 보다 성서적이며 복음적인 기독교 신앙에
대한 확신과 강조를 특징으로 하며 여러 교단, 여러 교파에 걸쳐
있는 무척 다양한 집단들을 포함한다. 즉 1910년도에 나타난 극보
수적이며 폐쇄적이고 전투적인 근본주의적 집단, 세대주의적 집단,
카리스마적인 성령 운동 집단, 침례교적 형제 교단, 종교 개혁 신학
에 충실하고자 하며 전통적 객관적 기독교 믿음(belief)의 내용을
강조하는 그룹 등이 모두 스스로를 복음주의자로 이해하며 이 점
이 복음주의를 규정하기 어렵게 만든다. 실상 복음주의는 어떤 신
학 운동이기보다 하나의 종교 운동으로 더 잘 이해될 수 있다. 복
음주의는 어떤 고정된 신조나 신학 사상이 아닌 따뜻하고 성경적
신앙, 활기찬 영적 경험, 그리고 선교와 복음전파에 대한 열정 등의
실제적 신앙 방식으로 더 분명하게 이해할 수 있다. 많은 복음주의
자들은 뜨겁고 활기 있는 신앙 생활과 단순한 신학을 원하며,[9] 이
것이 루터파, 개혁파, 웨슬레파, 침례교파, 세대주의자, 오순절주의
자, 심지어 로마 카톨릭의 일부까지 복음주의란 이름 안에 모일 수
있게 한 이유이기도 하다. 만약 복음주의자들이 어떤 신조나 교리
를 중심으로 해서 모였다면 그들은 곧 갈라져 버렸을 것이다. 캐나
다의 복음주의 신학자 피녹(Clark H. Pinnock)은 이를 "심각한 신
학은 복음주의 시장에서 잘 팔리는 물건이 아니다(serious theology
is not a big seller in the evangelical market)"[10]라고 재치 있게 표

---

9 Clark H. Pinnock, "Evangelical Theology in Progress," in *Introduction to
   Christian Theology: Contemporary North American Perspectives*, Roger
   A. Badham (ed) (Louisville: Westminster Press, 1998), 76.
10 *Ibid.*, 75.

현하고 있다.

하지만 복음주의자들은 다음의 내용이 기독교 신앙의 근본적인 것이라는 데 대체로 동의한다. 첫째, 신앙과 행위의 최종적 권위는 성경에 있다. 둘째, 성경이 기록하고 있는 하나님의 구원 사역은 실제로 역사 속에 있었던 일이다. 셋째, 영원한 구원은 오직 예수 그리스도에 대한 개인적 신뢰를 통해서만 가능하다. 넷째, 교회가 해야 할 가장 중요한 일은 복음 전파와 선교이다. 다섯째, 영적으로 변화된 삶을 살아가는 것은 그리스도인의 삶에 대단히 중요하다.11)

이렇게 볼 때 복음주의자들 뿐 아니라 대부분의 그리스도인들은 이상의 요소들은 역사적 기독교 신앙의 중심 요소라고 말할 것이다. 그런데 복음주의의 특징은 성경의 절대적 권위, 그리스도를 향한 인격적 결단, 그리고 성령 안에서의 제자로서의 삶이라는 요소들을 특별히 기독교 신앙의 핵심으로 더 강조하는 데 있다.12)

복음주의를 구체적으로 살펴보면 다음과 같다.

1) 하나님의 절대적 주권(the sovereignty of God)을 강조한다. 하나님은 초월하며, 인격적이며, 거룩하시며 영원하신 분이다. 그는 세상의 창조주이며 또 섭리자이다. 따라서 역사의 의미는 오직 이 하나님 안에서 발견된다. 이 하나님은 결코 죄를 용납하실 수 없는 거룩한 분이다. 그러나 이 하나님은 또한 사랑이며 사람들이 기도로 그 앞에 나아갈 수 있는 분이며 사람들을 구원하기 위한 계획을

---

11 George Marsden, "The Evangelical Denomination," in George Marsden (ed), *Evangelicalism and Modern America* (Grand Rapids: Eerdmans, 1984). Ix ff. 인용은 Ray S. Anderson, "Evangelical Theology," in David Ford (ed), *The Modern Theologians: An Introduction to Christian Theology in the Twentieth Century* (Oxford: Basil Blackwell, 1989), 132.

12 이하의 내용은 Walter A. Elwell (ed), *Evangelical Dictionary of Theology* (Grand Rapids: Baker, 1984)의 항목 "Evangelicalism"을 요약한 것임. 쪽수로는 379-382.

세우시고 실행하시는 분이다.

2) 성경은 하나님에 의해 영감된 하나님의 계시의 기록이다. 성경은 그리스도인의 신앙과 행위에 있어서 오류가 없는 절대적 권위를 가진다. 그러나 성경이 영감되었다는 것은 성경이 기계적으로 받아 쓰여졌음을 뜻하지 않는다. 성령은 성경 기자들로 하여금 그들의 독특한 단어와 문체를 사용하게 하셨고, 따라서 성경의 글들과 이미지들은 문화적 제한을 받고 있다. 그러나 하나님은 이 인간의 제한된 말들을 통해서 그의 영원하며 무제한적인 말씀을 전하셨다. 따라서 성경은 그것들이 주장하는 하나님의 뜻과 목적을 전하는 데 있어서 표준적이며 온전하고 완전히 신뢰할 만하다. 그러나 성경 속의 신적 진리를 온전히 알기 위해서는 성령의 조명하심이 필요하다.

3) 인간은 전적으로 타락했다. 인간 속에 온전한 선함이 있다거나 그 스스로를 구원할 수 있다고 말할 수 없다. 인간 속에 선한 것이 없지는 않으나 모두 죄에 오염되어서 인간 삶의 모든 영역이 죄의 영향 아래 있다. 인간은 원래 완전하도록 창조되었다. 그러나 타락 이후 죄는 인류 속에 들어왔고 사람의 존재 가장 깊은 곳까지 감염시켰으며 이 영적 감염은 대를 이어서 온 인류 속에 내려 왔다. 죄는 단순한 연약성이나 무지가 아니라 의도적이며 적극적인 하나님의 법칙에 대한 반역이다. 그것은 도덕적, 영적 무지이며 우리 자신이 어찌할 수 없는 힘에 속박되어 있음이다. 죄의 뿌리는 불신앙이며 교만, 힘에의 탐욕, 방탕, 이기심, 두려움, 그리고 영적인 일들에 대한 무관심으로 나타난다. 죄의 성향은 태어날 때부터 인간 속에 있으며 그 힘은 결코 인간이 끊을 수 없다. 죄의 궁극적 결과는 하나님의 면전에서 완전히 그리고 영원히 끊어지는 것이다.

4) 하나님은 그 스스로 죄로 인한 인간의 곤경을 해결해 주셨다.

하나님은 그 아들 예수 그리스도로 하여금 죄의 삯을 치르도록 하셨다. 그리스도는 갈보리 십자가에서 그 피를 흘리고 돌아가심으로서 대속을 이루셨다. 그리스도의 대속적 혹은 대신하는 속죄의 죽음(substitutionary or vicarious atonement)은 인류의 죄에 대한 속전이었고 어둠의 세력에 대한 승리였으며 죄로 인한 하나님의 침해된 공의에 대한 만족이었다. 따라서 그리스도가 부활했을 때 그는 죽음과 지옥을 이겼고 죄로 물든 세상에 대한 하나님의 주권적 힘을 과시했으며 모든 피조물의 궁극적 구속(redemption)을 가능케 하셨다. 이 대속 사건에 대한 고백으로서 그리스도인들은 그들의 삶을 통해 다른 사람의 짐을 지고 그리스도를 따르는 제자의 삶을 살도록 부름 받았다.

5) 구원은 인간의 어떤 선행이나 노력에 의해서가 아니라 오직 하나님이 예수 그리스도를 통해 이루신 일을 믿음으로 받아들일 때 가능하게 된다. 사람이 그리스도를 믿을 때 죄로 인한 심판은 그 즉시 사라지게 되며 죄책감으로부터도 해방된다. 그러나 죄의 세력으로부터 해방되는 것은 점진적인 성화의 과정 속에서 이루어진다. 은혜에 의해서 믿는 자들은 구원받고 유지되며 또 섬김의 삶을 살도록 힘을 얻는다.

6) 복음 전파에 대한 강조는 복음주의의 중요한 특징이다. 하나님의 성령은 복음의 선포를 통해 일하시며 사람들을 구원하신다. 기록된 성경 말씀은 선포되는 말씀(설교)의 기초가 되며 하나님은 이를 통해 사람들을 구원하신다. 그러나 또한 그리스도인의 거룩한 삶 역시 복음 전파에 중요하다. 거룩이란 세상으로부터 도피하는 것이 아니라 개인적으로 또 사회적으로 악의 세력과 맞싸우는 것을 뜻한다. 사회봉사나 자선 사업을 통한 복음 전파는 말을 통한 복음 전파와 마찬가지로 중요하다.

7) 예수 그리스도는 그의 의의 나라 곧 영원히 계속된 새 하늘 과 새 땅을 세우기 위해 눈에 보이게 다시 오실 것이다. 재림은 모 든 그리스도인들의 희망이다. 재림은 이 땅에 대한 심판과 믿는 이 의 구원으로 완성될 것이다.

이상의 것들은 복음주의가 특별히 강조하는 요소들이다. 이외에 도 복음주의자들은 다른 교리들, 가령 삼위일체론, 그리스도의 성 육신, 동정녀 탄생, 육체적 부활, 기적 및 초자연적 영역의 실재성, 그리스도의 몸으로서의 교회, 은총의 효율적 수단으로서의 성례전, 영혼의 불멸과 최후의 부활 등을 믿을 것이다.

복음주의 신학은 앞에도 말했지만 실제적 신앙 생활을 더 중요 시하는 운동이며 그 학문적 깊이를 더하는 데 별로 관심을 보이지 않았다. 실상 복음주의 신학은 주로 자유주의 신학에 대해 전통적 기독교 신앙의 내용을 변호하는 가운데 형성되어 왔다. 즉 복음주 의 신학은 계몽주의의 정신을 받아들인 자유주의 신학에 대한 방 어적 신학으로 주로 발전해 왔다. 즉 자유주의 신학이 성경을 인간 의 종교 문서나 경건의 표현으로 이해할 때 복음주의는 그 권위를 지키기 위해 성서 무오설을 주장했고, 동정녀 탄생을 말하며, 기적 의 초자연성을 주장하는 등 변증적, 합리적, 방어적 형태로 성장해 왔다.

하지만 오늘날 자유주의 신학이 쇠퇴하며 복음주의 교회가 급성 장하는 가운데 복음주의 신학은 상당한 자신감을 갖게 되었으며 이 자신감으로 인해 이전에 가졌던 지나친 합리주의적, 방어적, 폐 쇄적 모습을 극복하려고 시도하고 있다. 가령 복음주의 신학자 아 브라함(William J. Abraham)은 오늘날의 복음주의는 근대 복음주 의 신학의 중심 자리를 차지해 온 성서의 무오설에 대한 지나친 집 착이나 기독교 신앙의 합리성에 대한 변증적 태도를 이제는 벗어

버리고 좀더 성숙해질 때가 되었다고 주장한다.

3. 복음주의 신학의 공헌

이상과 같은 복음주의를 우리는 아래와 같이 평가할 수 있을 것이다.

1) 복음주의는 주류 교회나 아카데믹 신학교가 보인 만큼의 탁월한 학문적 성취를 이루지는 못했다. 복음주의 신학의 공헌은 복음 전파에 대한 열정, 교회 성장, 그리고 선교 사역과 같은 실제적 측면에서 찾을 수 있다. 특히 주류 교회가 지난 선교 역사가 제국주의적, 기독교 승리주의적이었다는 자책감 때문에 아예 복음 전파의 자신감을 상실하고 있는 반면 복음주의는 우리 세대에 전세계를 복음화하자는 열정과 확신이라는 강점을 가지고 있다. 하지만 바로 그렇기 때문에 복음주의는 지나간 선교 역사에 대한 진지한 신학적 성찰 없이 정복주의적이며 승리주의적인 과오를 되풀이 할 위험성을 많이 가지고 있다. 이 점에서 오늘의 복음주의는 복음에 대한 활력과 헌신을 계속 유지하면서도 어떻게 선교지의 문화와 종교 전통을 존중하는 선교를 할 수 있을까 하는 중대한 질문 앞에 서 있다.

2) 1960년대 이후의 복음주의는 근본주의의 폐쇄성을 딛고 자유주의 신학의 한계를 극복하는 좋은 대안으로 성장했다. 특히 최근에는 이전의 방어적, 전투적 태도를 버리고 주류 교회 신학, 특히 칼 바르트를 중심한 신정통주의 신학과 무척 가까이에서 대화하고 있다. 비록 이 대화에서 성경 권위의 문제, 성경의 본문과 하나님의 말씀과의 관계, 혹은 성경과 하나님의 계시의 관계 등의 문제가 여전히 남아 있으나 적어도 이런 시도를 하는 자체가 복음주의가 성숙하고 있다는 좋은 표지일 것이다.[13]

3) 복음주의와 정치적 보수성: 현대의 복음주의는 비록 복음 전파와 사회 봉사 및 사회 정의 실현이 똑같이 중요한 하나님의 일이며 교회의 과제라고 보기는 하지만 역시 강조하는 것은 복음전파이다. 또한 사회 문제를 너무 단순하게 보는 가운데 결국은 현상유지적 성향을 띤다. 특히 한국 교회에 깊은 영향을 끼치고 있는 미국의 복음주의는 미국식 백인 중산층 문화를 반영하고 있고 미국 중심주의에 사로잡혀 있어서 많은 우려를 자아내게 한다. 미국의 복음주의의 상당 부분은 정치적으로 보수적인 공화당과 깊이 연관되어 있으며 다분히 군사적, 강압적, 자본주의적, 반공주의적, 무비판적이다. 그것은 미국의 국익을 반영하는 미국식 기독교이다. 한국의 복음주의적 교회들이 어떻게 이런 미국 중심적인 복음주의를 창조적으로 극복할 수 있을까 하는 것이 한국 복음주의의 큰 과제가 될 것이다.14)

---

13 복음주의자들과 칼 바르트 신학의 만남의 예로서는 Donald Bloesch, *Jesus is Victor: Karl Barth's Doctrine of Salvation* (Nashville: Abingdon, 1976). 좀더 이전의 글로는 G. C. Berkouwer, *The Triumph of Grace in the Theology of Karl Barth*, trans., Harry R. Boer (Grand Rapids: Eerdmans, 1956).

14 실상 미국의 복음주의는 예수 그리스도의 삶과 가르침의 사회 정치적, 체제 변혁적 요소에 별 관심을 보이지 않는다. 그것은 예수의 십자가를 철저히 개인주의화한 속죄론으로 해석하며 특히 부활하여 승리하신 주권자로서의 그리스도를 강조한다. 그 메시지는 예수는 우리의 왕이며 승리자라는 데 기초해 있으며 여기에서 치료적 접근을 시도한다. 예수 안에는 우리 삶의 모든 고민의 해결책이 있다. 이 예수를 받아들이면 당신의 삶은 완전히 변화될 것이다. 여기에서 중생에 대한 강조가 나온다. 당신은 중생한 그리스도인인가? 당신은 천국에 갈 준비가 되어 있는가? 물론 예수 안에 답이 있다. 그러나 이런 접근법의 문제는 개인 실존과 사회적 문제를 심층적으로 다루기보다 쉽고 간단하며 고민 없는 답변을 준다는 데 있다. 그 결과 사람들은 그가 속한 집단이 누리는 사회적 혜택을 계속 즐기면서 쉽게 예수를 믿을 수 있다. 결국 이런 종교는 중산층의 허무, 무의미성, 위기 의식을 그저 어루만져 주는 시민 종교로써의 기능을 하게 된다. 여기에 있는 것은 진정한 십자가 신학 아닌 인본주의적 치료나 소비 상품으로서의 예수이다. 하지만 그

4) 복음주의는 문화의 문제에 어떻게 대응할 수 있을까?

오늘의 한국 사회와 교회의 중요한 질문 하나는 어떻게 기독

리스도의 십자가를 심각하게 취급하지 않고 바로 부활로 넘어가 버릴 때 기독교 신앙은 값싼 것이 된다.

왜 미국 복음주의는 이런 모습을 보이는 것일까? 이는 미국 복음주의가 미국 중산층의 물적 토대에 기초하고 있으며 그런 중산층 의식(middle-class mentality)을 반영하고 있기 때문이다. 중산층의 종교로서의 미국 복음주의는 첫째, 체제 유지적이다. 그것은 미국식 삶을 축하하며 축복한다. 둘째, 개인주의적이다. 여기에서 죄는 음주, 도박, 방탕, 낙태 등의 개인적인 것이며 구조적인 죄인 인종차별, 성차별, 계층 차별, 다국적 기업의 착취, 자연 파괴 등은 거의 혹은 아주 전혀 거론되지 않는다. 이는 구조적으로 보기 위해서는 그들이 그 구조악의 주 생산자이며 또 최대 수혜자임을 보고 예수 그리스도의 제자 공동체로서 그 기득권을 포기하는 것이기 때문이다. 셋째, 탈정치적이며 반동 보수적이다. 중산층은 정치에 별로 관심이 없다. 그러나 이런 정치적 무관심은 결국, 기존 질서를 정당화하는 반동, 보수적 행태로 나타난다. 다섯째, 내면화되고 사유화된 종교이다. 여기에서 종교는 마음의 평화, 삶의 의미, 죽음과 불안의 극복과 연관된 개인적, 사적, 내면적인 문제로 이해된다. 여섯째, 소비의 종교이다. 미국의 대형 복음주의 교회의 예배는 마치 공연장과도 같다. 최첨단의 조명 및 음향 시설이 갖추어진 강대상 위에 가창력을 갖춘 탁월한 가수들이 나오며 예배 도중 간단한 연극도 제공된다. 사람들은 백화점에서 물건 사듯 마음에 드는 설교, 간증, 찬양을 제공하는 교회에 참석한다. 여기에서 참석자는 예수 그리스도의 제자이기보다 종교 소비자로 전락하기 십상이다. 일곱째, 성공주의적이다. 로버트 슐러의 크리스탈 교회 같은 대형 복음주의 교회의 예배에는 그 사회에 성공한 사람들이 꼭 초청 인사로 등장해서 예수 믿어서 성공했다고 말한다. 이것은 미국식 꿈(American Dream)의 종교판이다. 마지막으로 미국의 복음주의는 미국 중심주의이며 폭력주의적이다. 미국 복음주의는 선민으로서의 미국을 강조하며 미국은 옛날의 영광을 다시 회복할 것을 촉구한다. 그리고 이를 위해 때로 군사적, 폭력적인 수단을 사용하는 것도 주저치 않는다. 전 대통령 부시가 후세인의 이라크를 공격할 때 이를 성전(holy war)으로 적극적으로 지지한 사람들이 바로 이 보수적 복음주의자들이었다. 결국 미국의 복음주의가 미국 중산층 멘탈리티의 반영이라면 비록 그것이 무신론적 세속주의에 반대하고 있어도 사실상 북미의 근본적 문제에 제대로 응답할 수 없다. 그것은 오히려 현상 유지적, 도피적, 심지어 파괴적일 수 있는 운동이다.

미국 복음주의에 대한 연구는 계속 되어야 한다. 이는 한국 교회와 사회가 미국과 미국식 복음주의의 엄청난 영향 아래 있기 때문이다. 한국 교회가 하나님 나라를 위해 부름 받은 공동체가 되려면 미국 복음주의의 부정적인 것을 부정할 수 있어야 할 것이다.

교 복음과 한국 문화가 건강하고 창조적인 융화를 이룰 수 있을까? 하는 것이다. 곧 기독교 복음의 상황화(contextualization), 혹은 한 국적 상황 신학의 형성이야말로 오늘의 한국 신학에서 근본적으로 중요한 문제이다. 하지만 상황화란 복음주의 신학이 거의 시도해 보지 않은 영역이다. 복음주의 신학은 주로 보편적인 신학 체계를 형성하는 데 관심을 보여 왔지 구체적인 상황에서 신학하는 데에 는 서툴렀다. 그러나 상황화되지 않은 신학이란 결국 무의미해지며 결국 소멸될 수밖에 없다. 오늘의 복음주의 신학은 과연 상황화란 도전에 어떻게 응답할 것인가 하는 과제 앞에 서 있다.

참고 도서

Leonard I. Sweet, ed., *The Evangelical Tradition in America* (Macon: Mercer University Press, 1984) 복음주의 신학의 역사적 배경을 아는 데 좋은 책.

Carl Henry, *God, Revelation and Authority* 5 vols. Waco, Texas: Word Books, 1976-1083. 미국의 대표적 복음주의 신학자의 조직 신학 대계.

G. C. Berkouwer, *Studies in Dogmatics*, 14 vols. Grand Rapids: Eerdmans, 1952-1976. 네덜란드의 탁월한 복음주의 신학자의 조직 신학 대계.

Helmut Thielicke, *The Evangelical Faith*, 3 vols. Grand Rapids: Eerdmans, 1974-1977; *Theological Ethics*, 3 vols. trans. and ed. William H. Lazareth. Philadelphia: Fortress Press, 1966. 신학자이며 윤리학자인 독일 루터파 학자 틸리케는 우리 나라에서 설교자로 더 많이 알려져 있다. 우리 나라 말로 번역된 그의 여러 설교집들은 루터의 이신칭의 교리에 대한 현대적 적용과 그 시적인 표현으로 우리 시대 최고의 설교 중의 하나로 뽑힌다.

Alister McGrath, *Evangelicalism and the Future of Christianity.* London: Hodder and Stoughton, 1994; *A Passion for Truth: The Intellectual Coherence of Evangelicalism*, Downers Grove: IVP, 1996. 먹그레이스는 영국 옥스퍼드의 복음주의 신학자로 그의 책은 명확하면서도 깊이가 있어 읽을 만 하다.

Donald G. Bloesch, *Essentials of Evangelical Theology.* vol I, II. San Francisco: Harper and Row, 1978-1979.; *The Future of Evangelical Christianity: A Call for Unity amid Diversity.* Colorado Springs: Helmers and Howard, Pubs, 1988. 탁월한 원로 복음주의 신학자의 글. 명료하고 쉽게 복음주의 신학의 핵심적 요소와 앞으로의 전망을 소개하고 있다.

Stanley J. Grenz, *Theology for the Community of God*. nashville: Broadmann and Holman Publishers, 1993. 신진 복음주의 신학자 인 스탠리 그렌츠의 침례교적 복음주의의 관점에서 쓰여진 탁월 한 복음주의 신학 개론서.

Ray S. Anderson, "Evangelical Theology," in David Ford (ed), *The Modern Theologians: An Introduction to Christian Theology in the Twentieth Century*, Vol. II. Oxford: Basil Blackwell, 1989. 131-151. 복음주의 신학의 특징과 앞으로의 과제를 간략히 잘 정 리한 글.

Walter A. Elwell (ed), *Evangelical Dictionary of Theology*, Grand Rapids: Baker Books, 1984. 복음주의 관점에서 쓰여진 사전 중 가장 포괄적인 신학 사전.

제6장 삼위일체 신학

들어가는 말

삼위일체론은 가장 기독교적인 신 이해이다. 이 교리는 예수 그리스도를 통해 자기를 계시한 한 분 하나님이 성부·성자·성령의 세 인격으로 존재한다고 말함으로 추상적이며 철학적 일신론이나 이교적 다신론으로부터 기독교적 신 이해를 구별한다.1) 또한 삼위일체론은 기독교적 믿음의 총괄이며 요약이다. 그리스도론이 신학의 중심으로서 기독교적 신 이해의 중심에 서 있듯이 삼위일체론은 기독교적인 교리와 신학을 그 안에 품는 포함하는 총괄적인 틀로 존재한다. 이 점에서 삼위일체론은 토마스 토렌스(Thomas F. Torrance)가 말하듯이 "기독교 신앙과 예배의 가장 깊은 곳의 심장이며 고전적 신학의 중심적 교의이며 우리의 하나님 지식의 근본적인 문법이다."2)

---

1 칼 바르트에 의하면 "삼위일체 교리는 기본적으로 기독교의 신 교리를 기독교적인 것으로 특징지음으로 다른 모든 가능한 신 교리나 계시 이해로부터 기독교 계시 이해를 기독교적인 것으로 구별 짓는다." Karl Barth, *Church Dogmatics*, 1/1. Trans. G. W. Bromiley, (Edinburgh: T and T. Clark, 1975), 297. 또한 라쉬(Nicholas Lash)에 따르면 "삼위일체론은 간단히 말해 기독교적 신 교리이다. 따라서 그 특성상 삼위일체론 적이 아닌 신 이해는
· 기독교적이 아니다." Nicholas Lash, Considering the Trinity, *Modern Theology*, 2/3 (1986): 183.
2 Thomas F. Torrance, *The Christian Doctrine of God: One Being Three*

삼위일체론은 또한 대단히 구체적이며 실제적인 교리이다. 삼위일체 하나님에 대한 신앙 고백은 원래 초대 그리스도인들의 구원 경험에 뿌리 박고 있었다. 예수의 첫 제자들은 야훼 유일 신앙의 유대인들이었으나 부활 예수와 성령을 체험하면서 점차로 한 분 하나님이 성부·성자·성령의 세 인격으로 존재한다는 삼위일체 신앙을 갖게 되었다. 즉 삼위일체론은 초대 기독교 공동체의 구체적인 신 체험에 근거하고 있기 때문에 추상적이거나 사변적일 수 없는 구체적이며 실제적인 교리이다. 그것은 첫 제자들이 하나님의 구원 체험에 근거하고 있으며 이 점에서 '하나님의 구원 역사'의 요약이다. 삼위일체 신앙 고백의 원래 장소(Sitz im Leben)가 세례식과 성만찬이었다는 사실이 이 사실을 잘 보여주고 있다(마 28:18-20).

그러나 이 같은 신학적, 실제적 중요성에도 불구하고 삼위일체 교리는 신학의 역사 속에서 중요한 위치를 차지하지 못했다. 그 이유는 삼위일체론이 '신앙 공동체의 구원 경험의 진술' 아닌 한 분 하나님이 어떻게 성부·성자·성령의 세 인격으로 존재하느냐 하는 추상적인 질문을 다루는 것으로 주로 간주되어 왔기 때문이다. 삼위일체론에 대한 이런 왜곡된 이해는 4세기의 아리우스- 아타나시우스 논쟁에서부터 시작되었다. 예수 그리스도의 신성을 중심한 이 논쟁에서 아리우스는 성자 곧 그리스도는 온전한 신이 아니라

Persons (Edinburgh: T and T Clark, 1996), 2. 위르겐 몰트만에 따르면 그리스도론과 삼위일체론은 각각 기독교 신학의 내용적 원리와 형식적 원리로 이해될 수 있다. 즉 "십자가에 못 박힌 그리스도 인식의 신학적 개념은 삼위일체론이다. 삼위일체론의 내용적 원리는 그리스도의 십자가이다. 십자가 지식의 형식적 원리는 삼위일체론이다." Jurgen Moltmann, *The Crucified God: The cross of the Christ as the Foundation and Criticism of Christian Theology* (Minneapolis: Fortress Press, 1993), 240. 또한 Moltmann, *The Trinity and the Kingdom of God*, trans. Margaret Kohl. (London: SCM Press, 1981), 83. 십자가는 삼위일체론의 중심이다.

하나의 피조물이기 때문에 성부와 동일하지 않고 다만 유사할 뿐
이다라고 주장했다(성자와 성부의 유사 본질- homoiousios). 그러
나 그리스도가 온전한 신 아닌 하나의 피조물이라면 그리스도는
유일한 구원자가 될 수 없다는 구원론적 문제를 일으킨다. 왜냐하
면 오직 온전한 존재만이 구원자가 될 수 있기 때문이다. 바로 이
런 구원론적 이유때문에 아타나시우스는 성부와 성자의 동일본질
설(homoousios)을 주장했고 교회는 니케아 공의회 (A. D. 325)에서
아타나시우스의 손을 들어주면서 성자는 성부와 동일 본질(homo-
ousion to patri) 곧 온전한 신성을 가진 분이라고 공식적으로 선포
했다. 그러나 이 결정은 성부와 성자가 동일 본질이면 성부와 성자
를 어떻게 구별할 수 있는가 하는 질문을 낳았고 이 질문과 함께
초기의 소박한 삼위일체 고백은 성부·성자·성령의 관계에 대한
세련된 삼위일체 교리로 발전해 나가게 되었다. 즉 존재론적인 관
점에서 성부와 성자의 관계가 탐구되면서 교회의 삼위일체론 논의
는 하나님의 구원 체험이란 맥락에서 벗어나 삼위 사이의 관계를
묻는 추상적인 탐구에 집중하게 되었다. 특히 토마스 아퀴나스 이
후의 중세 스콜라 신학자들은 아리스토텔레스 철학에 근거하여 신
의 내적 관계에 대한 무척 고답적이며 사변적인 삼위일체 신학을
발전시켰으나 그 가운데 삼위일체론은 구원의 역사와 거의 완전히
단설된 신적 비밀에 대한 사변적인 탐구가 되어 버리고 말았다.

삼위일체론이 하나님 내면의 신비에 대한 탐구로 이해됨으로 인
해 이 교리는 계몽주의 시대와 19세기 자유주의 신학을 거쳐 20세
기 중반까지 하나의 무의미한 사변,3) 혹은 신앙의 본질과는 관계

---

3 칸트에 따르면 삼위일체 교리는 비록 우리가 그것을 이해한다 해도 문자적
   으로 볼 때 아무런 실제적 가치가 없다. 더 나아가 그것이 우리의 모든 이
   해를 넘어선다면 더욱 우리와 관계가 없다. Immanuel Kant, *The Conflict of*

없는 이차적 교리로 간주되었다.[4] 그것은 그리스도론을 비롯한 다
른 교리들과 교회 예전 그리고 그리스도인의 실제 신앙 생활과 거
의 분리되어 있었다. 이런 현상은 20세기 중반까지 계속되었으며
바로 이런 맥락에서 우리는 칼 라너 (Karl Rahner)의 "비록 삼위일
체론을 정통이라 고백하기는 하지만 그리스도인들은 실제 생활에
있어서 거의 예외 없이 유일신론자들이다"라는 한탄을 이해할 수
있다.[5]

그러나 최근 들어 삼위일체론에 대한 이런 이해는 급속히 극복
되어 가고 있다. 삼위일체 교리는 오랫동안의 '박물관 시절'을 끝내
고 오늘날 가장 활발하게 논의되는 신학 주제의 하나가 되었다. 이
미 1970년대 중반부터 증가된 삼위일체론에 대한 관심은 1980년대
들어서는 쉐델의 말처럼 삼위일체 신학의 르네상스[6]를 말하기에
이르렀다. 오늘날 삼위일체론에 대한 많은 책들이 계속 쏟아져 나
왔으며 북미주의 대표적인 기독교 잡지에는 거의 매 번 삼위일체

Faculties, trans. Mary J. Gregor, (New York: Abaris Books, 1979), 65.
4 슐라이에르마허에 의하면 삼위일체론은 기독교 신앙의 근거가 되는 하나님
   에 대한 절대 의존의 감정인 종교적 감정과 아무런 직접적 연관이 없다. 그
   래서 그는 이 교리를 기독교 신학의 부록으로 간주했다. 여기에 대해
   Friedrich Schleiermacher, *The Christian Faith*, trans and ed. H. R.
   Mackintosh and J. S. Stewart, (New York: Harper and Row, 1963),
   738-751. 그 이후의 대부분의 자유주의 신학자들도 삼위일체론을 하나의 사
   변이나 기독교 신앙의 부차적 요소로 여겼다.
5 Karl Rahner, *The Trinity*, trans. Joseph Donceel, (New York: Herde and
   Herder, 1970), 10. 라너는 삼위일체론에 대한 실제적 무시를 이렇게 표현했
   다: 만약 삼위일체론이 틀린 것으로 판명된다고 해도 대부분의 종교 문헌들
   은 그대로 남아 있을 것이다. *Ibid.*, 10.
6 Erwin Schaedel, *Bibliographia Trinitaria: Internationale Bibliographie
   trinitarischer Literatur/International Bibliography of Trinitarian
   Literature*. Vol. 1.: *Autorenverzeichnis/ Author Index*; Vol. 2.;
   Registerunde Ergaenzungsliste/ Indices and Supplementary List
   (Munich: K. G. Sauer, 1984, 1988).

론에 대한 글이 한 편 이상씩 실리고 있다. 많은 신학자들이 그 동안 잊혀졌던 삼위일체론의 전통들을 구체적인 그리스도인의 삶에, 또 사회, 경제적, 영적, 윤리적인 문제에 적용해 보려는 시도를 하고 있다. 실상 삼위일체론에 대한 새로운 관심과 그 의미에 대한 탐구야말로 20세기 후반기의 가장 중요한 신학 운동의 하나라고 할 수 있다.

이 장에서는 이처럼 새롭게 일어나는 최근의 삼위일체론의 동향을 살펴보고 그 주요 특징들을 여섯 가지로 정리한 다음 그 논의들이 가지는 의미를 다섯 가지로 평가하겠다.

1. 최근 삼위일체 신학의 특징

1-1. 구원 경험의 요약으로서의 삼위일체론

앞에서 말했듯이 삼위일체론은 오랫동안 하나님 안의 내적 신비에 대한 탐구, 곧 한 분 하나님이 어떻게 성부·성자·성령으로 존재하며 또 그들 사이의 관계는 어떠한가를 탐구하는 것으로 간주되어 왔다. 분명 이 질문들은 삼위일체 신학의 중요한 주제임에 틀림없으나 전통적 삼위일체 신학이 너무 이 문제에만 관심을 기울이다 보니 삼위일체론은 점점 더 알기 어렵고 또 알아도 실제적 가치가 없는 교리가 되어 버렸다.

그러나 오늘날 대부분의 삼위일체 학자들은 삼위일체론의 핵심은 삼위 하나님의 내적 신비에 대한 탐구가 아니라 그 구원 사역에 대한 교회의 신학적 성찰이라고 본다. 즉 삼위일체론은 성부·성자·성령으로 자신을 계시하신 하나님의 구원에 대한 교회의 구체적 체험에서 나왔기 때문에 하나님의 구원 역사라는 관점에서 이해되어야 한다고 본다. 카스퍼(Walter Kasper)에 따르면 삼위일체 신학은 초대 교회의 신 체험에 근거해 있기 때문에 삼위일체론을 구체적인 그리스도인의 신앙 경험을 떠난 '하나님의 내면에 대한 사변적 연구'로 보는 것은 분명 잘못된 것이다.[7] 몰트만(Jurgen Moltmann)에 의하면 삼위일체론은 하나님의 본질에 대한 "비실제적 사변"이 아니라 예수 그리스도를 통해 우리를 찾아오신 하나님에 대한 진술이다. 따라서 이 교리는 다름 아닌 "그리스도의 수난 이야기의 요약판이다."[8] 라쿠나(Catherine LaCugna)에 따르면 삼위일체론은 기본적으로 "예수 그리스도의 하나님에 대한 신앙의 요약문이며... 그리스도인의 삶에 근본적 결과를 가져오는 굉장히 실제적 교리이다."[9]

삼위일체론을 이처럼 교회 안에서의 하나님 구원 체험에 대한 신학적 성찰로 보는 것은 신약 성경의 증언과 동방 정교회의 삼위일체 신학 전통에 부합한다. 즉 현대 삼위일체 신학은 삼위일체의 신비를 무엇보다 구원의 신비라는 관점에서 이해하는 신약 성경과 동방 교회의 전통에 충실함으로써 어거스틴과 토마스 아퀴나스의 서방 교회 전통의 사변성과 추상성을 극복하려는 시도로 이해할 수 있다.[10]

삼위일체론을 삼위 하나님의 구원에 대한 교회의 신학적 성찰로 보도록 한 결정적인 공헌은 현대의 탁월한 두 신학자 칼 바르트와

---

7 Walter Kasper, *The God of Jesus Christ*, trans. Matthew O'Connell. (London: SCM Press, 1983), 245-246.

8 Jurgen Moltmann, *The Crucified God: The Cross as the Foundation and Criticism of Christian Theology*, trans. R. A. Wilson and John Bowden. (New York: Harper and Row, 1973), 246.

9 Catherine LaCugna, *God for Us: The Trinity and Christian Life* (San Francisco: Haper Sanfrancisco, 1991), 21, 1.

10 동방교의 삼위일체론에 대한 개관으로는 John Meyendorff, *Byzantine Theology* (New York: Fordham Press, 1974), 180ff. 또한 동방 정교회 신학 교의 신학 저널인 St Vladimir's *Theological Quarterly*도 이 분야의 좋은 자료이다.

칼 라너의 몫이다. 바르트에 따르면 삼위일체론은 예수 그리스도를
통한 하나님의 자기 계시에 대한 교회의 교리적 표현이다. 따라서
이 교리는 예수 그리스도의 계시가 구체적이듯이 철두철미하게 구
체적인 교리일 수밖에 없다. 즉 하나님의 구원사건의 정점인 예수
그리스도를 통해서 삼위일체 하나님이 온전히 계시되었기에 삼위
일체론은 우리의 구원 사건과 긴밀히 연결되어 있으며 또 그 빛에
서 이해되어야 한다.11) 라너는 바르트를 이어 삼위일체 신학에 있
어서의 구원론적 맥락의 중요성을 더욱 강조한다.12) 그는 삼위일
체론이 근대 기독교 신학에서 거의 무시되어 왔고 이로 인해 신학
발전에 큰 지장이 있었음을 한탄하면서 이 교리를 삼위 하나님에
대한 그리스도인의 구원 경험의 표현으로 봄으로 그리스도인의 삶
과 긴밀하게 연결시키려고 한다. 그에게 따르면 하나님은 언제나
인간 구원의 하나님이기 때문에 인간 구원과 관계되지 않는 하나
님에 관한 교리는 없다. 하나님은 예수 그리스도에게서 정점에 이
른 구원의 신비에서 진실로 알려지며 따라서 삼위일체론 역시 하
나님의 구원 행위에 대한 기술로 이해되어야 한다. 정녕 "삼위일체
론과 구원 경륜의 교리 사이를 특별히 구별할 이유가 없다."13)

현대의 삼위일체 신학은 바르트와 라너의 이런 주장을 옳은 것
으로 받아들인다. 즉 오늘날의 삼위일체 신학은 삼위일체론을 하나

---

11 Karl Barth, *Church Dogmatics* 1/1, 479.
12 라너의 삼위일체 신학에 관하여는 Rahner, *The Trinity*; "Theos in the New Testament," *Theological Investigations*, Vol. 1. (Baltimore: Helicon Press, 1961): 79-148; "Remarks on the dogmatic Treatise 'De Trinitate,'" *Theological Investigations*, Vol. IV. (New York: Crossroad, 1982): 77-102; Oneness and Threefoldness of God in Discussion with Islam, *Theological Investigations* XVIII. (New York: Crossroad Publishing, 1983), 105-121.
13 Rahner, *The Trinity*, 24. 또한 같은 책 120 쪽: 그리스도론과 은혜의 교리는 엄격하게 말해서 삼위일체 교리이다.

님 안의 내적 신비에 대한 고답적 탐구가 아닌 교회 안에서의 하나
님의 구원 경험에 대한 신학적 성찰 및 그 연구로 이해한다.

1-2. 실제적이며 해방적 교리로서의 삼위일체론

현대 삼위일체 신학의 또 다른 특징은 이 교리가 대단히 실천적
이며 해방적인 가치를 가진 교리 곧 정치, 사회, 생태계의 여러 문
제 및 다른 종교와의 대화를 위한 기독교적 원리로서 사용될 수
있다고 보는 데 있다. 어떤 이들은 이 교리에서 자유롭고 평등한
사회를 위한 신학적 원리를(몰트만/ 레오나르도 보프, 다니엘 미글
리오리), 어떤 이들은 가부장 사회에서의 여성의 해방과 진정한 인
간성 회복의 근거를(Elizabeth Johnson, Catherine LaCugna), 어떤
이는 기독교적 생태계 신학의 기초를(Moltmann), 또 다른 이들은
타종교와의 대화를 위한 신학적 근거를(Reimond Panikar, Gavin
D'Costa) 찾으려고 한다. 삼위일체론에서 기독교적인 삶의 원리를
찾아보려는 이런 시도는 단지 신학의 사회적 실천에 우선적 관심
을 갖는 해방 신학자나, 여성신학자, 환경론자뿐 아니라 전통적인
입장의 로마 카톨릭이나 개신교, 그리고 동방 정교회의 학자에게서
도 발견된다.14) 사실 삼위일체 신학이 가진 이런 실천적, 해방적

---

14 이런 경향의 예로 Catherine LaCugna, *God For Us:. The Trinity and
Christian Life*; C. LaCugna and K. McDonnell, "Returning from 'The Far
Country': Theses for a Contemporary Trinitarian Theology," *Scottish
Journal of theology* 41 (1988): 191-215; Piet Schoonenberg, "Trinity-The
Consummated Covenant: theses on the Doctrine of the Trinitarian God,"
Studies in Religion/ Sciences Religieuses, 5 (1975): 111-116; John
Thompson, *Modern Trinitarian Perspectives*, 3ff; Thomas Torrance,
"Toward an Ecumenical Consensus on the Trinity," in *Theologische
Zeitschrift* 31(1975): 337-350; Joseph Bracken, "Process Theology and
Trinitarian Theology," Parts 1, 2, *Process Studies* 8 (1978); Elizabeth
Johnson, "The Incomprehensibility of God and the Image of God Male
and Female," *Theological Studies* 45 (1984): 441-65. 라쿠냐는 이런 경향을

요소에 대한 강조야말로 아마도 최근의 삼위일체 신학이 부흥하는
가장 큰 이유일 것이다.

1-3. 전통적 유신론(Traditional Theism)의 극복으로서의 삼위일체론

현대 삼위일체 신학의 또 다른 중요한 특징은 이 교리를 통해
전통적 유신론의 한계를 극복하려는 데 있다. 대체적으로 보아 기
독교 전통은 신을 절대적이고 거룩하고 선하며 유일하며 세계를
창조하고 다스리며 마침내 최후의 구속으로 이끄는 한 인격적 존
재로 이해했다. 특별히 중세 말기 이후 신은 모든 유한한 피조물과
대립되는 분으로서 무한하며 자존하며 비육체적이며 영원하며 그
무엇에도 영향받지 않고 고난당하지도 않으며 완전하며 전지 전능
한 분 곧 유신론적인 양태로 이해되었다.15) 또한 세계관의 관계에
서 신은 온 세상의 주, 왕, 그리고 아버지 등의 남성적 은유로 표현
되었다.16)

그러나 이 같은 유신론적 신 이해는 오늘날 여러 모양으로 도전
을 받고 있다. 우선 이런 신 이해는 철학적인 신 이해이지 결코 성
경이 말하는 신 이해가 아니며 따라서 진정한 기독교적 신 이해가
될 수 없다.17) 또한 이런 신 이해는 지배적, 가부장적, 여성 억압적

"적절하게 이해되기만 하면 삼위일체론은 예수 그리스도를 통한 성령 안에
서의 하나님과 우리와의 친밀한 교제의 확증이다. 바로 그렇기 때문에 그
것은 그리스도인의 삶에 엄청난 결과를 가져오는 탁월하게 실제적인 교리이
다"라고 요약한다. LaCugna, *God for Us*, ix. 레오나르도 보프 역시 "삼위일
체의 신비는 삶의 의미에 대해 우리가 상상할 수 있는 가장 심원한 원천이
며, 가장 가까이 있는 영감이며 또한 가장 밝은 조명이다"라고 말한다. Boff,
Trinity and Society, 111.

15 H. P. Owen, *Concepts of Deity* (New York: Herder and Herder, 1971), 1.
16 Sallie McFague, *Models of God: Theology for an Ecological, Nuclear
Age* (Philadelphia: Fortress Press, 1987), 59-69.
17 이런 비판의 좋은 예로 Moltmann, *Crucified God*, 87-89, 200ff; John
Macquarrie, *Thinking about God* (London: SCM press, 1975), 111ff; John

사회 구조를 반영하고 있어서 마땅히 극복되어야 한다.18) 더 나아
가 이런 이해는 종교는 인간의 존엄성과 자유를 거부하는 거짓에
불과하다는 인본주의적 무신론의 도전 앞에서 무력할 수밖에 없
다.19)

　이런 문제들 때문에 오늘날 신학자들은 전통적 유신론의 극복을
위해 여러 모로 시도하고 있으며 그 중 하나가 올바른 삼위일체 신
학을 형성함으로 유신론을 극복하려는 것이다. 이런 시도를 하는
신학자들에 따르면 삼위일체론은 철학적이며 인본주의적인 유신론
을 극복할 수 있을 뿐 아니라 동시에 유신론에 반대해서 나온 근대
의 인본주의적 무신론에 대한 성경적, 기독교적 답변을 제시할 수
있다.

O'Donnell, *The Mystery of the Triune God* (London: Sheed and Ward,
1988), 1-16. 뭐콰리에 따르면 이런 유신론적 신 이해는 신과 인간 사이에
상호적 관계(reciprocal relationship)가 있음을 인정하지 않는다. 즉 이 이해
에서 세계는 끊임없이 신에 의해 영향을 받지만 신은 결코 이 세계에 의해
영향을 받지 않는다. 모든 것은 신으로부터 세계로 내려가지만 세계로부터
신으로 올라가지는 않는다. 그러나 머콰리에 따르면 이런 "군주신론적"
(monarchical)인 신 이해는 성경이 말하는 인간의 자유로운 선택권을 존중하
며 인간에 대한 사랑 때문에 자기를 계속 바꾸어 가시는 하나님과는 완전히
다르다. Macquarrie, 11ff.

18 이런 비판의 예로 McFague, *Models of God*, 63-69, Johnson, *She Who Is*,
19-22.

19 이런 비판의 예로 Moltmann, *Crucified God*, 200-290; Eberhard Jungel,
*God as the Mystery of the World: On the Foundation of the Theology of
the Crucified One in the Dispute between Theism and Atheism*, trans. J.
C. B. Mohr. (Grand Rapids: Eerdmans, 1983) 3-104; Walter Kasper, *The
God of Jesus Christ*, trans. Matthew O'Connell. (London: SCM Press,
1983), 47-123. 카스퍼에 따르면 이런 하나님 이해는 신을 인간의 자유를 억
누르고 그 고통을 무시하는 천상의 군주로 만듦으로 인해 결국 무신론적 주
장에 정당성을 부여하게 된다. 이 점에서 그는 유신론은 결코 기독교적인
신 이해가 될 수 없다면서 "유신론이란 이단(the heresy of theism)"이라고
까지 표현한다. *Ibid.*, 16ff, 295.

　삼위일체론 안에서 전통적 유신론과 인본주의적 무신론을 함께 극복하는 보다 기독교적인 신 이해를 찾아보려 했던 선구자는 칼 바르트이다. 바르트에 따르면 기독교적 신 이해는 철두철미하게 예수 그리스도를 통한 하나님의 자기 계시에 근거하며 이 같은 신 이해는 필연적으로 삼위일체론으로 표현된다. 그리고 이렇게 하나님의 계시에서 출발하는 삼위일체론은 인간과 세계에서 출발하여 신을 이해하는 철학적이며 인본주의적인 전통적 유신론과 대립되며 바로 이 점에서 전통적 유신론에 대한 반대로 일어난 근대의 인본주의적 무신론도 함께 극복할 수 있다. 바르트의 이 같은 주장은 에브하르드 융엘, 위르겐 몰트만, 볼프하르트 판넨베르크, 콜린 군톤(Colin Gunton) 등에 의해 조금씩 다른 형태로 발전되고 있다.

1-4. 실체성(substantiality) 아닌 관계성(Relationality)으로 삼위일체의 신비를 이해함

　서방 기독교 전통은 하나님을 하나의 궁극적 신적 실체(one divine substance)이나 궁극적 본질(one divine essence)로 우선적으로 이해한 다음 이 전제 위에서 삼위 하나님의 신비를 설명하려고 했다. 가령 토마스 아퀴나스의 경우 하나님의 통일성(the unity of God)에서 출발하여 이 한 하나님이 어떻게 세 인격으로 존재할 수 있느냐는 하나님의 삼위성(trinity) 내지 복수성(multiplicity)의 문제를 다루었다. 그는 하나님의 통일성을 한 동일한 신적 실체(one divine substance)에서 찾았다. 즉 서방 전통은 하나님을 먼저 한 신적 실체로 이해하며 그 다음에 이 신적 실체가 성부·성자·성령의 세 인격으로 존재함을 말하려고 했다. 그 결과 하나님을 설명함에 있어서 철학적이며 존재론적인 실체 개념이 표면에 나오고 그가 성부·성자·성령의 세 인격의 관계성 안에서 존재한다는 성경의 증언은 이차적이 되어 버렸다.

하지만 최근의 삼위일체 신학은 이런 이해는 성경적이기보다 철학적이라고 비판하면서 하나님을 관계성(relationality)이나 상호성(mutuality)의 범주로 이해하려고 한다. 즉 오늘날의 삼위일체론은 하나님을 자기 자신 및 만드신 세계와의 관계 안에 있는 관계적 존재로 이해하려 한다. 특별히 현대 삼위일체 신학은 동방 교회의 갑바도기아의 세 신학자들이 말한 것처럼 성경은 하나님을 구원의 역사를 함께 이루어 가시는 성부·성자·성령의 세 분으로 말하고 있다는 점에 주목하면서 하나님을 삼위 사이의 관계 속에 존재하며 또한 세계와 관계 맺으시는 관계적 존재로 이해한다. 즉 현대 삼위일체론의 큰 특징은 하나님을 서로 간의 관계 속에 있는 세 구별된 인격들로 파악함으로 실체 개념 아닌 관계 개념으로 하나님을 이해하려 하는 데 있다. 많은 신학자들은 이런 이해가 '하나님은 사랑이다'는 성경의 근본적 증언과 잘 부합된다고 믿는다. 하나님을 관계 개념으로 이해하는 것은 칼 바르트와 칼 라너 및 그 이후의 많은 현대 신학자들에게 분명하게 나타나고 있다.[20)]

1-5. 사회적 삼위일체론(Social Trinity)의 득세

하나님을 실체(substance) 아닌 관계(relationships) 개념으로 이해하려는 현대 삼위일체론의 경향은 현대 삼위일체 신학의 다른 중요한 특징인 '사회적 삼위일체론'의 득세와 깊이 연관되어 있다. 전통적으로 어거스틴 이래의 서방 교회는 하나님 안의 삼위성과 일체성의 관계를 심리적(psychological) 혹은 인간 내면적(intra-personal) 유비를 사용해서 설명해 왔다. 즉 이 전통은 인간의 내면

---

20 현대의 주도적인 삼위일체 신학자들인 칼 바르트, 칼 라너, 위르겐 몰트만, 판넨베르크, 융엘 등이 모두 하나님을 실체 개념보다 관계 개념으로 설명하려고 한다.

을 성찰하면서 그 구조적 특성을 통해 삼위 하나님 안의 일체성과 삼
위성의 관계를 이해해 보려 했으며[21] 주된 관심사는 삼신론(tritheism)
을 극복하고 신이 한 분임을 강조하는 데 있었다. 그러나 이 전통에
서는 성부·성자·성령의 독립적 인격성과 그 구별을 설명하기 어
려워서 언제나 양태론(modalism) 위험을 안고 있었다. 반면 동방
교회는 사회적(social) 혹은 인격 관계적(inter-personal) 유비를 주
로 사용했다. 가령 갑바도기아의 세 신학자는 세 신적 인격 사이의
관계를 서로 다른 세 사람이 맺는 관계에 비교해서 설명했으니 바
질과 니사의 그레고리는 성부·성자·성령이 서로 다른 인격인 것
은 베드로, 바울, 바나바가 서로 다른 인격인 것과 같다고 말한다.
하지만 이 전통은 삼위의 통일성을 성부 하나님에게서 찾음으로
성자와 성령이 성부에 예속되는 종속론(subordinationism)의 위험
을 안고 있었다.

교회 역사에서 이 두 전통 중 주도적 역할을 한 것은 서방 교회
의 심리적 삼위일체론이었다.[22] 이로 인해 신 안의 통일성은 삼위

---

21 그러나 서방 교회 전통 안에는 심리적 유비만이 아니라 인격 관계적 혹은
사회적 유비의 전통도 있다. 어거스틴 자신이 이미 삼위 하나님을 사랑하는
이(Lover), 사랑 받는 이(Beloved), 그리고 사랑 그 자체(Love)라는 사회적
유비로 표현했고 12세기 말엽의 신학자 Richard of St. Victor도 어거스틴이
말한 사랑의 유비를 발전시킨 사회적 유비를 말했다.
22 서방 교회의 심리적 삼위일체 유비가 주도적이 된 데에는 서방 교회가 고대
세계 말기 이후 세계 교회의 중심적 역할을 했다는 정치적 이유뿐 아니라
동방 교회의 교회적, 신학적 특징에도 이유가 있다. 서방 교회와 달리 동방
교회는 기본적으로 하나님은 인간 이성으로 이해할 수 없는 깊은 신비 자체
이기 때문에 경건한 침묵과 경외만이 하나님께 대한 적절한 자세라고 보았
다. 그 결과 동방 교회는 서방 교회처럼 하나님을 이해하려는 유비들을 발
전시키지 않고 대신 하나님을 체험하며 그 신비 앞에 나아가는 교회 예전을
더 강조했다(Apophatic tradition). 이런 신비주의적 신학 경향은 갑바도기아
의 세 신학자의 삼위일체론에서도 마찬가지였다. 그들에게서 삼위일체는 탐
구하고 이해하기보다 더욱 묵상하고 경외해야 할 하나님의 신비였다.

성을 압도했고 하나님은 언제나 세 분이기 이전에 한 분, 곧 유신론적인 천상의 절대자로 이해되어 왔다.

하지만 현대의 많은 삼위일체론자들에 따르면 서방 교회의 심리적 삼위일체론은 성경이 증언하는 하나님 안의 삼위성을 충분히 반영하지 못하고 있다. 또한 그것은 너무 철학적이며 사변적이어서 성경이 말하는 하나님의 구원 사역과 관계를 맺기 어렵다. 따라서 이들은 하나님의 삼위성을 먼저 강조했던 동방 교회 전통을 중요시하며 그곳에서 배우려고 한다. 특별히 어떤 이들은 이 전통을 더욱 철저히 해석해서 본격적인 사회적 삼위일체론을 형성하려고 한다. 즉 오늘날의 사회적 삼위일체론자들은 갑바도기아 신학자들의 삼위일체론이 삼위의 통일성을 성부에게서 찾음으로 종속론의 위험을 가지고 있었던 것을 극복하고 세 인격 사이의 더욱 철저한 독립성과 구별성을 강조하고자 한다. 이들은 하나님을 서로 완전히 독립되고 구별되는 성부·성자·성령의 세 인격이 이루는 공동체(community) 내지 사회(society)로 이해하며 이들 사이의 일치 내지 연합을 성부 아닌 세 신적 인격 사이의 페리코레시스적 연합(perichoretic union)에서 찾는다. 이런 이해에는 분명 서방 교회의 양태론과 동방 교회의 종속론의 위험은 없으나 대신 삼신론의 위험이 있다. 어쨌든 오늘날 현대 삼위일체 논의의 중심에는 이 사회적 삼위일체론이 서 있으면서 하나님 안의 삼위성과 일체성의 관계, 삼위일체론에서의 인격(person) 용어의 사용, 또 이 교리의 구체적, 실제적 의미와 같은 중요한 주제들에 대해 새로운 답변들을 제시하고 있다. 현대 삼위일체 신학의 큰 특징은 심리적, 인격내재적 모형(psychological intra-personal model) 대신 사회적 삼위일체론이 주도적 삼위일체 모형이 되어 가고 있는 데 있다.23)

1-6 삼위일체론과 성 문제 (The Trinity and the Gender Issue)

최근 삼위일체 신학의 또 다른 중요한 논쟁 하나는 여성 신학자

---

23 사회적 삼위일체론의 주요 저서들은 David Brown, *The Divine Trinity* (La
Salle: Open Court, 1985); Colin Gunton, *The Promise of Trinitarian
Theology* (Edinburgh: T and T. Clark, 1991); Kenneth Leech, *The Social
God* (London: Sheldon Press, 1981); The BCC Study Commission on
Trinitarian Doctrine of Today, *The Forgotten Trinity* (London: The
British Council of Churches, 1989); 개혁 교회 전통에서는 Moltmann 외에
Cornelius Plantinga Jr., "Gregory of Nyssa and the Social Analogy of the
Trinity,"; Daniel Migliore, *Faith Seeking Understanding: An Introduction
to Christian Theology* (Grand Rapids: Eerdmans, 1991), 과정 신학적 접근
을 취하는 것으로는 Joseph Bracken, *The Triune Symbol: Persons,
Process and Community* (Lanham: University of America Press, 1985);
Donald Gelpi, *The Divine Mother: A Trinitarian Theology of the Holy
Spirit* (Lanham, MD: University Press of America, 1984); 해방 신학자 중
에는 Leonardo Boff, *Trinity and Society*, trans. Paul Burns. (Maryknoll:
Orbis Books, 1988); 여성 신학자 중에는 Anne E. Carr, *Transforming
Grace: Christian Tradition and Women's Experience* (San Francisco:
Harper and Row, 1988); 156ff., Maria Clara Bingemer, *Gender and Grace*
(Downers Grove: InterVarsity Press, 1990), 38-41. Elisabeth Moltmann-
Wendel, *A Land Flowing with Milk and Honey: Perspectives on
Feminist Theology* (New York: Crossroad, 1986), 181ff; Patricia
Wilson-Kastner, *Faith, Feminism and the Christ* (Philadelphia: Fortress,
1983); 철학적 접근을 취하는 것으로는 Timothy W. Bartel, "The Plight of
the Relative Trinitarian,": *Religious Studies* 24 (1988): 129-55; C. Stephen
Layman, "Tritheism and the Trinity," in *Faith and Philosophy* 5 (1988):
291-98; Thomas V. Morris, *The Logic of God Incarnate* (Ithaca: Cornell
University Press, 1986), 특히 210-18; Richard Swinburne, "Could There
Be More Than One God?" *Faith and Philosophy* 5 (1988): 225-41; 그외
Wolfhart Pannenberg, *Systematic Theology*, Vol. 1. trans. Geoffrey W.
Bromiley, (Grand Rapids: Eerdmans, 1991); Ted Peters, *God as Trinity:
Relationality and Temporality in Divine Life* (Louisville: Westminster/
John Knox Press, 1993); John Zizioulas. *Being as Communion: Studies in
Personhood and the Church* (Crestwood, N.Y.: St. Vladimir's Seminary
Press, 1985); Douglas Meeks, *God the Economist: The Doctrine of God
and Political Economy* (Minneapolis: Fortress Press, 1989) 등도 사회적 삼
위일체론적 접근을 한다.

들에 의해서 제기되었다. 여성 신학자들에 의하면 기독교의 전통적
인 신 이해는 철저하게 남성 중심적, 가부장적이어서 여성 억압을
정당화하는 이데올로기 역할을 해 왔다. 특별히 전통적인 성부·성
자·성령이란 삼위일체 표현은 하나님을 남성으로 이해함으로 남
성의 여성 지배와 여성 차별을 신학적으로 정당화시켜 왔다. 여성
신학자 메리 데일리(Mary Daly)에 따르면 하나님을 아버지로 표현
하는 것은 이 땅의 모든 아버지들의 지배를 정당화시켜 줌으로 결
국 가부장적 체제를 영속화시킨다. 따라서 여성의 진정한 해방을
위해서는 하나님을 아버지로 이해하는 전통적인 삼위일체론은 거
부되어야 한다.24) 엘리자베스 존슨은 성부·성자·성령이란 표현
을 완전히 거부하지는 않으나 하나님을 오직 이 정식만 사용할 때
는 남성의 여성 지배를 정당화시킬 수밖에 없기 때문에 이 정식과
함께 다른 성 평등적 혹은 비 성적인 신에 관한 은유를 함께 씀으
로 균형을 잡아야 한다고 주장한다.25)

---

24 Mary Daly, *Beyond God the Father: Toward a Philosophy of Women's liberation* (Boston, Beacon press, 1973), 19. Cf. Mary Daly, "The Qualitative Leap Beyond Patriarchal Religion." *Quest* 1-4 (1975), 20. 데일리는 삼위일체론을 아주 부정적으로 평가한다. 그녀에 따르면 이것은 가부장적 체제를 영속화시키는 대표적인 교리이기 때문에 여성 해방을 위해서 반드시 거부되어야 한다. "가장 불결한 삼위일체와 가장 불결한 기독교의 삼위일체론 상징에 의해 이루어진 파괴의 악순환은 여성들 곧 가부장적 이해에서는 강간의 대상인 여성들이 존재의 힘에 뿌리 박은 새로운 자기 이해를 외면화하고 내면화할 때 극복될 수 있다. 정녕 악마적 삼위일체를 축출해 버림이 여성이 되는 길이다." 인용은 Mary Grey, "The Core of Our Desire: Re-imaging the Trinity," *Theology* 93 (1990): 363.
25 존슨에 의하면 "여성신학적 분석은 배타적, 문자적, 가부장적인 신에 관한 언어는 두 가지 부정적인 결과를 가져옴을 명확히 했다. (첫째) 여성적 실재를 정형화(stereotyping)한 다음 그것을 하나님에 관한 적절한 은유가 될 수 없다고 금지함으로써 이런 언어는 남성의 지배를 정당화하고 여성의 인간으로서의 존엄성을 더럽힌다. 동시에 이런 진술은 하나님의 신비를 지배적 남성의 단 하나의 실재라고 믿어진 은유로 축소시킴으로써 그 상징 자체는 그

   과연 여성 신학자들의 말처럼 성부·성자·성령이란 표현은 성
차별적인가? 또 성차별적이라면 어떻게 그것을 극복할 수 있는가?
이 질문에 대해서는 크게 다섯 가지 답변이 있다. 첫째, 보수적인
신학자들에 따르면 성부·성자·성령이란 표현은 예수 그리스도를
통한 하나님의 자기 계시에 뿌리박고 있다. 그것은 하나님이 직접
가르쳐 주신 하나님의 본래적 이름(proper name)이다. 또한 이 정
식은 그 원래 의도에 있어서 결코 하나님을 인간 세상의 남성과 같
은 존재로 이해하지 않으며 특히 성차별과 관계가 없다. 따라서 이
것은 있는 그대로 사용되어야 한다. 두 번째 답변은 극단적인 여성
신학자들에게서 볼 수 있는 것으로 성부·성자·성령이란 표현은
구원 불가능한 가부장적, 억압적 유산이기 때문에 대신 고대 세계
의 여신 표상(the images of goddess)으로 대치해야 한다는 것이
다. 이들에 따르면 여신 숭배는 인류의 가장 오래된 종교 행위의
하나로26) 고대 이집트와 근동 및 그리이스는 이시스, 이스타르, 데
메테르, 아프로디테, 아테나 같은 여신들을 섬겼으며 이 여신들을
섬기는 가운데 여성의 힘과 지혜를 존중히 여길 수 있었다. 이런
전통은 지난 5000여 년 동안 하나님을 남성으로 이해하는 유대-기

   종교적 중요성과 궁극적인 진리를 가리키는 능력을 상실해 버린다. 한 마디
   로 말해서 그것은 우상이 되어 버린다." Johnson, *She Who Is*, 35쪽. 또한
   그녀의 "The Incomprehensibility of God and the Image of God Male and
   Female," *Theological Studies* 45 (1984), 441~465쪽, 특히 442~45쪽.
26 E. O. James, *The Cult of the Mother Goddess: An Anthropological and
   Documentary Study* (New York: Barnes and Noble, 1959), 24. Citation is
   from Reuther, *Sexism and God-talk: Toward a Feminist Theology*
   (Boston: Beacon Press, 1983), 47-8. Starhawk, a witch and one of the
   most influential leaders of this movement, contends that Goddess worship
   goes back 35,000 years, terminated only by the last 5,000 years of mainly
   patriarchal religion. See Starhawk, *The Spiritual Dance: A Rebirth of the
   Ancient Religion of the Greek Goddess* (San Francisco: Harper and Row,
   1979), 3.

독교 전통에 의해 억압되었지만 아직 신비적 형태로 사람들 마음 깊은 곳에 남아 있으며 여러 형태로 나타나 여성으로 자신을 존중히 여기도록 돕고 있다. 따라서 진정한 여성 해방을 위해서는 가부장적인 기독교를 벗어버리고 여성의 인간으로서의 존엄성과 신비를 긍정하고 축하하는 이런 여신 종교로 돌아가야 한다고 주장한다. 그러나 여신 종교의 중요성을 주장하는 사람들 중에서도 두 그룹이 존재한다. 첫째 그룹은 남성 지배의 사회 구조를 극복하기 위해서는 기독교의 남신에 대한 여신의 우월성을 강조하는 배타적 여신 중심이 되어야 한다고 주장하는 반면 다른 그룹은 여신의 상징을 과도하게 남성화된 유대-기독교의 신 이해를 극복하고 좀더 균형잡힌 신 이해와 그로 인한 여성 해방의 수단으로 사용하고자 한다. 즉 이 두 번째 그룹의 사람들이 여신 종교를 옹호하는 이유는 하나님에 관한 은유 속의 성적 균형을 맞춤으로 인해 가부장 사회 속의 여성 억압을 극복하려는 데 있다.

성부 · 성자 · 성령이란 표현이 여성 차별적인가 하는 문제에 대한 세 번째 답변은 이 표현이 분명히 성차별적이며 억압적인 요소를 품고 있다는 것을 인정하면서 여러 가지 방법으로 신에 대한 표현들의 성적 균형을 찾으려고 하는 것이다. 가령 하나님에게 여성적 특징들을 귀속시킨다든지, 삼위 중 한 인격을 여성적 존재로 이해한다든지, 하나님을 동시에 남성 및 여성적 상징으로 표현한다든지, 혹은 하나님을 삼위성 아닌 사위성(Quarternity)으로 이해하는 방법이다. 사실 이 세 번째 접근법이 삼위일체론 안의 성차별 요소를 극복하려는 가장 대표적 방법이다. 네 번째 반응은 아예 신에 대한 남성과 여성적 상징을 사용하지 않으면서 하나님을 인격적인 분으로 표현하고자 하는 시도이다. 마지막 다섯 번째로 하나님을 자연 속의 은유들 가령, 산성, 바위 등의 표현이나 거룩한 신비(칼

라너), 미래의 능력(판넨베르크) 같은 추상적 표현으로 서술함으로
이 문제를 해결하려는 것이다. 하지만 이상과 같이 다양한 시도가
있지만 기독교 전통을 존중하면서 동시에 어떻게 하면 성차별적이
지 않은 신 표상을 확보할 것인가의 문제는 아직 계속 논란되는 문
제로 남아 있다. 이는 그 어떤 여성적 혹은 중성적 신 표상도 아버
지로서의 하나님이라는 남성적 상징과 대등한 힘을 가지고 있지
못하기 때문이다.

2. 최근의 삼위일체 신학: 정리와 평가

지금까지 우리는 최근 삼위일체 신학의 주요 특징들을 살펴보았
다. 이제 지금까지의 논의를 다음의 다섯 가지로 정리하고 평가하
고자 한다.

2-1. 최근의 삼위일체 신학은 삼위일체론을 하나님의 구원 역사
에 대한 신학적 진술로 그리스도인의 삶과 바로 연결된 구체적 교
리로 이해한다. 삼위일체론에 대한 이런 이해는 이 교리와 연관된
사변성을 극복하고 이 교리를 그 원래의 자리인 그리스도인들의
실제적 신앙 생활과 연결시켜 주는 강점이 있다. 그러나 삼위일체
론이 하나님의 구원 행위에 대한 진술이라면 이는 곧 하나님의 초
월성과 역사 관계성 사이에 관한 질문 곧 하나님 자신과 하나님의
역사 속의 행위 사이의 관계에 대한 질문을 유발한다. 만약 하나님
이 역사 속의 하나님의 행위로만 환원되면 하나님의 주체성과 초
월성은 훼손되어 버린다. 반면 하나님의 주권성을 너무 강조하다
보면 하나님의 구원 행위와 분리된 하나님 곧 숨어 있는 신(deus
absconditus)을 말할 위험에 빠지게 된다. 전통적인 삼위일체론은
내재적 삼위일체와 경륜적 삼위일체라는 용어를 통해 하나님 안의
이 초월성과 내재성의 문제를 이해했으나 그 강조점은 여전히 신

의 초월성에 있었고 신의 역사 관련성을 약화시키는 문제점을 가
지고 있었다. 이에 비해 최근의 삼위일체 신학은 하나님의 역사 관
련성을 더 강조하면서 초월성도 같이 확보하려고 한다. 그러나 전
통적 이해가 신의 역사 내재성의 약화라는 모습을 보였다면 최근
의 삼위일체론은 자칫 신의 초월성이 약화될 위험 아래 있다. 최근
의 삼위일체 신학은 삼위일체론이 하나님의 구원 역사에 대한 진
술이라는 데에는 폭넓은 일치를 이루고 있으나 하나님의 주권과
역사 관련성의 문제 곧 하나님을 철저히 인간 구원의 하나님이며
동시에 초월의 하나님으로 말할 수 있는 충분히 만족할 만한 논리
적 설명은 제시하지 못하고 있다.27)

2-2. 최근의 삼위일체 신학은 삼위일체론에서 기독교적인 정치,
경제적 해방과 생태계 보존, 그리고 다른 종교와의 대화를 위한 신
학적 근거를 찾으려고 한다. 즉 오늘날 이 교리는 인간 사회의 자
유와 평등을 위한 신학적 기초로서, 생태계의 회복과 조화에 대한
신학적 근거로서, 다른 종교와의 대화를 위한 기독교적 원리로서

27 캐더린 라쿠나(Catherine LaCugna)나 테드 페터스(Ted Peters) 는 삼위일체
론을 하나님의 초월성을 완전히 희생시킬 정도로 인간 구원의 관점에서만
이해한다. 반면 칼 바르트의 삼위일체론은 숨어 있는 신(*deus absconditus*)
의 위험이 있을 정도로 하나님의 초월성을 강조한다. 이 두 가지 입장의 중
간에 에브하르드 윙얼, 위르겐 몰트만, 볼프하르트 판넨베르크의 삼위일체론
이 서 있다. 필자가 볼 때 어느 정도 이상 만족한 답변은 몰트만과 판넨베
르크의 삼위일체론에서 찾을 수 있다. 하나님의 초월성과 역사 관련성에 대
한 논의는 Jungel, *The Doctrine of the Trinity: God's Being is in
Becoming*; Yves Congar, *I Believe in the Holy Spirit* (New York:
Seabury Press, 1983), Vol. 3. 13-18; Kasper, *The God of Jesus Christ*,
276ff; Piet Schoonenberg, "Trinity - The Consummated Covenant: Theses
on the Doctrine of the Trinitarian God," 111-116; Paul Molnar, "Toward a
Contemporary Doctrine of the Immanent Trinity: Karl Barth and the
Current Discussion," *Scottish Journal of Theology* 49 (1996): 311-357;
"The Function of the Immanent Trinity in the Theology of Karl Barth:
Implications of Today." *Scottish Journal of Theology* 42 (1989): 367-399.

각광받고 있다. 삼위일체 신학이 오늘날 다시 각광을 받게 된 큰 이유가 바로 여기에 있다. 하지만 삼위일체론의 이런 가능성이 때로 너무 과장되고 있는 것도 사실이다. 분명 인간의 구원과 온 세계의 완성을 이끌어 가는 하나님의 이야기로서의 삼위일체론은 기독교 공동체가 따라가야 할 삶의 모형을 제공할 수 있으며, 또한 다른 종교와의 만남을 위한 신학적 기초로서, 생태계 공동체 형성을 위한 신학적 원리로서 사용될 수 있다. 하지만 동시에 삼위일체 교리는 그 자체로서 하나님의 인간 구원 및 세계 변혁에 대한 직접적이며 일차적 서사는 아니다. 삼위일체론보다 더 본래적인 것은 예수 그리스도의 삶과 가르침을 통한 하나님의 인간 구원과 세계 변혁의 사역이다. 즉 삼위일체론은 예수 그리스도와 성령을 통해 나타난 구원자 하나님에 대한 개념적 이해로서 하나님의 일차적 구원 사역에 대한 이차적 상징(second-order symbol)이다. 따라서 삼위일체론은 그 자체로서는 개인과 사회, 생태계의 변혁을 위한 직접적 근거가 될 수 없다. 삼위일체론보다는 오히려 예수의 '하나님의 나라' 운동이 더욱 직접적이고 분명하게 기독교적 사회 및 생태계 윤리의 기초를 제공할 수 있을 것이다. 삼위일체론은 그리스도의 하나님 나라 운동을 포괄하고 정리하는 더 넓은 근거로 존재한다.

2-3. 하나님을 실체(substance)나 본질(nature)이 아닌 관계성(relationship)이나 상호성(mutuality)으로 이해하는 최근의 삼위일체 신학은 두 가지 점에서 바람직하다. 첫째, 이런 이해는 성서가 말하는 하나님과 잘 부합된다. 성서의 하나님은 살아 계신 하나님이며 관계 속의 하나님이다. 그는 세상을 창조하시고 인간의 기도를 들으시며 그 기도를 통해 세상을 변화시켜 가는 분으로 실체 혹은 본질과 같은 정태적 형이상학의 언어로는 제대로 표현할 수 없

다. 이 점에서 하나님을 자신 및 세계와 관계 맺는 이로 이해하는 현대 삼위일체론은 보다 성서에 충실한 신 이해를 제공해 주고 있다고 할 수 있다. 둘째로 하나님을 관계적 존재로 이해하는 현대의 삼위일체론은 세계를 하나의 관계의 그물 망이나 에너지의 흐름으로 이해하는 탈근대주의(postmodernism)의 세계 이해와 잘 부합한다. 널리 알려져 있듯이 탈근대주의는 세계를 하나의 유기적, 전일적(全一的, holistic)인 것 곧 서로 나눌 수 없는 역동적인 전체로서 이해한다. 여기에서 세계는 부분과 전체가 서로 깊이 연결되어 있어서 서로 영향을 주고받으며 끊임없이 변화되고 관계를 맺는 유기적 생명체와 같은 것으로 여겨진다. 따라서 오늘의 탈근대주의적 세계 이해에 있어서 실체나 본질과 같은 전통적인 정태적 존재론의 용어로 실재를 설명하는 것은 설득력을 갖지 못한다. 오히려 신을 이 세상의 모든 관계를 가능케 하는 관계의 궁극적 가능성이나 원천으로 이해하는 것이 더 설득력이 있고 이 점에서 하나님을 관계적 존재로 말하는 오늘날의 삼위일체 신학은 현대에 좀더 적합한 신 이해라고 할 수 있다.

2-4. 최근의 삼위일체 신학의 큰 특징 하나는 사회적 삼위일체론의 영향력이 크게 증대된 것이다. 실상 최근의 삼위일체론 발전의 많은 부분은 사회적 삼위일체론자들이 제기하는 문제들을 중심으로 이루어져 왔다고 할 수 있다. 이 같은 사회적 삼위일체론의 급성장을 어떻게 이해해야 할까? 첫째, 사회적 삼위일체론의 성장은 하나님 안의 신비를 좀더 균형잡힌 형태로 이해하게 해 줄 수 있다. 서방 삼위일체 전통의 심리적 삼위일체론은 그 여러 강점에도 불구하고 세 신적 인격의 상호 독립성과 구별성, 그리고 평등성을 적절히 설명하지 못했으나 사회적 삼위일체론은 이 문제를 명쾌하게 설명할 수 있다. 하지만 사회적 삼위일체론은 삼위 사이의

일치 내지 하나됨을 설명하는 데 있어서 약점이 있다. 그것은 심리적 삼위일체론이 끊임없이 양태론의 위험 아래 있었듯이 삼신론의 위험 아래 있다. 이 점에서 사회적 삼위일체론과 심리적 삼위일체론은 둘 다 필요하다. 사회적 삼위일체론의 영향력 증대가 결코 심리적 삼위일체론의 폐기를 뜻하지는 않는다. 둘째, 사회적 삼위일체론은 앞으로 오랫동안 영향력을 미칠 것으로 보인다. 이는 사회적 삼위일체론이 우리 시대의 요청인 진정한 인간 및 창조 세계의 공동체 형성의 적절한 신학적 모형이 될 수 있기 때문이다. 우리의 신 이해와 우리가 살아가는 사회 현실 사이에는 분명히 연관성이 있다. 폴 틸리히의 말대로 신이란 우리가 궁극적인 것에 붙이는 이름이기 때문에 우리의 신 이해와 현실 이해는 서로 영향을 주고받을 수밖에 없다. 이런 점에서 하나님을 독립되고 동등한 세 인격 사이의 사랑과 섬김의 공동체로 이해하는 사회적 삼위일체론은 오늘날 많은 사람들이 갈망하는 자유와 사랑 그리고 평등에 근거한 공동체의 형성에 큰 도움이 될 수 있다.[28] 즉 사회적 삼위일체론은 참된 공동체에 대한 우리 시대의 시대적 요청을 충족시킬 수 있으며 이 점에서 기독교 사회 윤리의 중요한 신학적 기반 노릇을 할 수 있다.

2-5. 삼위일체 신학의 발전 역시 모든 신학적 발전과 마찬가지로 한계와 위험성을 포함하고 있다. 최근의 삼위일체 논의의 한 가지 위험은 충분한 신학적 숙고 없이 과거 전통 특히 서방 전통에 대해 너무 빨리 부정적 평가를 내리는 데 있으며 또한 이 교리가 가지고 있는 실제적 가치를 너무 급하게 찾으려 하는 데 있다. 이 점에서 최근의 삼위일체 논의는 좀더 과거의 전통을 진지하게 다

---

28 Downey, 19.

루며 거기에서 배울 필요가 있다. 그때 진정한 의미에서의 현실 변혁의 원리로서의 삼위일체 신학이 가능하게 될 것이다.

삼위일체론에 대한·새로운 관심은 우리 시대의 신학이 새로운 전기를 맞고 있음을 보여준다. 즉 삼위일체론 신학의 부흥은 우리 시대의 신학이 기독교 전통에 깊이 뿌리를 내리면서도 동시에 구체적인 교회와 사회 현실에 적절하게 연결됨으로 교회와 사회를 하나님의 말씀으로 새롭게 하는 신학이 되어야 한다는 도전을 던진다. 이 점에서 삼위일체 신학은 전통적이면서도 상황의 요구에 부응하는 가장 근본적인 기독교 신학의 원리로 계속 연구될 것이다.

참고 도서

Karl Barth, *Church Dogmatics.* 1/1, 1/2, 2/1, 4/1. Edinburgh: T and T. Clark, 1975. 바르트의 삼위일체론은 비단 20세기 삼위일체론의 부흥을 가져왔을 뿐 아니라 그 이후 전개되는 삼위일체 논의의 영감의 원천이다.

Karl Rahner, *The Trinity.* trans. Joseph Donceel. London: Herder and Herder, 1970. 라너의 삼위일체론은 그의 은혜(grace) 이해와 밀접히 연관되어 있으며 철저히 구원 역사 안에서 삼위일체론을 이해한다.

Jurgen Moltmann, *The Crucified God: The Cross as the Foundation and Criticism of Christian Theology*, trans. R.A. Wilson and John Bowden. New York: Harper and Row, 1973; *The Trinity and the Kingdom of God.* Trans. Margaret Kohl, London: SCM Press, 1981. 우리 시대의 대표적 사회적 삼위일체론자의 글. 이 책에서 몰트만은 삼위일체론을 하나님의 나라란 관점에서 구원의 역사를 완성하는 세 신적 인격에 대한 서술로 이해한다.

Eberhard Jungel, *The Doctrine of the Trinity: God's Being is in Becoming*, trans. Horton Harris. Edinburgh: Scottish Academic Press, 1976. 바르트의 충실한 후계자인 윙엘이 바르트의 삼위일체론을 해석한 탁월한 책. 그의 *God as the Mystery of the World*, trans. Darrell L. Gulder. Edinburgh: T. and T. Clark, 1983 역시 윙엘의 삼위일체를 이해하는 데 중요한 책이다.

Wofhart Pannenberg, *Systematic Theology.* trans. Geoffrey W. Bromiley. Grand Rapids: Eerdmans, 1991. 세 권으로 된 그의 조직 신학서 중 제1권에서 삼위일체론을 전개하고 있다.

Leonardo Boff, Trinity and Society. Trans. Paul Burns, Maryknoll, 1988. 해방 신학자인 보프는 삼위 하나님의 페리코레시스적 연합 안에서 인간과 세계의 해방의 신학적 근거를 찾는 삼위일체론을 전개한다.

Catherine LaCugna, *God For Us: The Trinity and Christian Life*. San Francisco: HarperSanFrancisco, 1991. 삼위일체론을 철저히 우리와 함께 하시는 하나님의 관점에서 해석한 책. 이 책에서 저자는 경륜적 삼위일체는 내재적 삼위일체이며 내재적 삼위일체는 경륜적 삼위일체이라는 칼 라너의 명제를 더욱 철저화시킨다.

William J. Hill, *The Three-Personed God: The Trinity as a Mystery of Salvation*. Washington, D. C.: Catholic University Press, 1982. 간략하게 현대의 중요한 삼위일체론자들을 거의 모두 설명해 놓은 책. 이 책의 마지막 부분에서 저자는 토마스 아퀴나스의 삼위일체론에 근거하여 자신의 삼위일체 신학을 소개한다.

John O' Donnell, *Thy Mystery of the Triune God*. New York: Paulist Press, 1989. 최근의 삼위일체 논의의 빛에서 평이하고 공정하게 삼위일체 신학을 전개한 교과서적인 책.

Mann Park, *Jurgen Moltmann's Theology of the Trinity and Its Significance for Contemporary Social Questions: A Dialogical Approach*, Toronto: University of Toronto, 2000. 필자의 박사 논문으로 최근 삼위일체 신학의 네 가지 주요 쟁점에 대한 몰트만과 여러 삼위일체 신학자들의 견해를 검토, 비판하고 있다.

Joseph Bracken, "The Holy Trinity as a Community of Divine Persons." *Heythrop Journal* 15(1976): 166-182, 257-270. 브라켄은 과정 신학적 관점에서 사회적 삼위일체론을 주창한다. 사회적 삼위일체론에 대한 좋은 입문의 글.

Catherine LaCugna, "Current Trends in Trinitarian Theology," *Religious Studies Review* 13/2 (April, 1997): 141-146. 최근 삼위일체 논의에 대한 좋은 개관.

Roger Olson, "Trinity and Eschatology: The Historical Being of God in Jurgen Moltmann and Wolfhart Pannenberg." *Scottish Journal of Theology* 36 (1983): 213-227. 몰트만과 판넨베르크의 삼위일체

론에 나타나는 하나님의 초월성과 내재성에 대한 탁월한 해석.

C. LaCugna and K. McDonnell, "Returning from 'The Far Country':
Theses for a Contemporary Trinitarian Theology," *Scottish
Journal of theology* 41 (1988): 191-215. 최근 삼위일체 신학의 주
요 흐름을 알아보는 데 좋은 글.

Piet Schoonenberg, "Trinity-The Consummated Covenant: theses on
the Doctrine of the Trinitarian God," *Studies in Religion/
Sciences Religieuses*, 5 (1975): 111-116. 카톨릭 신학자인 슈넨베
르크의 이 글에서 최근 삼위일체 신학의 주요 논점들의 빛에서 이
신학을 몇 가지 명제로 잘 요약하고 있다.

제7장 탈자유주의 신학(Post-liberal Theology)

들어가는 말

탈자유주의 신학(Post-liberal Theology)은 1970년대 말과 1980년대 초에 미국의 예일대 신학부를 중심으로 해서 일어난 신학 운동으로 그 이름처럼 19세기 이후 서구 신학계에 큰 영향을 끼친 자유주의 신학을 극복하고자 하는 신학이다. 대표자로는 죠지 린드벡(George Lindbeck)과 한스 프라이(Hans Frei)를 위시하여 폴 호머(Paul Holmer), 데이빗 켈시(David Kelsey), 챨스 우드(Charles Wood), 스탠리 하우어와스(Stanley Hauerwas), 윌리엄 플레커(William Placher), 로날드 티만(Ronald Thiemann), 캐더린 테너(Kathryn Tanner) 등이 있다.[1] 탈자유주의 신학은 진보적 복음주

---

1 탈자유주의 신학의 대표적인 저서로는 Hans Frei, *The Eclipse of Biblical Narrative* (New Haven: Yale University Press, 1974); *The Identity of Jesus Christ* (Philadelphia: Fortress Press, 1975); Paul Holmer, *The Grammar of Faith* (New York: Harper and Row, 1978); David Kelsey, *The Uses of Scripture in Recent Theology* (Philadelphia: Fortress Press, 1975); George Lindbeck, *The Nature of Doctrine: Religion and Theology in a Postliberal Age* (Philadelphia: Westminster, 1984); Ronald Thiemann, *Revelation and Theology: The Gospel as Narrated Promise* (Indiana Polis: Notre Dame, 1985); Stanley Hauerwas, *A Community of Character* (Indiana Polis: Notre Dame, 1981); William Placher, *Unapologetic Theology: A Christian Voice in a Pluralistic Conversation* (Louisville: Westminster Press, 1989).

의 진영과 미국 내의 화란 개혁 신학 그룹(Dutch Reformed Group)
과도 깊은 관계를 맺고 있으며 로마 카톨릭 안의 여러 신학자도 그
방향과 정신에 공감하고 있다.

탈자유주의 신학은 그 형성 초기부터 철학자 게르츠(Clifford
Geertz)의 사상, 쿤(Thomas Kuhn)의 과학 철학, 비트겐쉬타인
(Wittgenstein)의 언어 분석 철학, 아우에르바하(Eric Auerbach)의
문헌 분석 특히 바르트(Karl Barth)의 계시 중심적 신학의 영향을
많이 받았다. 탈자유주의 신학이 극복하고자 하는 주된 논적은 자
유주의 신학의 정신을 이어가고자 하는 데이빗 트레이시(David
Tracy), 레슬리 드와트(Leslie Dewart), 그레고리 바움(Gregory
Baum), 마이클 노박(Michael Novak), 랭돈 길키(Langdon Gilkey),
에드워드 팔리(Edward Farley), 슈베르트 오그덴(Schubert
Ogden), 고든 카우프만(Gordon Kaufman) 등의 신학이다.2) 또한

---

2 이들의 신학은 19세기 자유주의 신학이 그랬던 것처럼 문화와 기독교 메시
지의 대화의 중요성이나 신학의 상황적 적합성을 강조한다는 점에서 대략적
으로 트레이시(David Tracy)가 말하는 소위 "재편주의 신학(revisionist
theology)"이란 말로 묶을 수 있다. 재편주의 신학의 20세기의 선구자는 폴
틸리히이다. 틸리히는 그의 조직 신학 제1권에서 그의 신학 방법론인 상관
관계법(method of correlation)을 소개한다. 그에 따르면 기독교 신학의 과제
는 각 시대가 제기하는 인간 실존에 대한 질문에 대한 답을 기독교 전통 안
에서 찾아 답변하는 데 있다. 이를 위해 그의 신학은 먼저 인간의 실존적
질문이 제기되는 각 시대의 인간의 상황을 먼저 분석한 다음 기독교 전통
안에서 답을 찾아 상호 연관(correlation)시키려고 한다. 틸리히에 따르면 인
간 실존은 질문하고 하나님의 계시는 답변한다. Paul Tillich, *Systematic
Theology* Vol. 1. (Chicago: University of Chicago Press, 1951), 62ff. 트레
이시는 틸리히와 캐나다의 로마 카톨릭 신학자 로너간(Bernard Lonergan),
그리고 그의 동료 길키(Langdon Gilkey)의 영향 아래 시대 정신과 기독교
복음 사이의 대화를 강조하는 재편주의 신학을 발전시킨다. 그에 의하면 "재
편 신학자는 명확히 현대 기독교 신학의 중심적 과제로 보이는 것 곧 재해
석된 탈근대적 의식과 재해석된 기독교 양쪽의 극적인 직면, 상호 조명과
교정, 그 주요한 가치들 및 인지적 주장, 실존적 신앙 사이의 가능한 기본적
인 화해에 헌신한다." David Tracy, *Blessed Rage for Order: The New*

이 신학은 폴 리꾀르(Paul Ricouer)의 해석학, 멀치아 엘리야데 (Mircea Eliade)의 종교학, 죤 힉(John Hick)의 종교 신학, 그리고 칼 라너(Karl Rahner)와 제2차 바티칸 공의회 이후의 로마 카톨릭 신학의 '인간학적 정향(anthropological turn)' 등도 잘못된 신학의 방향이라고 보면서 비판, 극복하고자 한다.

이 글에서는 먼저 탈자유주의 신학의 몇 가지 특징을 자유주의 신학과 비교하면서 설명하고 그 강점과 약점 및 앞으로의 전망을 살펴보려고 한다.

1. 탈자유주의 신학이란 무엇인가?

탈자유주의 신학(post-liberal theology)이란 말을 널리 사용하게 만든 이는 미국 예일대의 역사 신학자 죠지 린드벡(George Lindbeck)이다.[3] 그는 이 용어를 통해서 오랫동안 서구 신학계에 영향을 미쳐 왔던 자유주의 신학의 문제점을 극복하고자 한다. 하지만 이것은 단지 린드벡 개인의 생각만은 아니며 그의 동료 한스 프라이를 비롯한 여러 사람들이 가지고 있던 생각이었고 마침내 이들은 예일 학파로 또 이들의 신학 운동은 자연스럽게 탈자유주의 신학이라 불리게 되었다.[4] 그럼 탈자유주의 신학은 무엇인가?

---

pluralism in Theology (New York: Seabury, 1975), 32. 탈자유주의 신학은 바로 이 재편 신학을 그 주된 논적으로 삼고 있으니 오늘날 북미에서의 신학의 과제와 방법론에 대한 논의는 주로 재편주의 신학자들과 탈자유주의 신학자들 사이에서 일어나고 있다. 재편주의 신학에 대한 짧으나 좋은 소개로는 Werner G. Jeanrond, "Correlational Theology and the Chicago School," Roger A. Badham (ed), *Introduction to Christian Theology: Contemporary North American Perspectives* (Louisville: Westminster Press, 1998), 137-153.

3 린드벡 이전에 이미 한스 프라이가 그의 저서에서 '탈자유주의'란 말을 사용하고 있다. 따라서 이 용어는 린드벡의 용어이기 보다 예일 대학을 중심한 이 학자들이 같이 사용하기 시작한 것으로 보는 것이 좋다.

탈자유주의 신학이 자유주의 신학에 대한 거부에서 나왔기 때문에
먼저 자유주의 신학의 특징을 몇 가지로 살펴볼 필요가 있다.

자유주의 신학은 19세기의 독일 개신교 안에서 일어난 신학 운동
이다. 이것은 임마누엘 칸트(1724-1804), 프리드리히 슐라이에르마허
(1768-1834) 등의 사상에 근거하고 있고 리츨(Albrecht Ritschl, 1822
-1889)에 의해 분명하게 표현되었으며 헤르만(Wilhelm Herrmann,
1846-1922), 카프탄(Julius Kaftan. 1848- 1926), 하르낙(Adolf von
Harnack, 853-1930) 등에 의해 계승 발전되었다. 자유주의 신학은 인
간 중심주의, 보편적 합리성의 탐구, 역사의 진보에 대한 믿음 등과
같은 계몽주의의 기본 전제를 거의 무비판적으로 수락하면서 그
안에서 기독교 신앙의 가능성과 의미를 찾으려고 했던 변증적 신
학이었다. 이 신학은 그후 유럽뿐 아니라 북미주의 신학에도 큰 영
향을 미쳤으나 오늘날 근대주의(modernism)에 대한 비판이 거세
어지면서 그 정신 안에서 신학 작업을 했던 이 신학 역시 많은 비
판을 받고 있다.5)

자유주의 신학의 가장 중요한 특징 하나는 상황에의 적응주의
(accomodationism)이다. 자유주의 신학은 계몽주의 이후의 변화된
시대 정신에 맞추어 기독교 복음을 재해석하는 데 주된 관심을 가
졌다. 물론 이 같은 상황성에 대한 고려는 단지 19세기 개신교 자
유주의 신학뿐 아니라 신학 일반에서 나타나는 특징이다. 이레니우

---

4 이 신학이 예일 학파란 말을 듣는 것은 그 대표자 대부분이 예일대 교수 내
  지 예일대 출신이기 때문이다. 비록 이들이 예일 학파란 말을 좋아하지 않
  으며 자기들 사이에는 그저 어느 정도의 유사성만 있을 뿐이라고 하나 프라
  이, 린드벡 그리고 그 동료 및 제자들의 신학에는 분명히 큰 공통 부분이
  있으며 이 점에서 이들을 하나의 학파라고 불러도 큰 잘못은 없을 것이다.
5 자유주의 신학의 등장 배경과 그 특징에 대해서는 특히 James C. Livingston,
  Modern Christian Thought: From the Enlightenment to Vatican II, (New
  York: Macmillan Publishing, 1971).

스, 어거스틴, 토마스 아퀴나스, 루터, 칼 바르트 등의 위대성은 그
들이 속한 상황에 적합한 형태로 기독교의 메시지를 전달할 수 있
었다는 데 있다. 따라서 자유주의 신학의 문제는 시대 정신에 맞추
어 기독교 신앙을 재해석하려 한 데 있기보다 오히려 그 상황적 적
합성에 너무 몰입해 버림으로 결코 포기해서 안 되는 '기독교적인
것'(the Christian thing)을 약화시켜 버렸다는 데 있다. 즉 19세기
자유주의 신학은 시대 상황에 맞추어 기독교 복음을 재해석하는
가운데 '복음의 걸림돌'을 잃어버렸으며 그 결과 시대 정신을 그대
로 반영하는 '문화적 기독교'로 축소되어 버렸다.6)

탈자유주의 신학은 자유주의 신학과 그 후예인 재편주의 신학이
바로 이 문화 적응주의(cultural accomodationism)로 인해 기독교
적 메시지를 잃어버렸다고 본다. 특히 탈자유주의 신학은 자유주의
신학이 소위 '보편적 원리'에 근거해서 기독교 신앙의 지적 정당성
(intelligibility)을 확보하려고 하는 것을 강하게 비판한다. 자유주의
신학은 모든 사람이 받아들일 수 있는 보편적 원리를 먼저 찾은 다
음 기독교 신앙이 그것에 부합됨을 보임으로 기독교 신앙의 정당
성을 입증하려고 노력했다. 그 결과 19세기 자유주의 신학은 계시
된 말씀에 대한 진술(description)이 아닌 그 말씀의 상황적 적합성
을 찾는 것, 곧 말씀을 시대 정신에 맞추어 설명(explanation)하는
것을 신학의 주된 과제로 여겼고, 또한 소위 '보편적' 원리와 기독
교 메시지 사이의 상호 관련성(correlation) 혹은 조정(mediation)을

---

6   프랑스의 신학자 쟈크 엘 룰(1912-1994)의 다음과 같은 말은 자유주의 신학
    의 문제점을 잘 지적하고 있다. "내게 문제가 되는 것은 그리스도인들이 특
    별히 기독교적인 어떤 것을 소개하지 않으면서 그 순간의 경향에 동조하는
    것이다. 그들의 확신은 계시에 대한 신앙에서가 아니라 그들의 사회적 분위
    기에 의해 결정된다. 따라서 그들은 그 신앙의 표현이어야 할 독특성을 잃
    어버린다." Jacques Ellul, *Violence* (New York: Seabury Press, 1969), 28.

찾는 신학 방법론을 택하게 되었으며, 그 내용에 있어서 신학적 인간학이 되어버렸다. 탈자유주의 신학에 따르면 결국 자유주의 신학은 영광과 주권의 하나님을 인간 중심주의로, 계시를 종교 경험으로, 신학을 신앙론으로 대치시켜 버렸다. 한 마디로 자유주의 신학이 신학과 인간학을 혼동해 버렸다고 비판한다. 이제 아래에서는 좀더 구체적으로 탈자유주의 신학의 특징을 다루기로 하겠다.

2. 탈자유주의 신학의 특징

앞에서 우리는 탈자유주의 신학이 자유주의 신학 및 그 후예로서의 소위 재편 신학(Revisionist theology)과 반대되는 신학 이해 및 방법론을 취한다고 말했다. 좀더 구체적으로 탈자유주의 신학은 어떤 특징을 가지고 있는가?

첫째, 탈자유주의 신학은 신학의 일차적 과제는 자유주의 신학이 했던 것처럼 하나님의 말씀을 시대 정신에 적합하게 설명(explanation)하기보다 그 자체를 잘 기술(description)하는 데 있다고 본다. 이 신학에 의하면 신학은 교회가 믿는 것에 대한 자기 진술이며 언제나 교회 공동체 안에서 그 자체의 판단 기준과 의미를 가진다. 즉 탈자유주의 신학의 주된 관심은 적절한 자기 진술을 통해 기독교적 정체성을 확보하는 데에 있으며 이 점에서 바르트의 영향을 많이 받고 있다. 탈자유주의 신학은 복음은 그 자체의 내적 논리를 가지고 있으며 예수 그리스도 안의 하나님의 계시와 독립된 어떤 외적 원리에 의해 입증될 수도 거부될 수도 없다는 바르트의 주장을 받아들인다. 따라서 이 신학은 바르트와 마찬가지로 시대 정신에 맞추어 계시를 해명하기 보다 성경, 전통, 교회의 예배와 실천, 가르침, 논쟁 등에서 반복해서 나타나는 기독교적 믿음의 내용에 대한 적절한 진술을 그 신학적 목표로 삼는다. 그 결과 탈자

유주의 신학은 바르트처럼 기독론과 삼위일체론이 인간론 혹은 구
원론보다 앞서 있어야 함을 강조한다. 즉 자유주의 신학이 신학을
인간학으로 축소시킨 데 비해 이 신학은 계시적 사건으로서의 예
수 그리스도와 신학의 형식적 구성 원리인 삼위일체론을 강조한다.

둘째, 탈자유주의 신학은 소위 보편적 원리와 기독교 메시지를
상호 연관시킴으로 그 시대의 주도적 문화 안에서 기독교 신앙의
가능성을 확보하려는 자유주의 신학이 헛된 노력을 해 왔다고 비
판한다. 그 신학자들에 따르면 자유주의 신학의 '보편적 원리'란 실
제로는 존재하지 않는 계몽주의적 허구에 불과하다. 정말 존재하는
것은 그 자체의 언어와 논리를 가지고 있는 다양한 여러 공동체들
뿐이다. 따라서 한 개별적 공동체로서의 그리스도 교회의 과제는
공통의 인간 경험(common human experience)이나 보편적인 인간
의 합리성(universal human rationality)에 근거하여 기독교 신앙을
해명하는 데 있지 않고 기독교 자체의 언어와 논리에 충실하는 데
있다. 즉 탈자유주의 신학은 자유주의 신학의 상관방법론 혹은 조
정적 방법을 거부하며 대신 교회 공동체 안에 주어진 말씀을 바로
기술(description)하는 것을 그 신학 방법론으로 채택한다. 이 점에
서 탈자유주의 신학은 어떤 일반적인 원리에서 출발하여 기독교
신앙의 정당성을 입증하려는 기초주의(Foundationalism)를 거부하
며 이 기초주의에 근거하고 있는 자유주의 신학이나 재편주의 신
학(revisionist theology)을 함께 거부한다. 이 신학은 기본적으로
반기초주의 신학(non-fundamental theology)이며 비변증적 신학이
다.7)

---

7 이 점에서 탈자유주의 신학자 William Placher의 책제목이 *Unapologetic
   Theology*란 점이 흥미롭다. 이 책에서 그는 바르트처럼 더 이상 서론
   (prolegomena)이 없는 신학 곧 변증적이지 않은(unapologetic) 신학을 전개

셋째, 탈자유주의 신학은 하나님의 계시가 성경의 이야기/서사
(the biblical narrative)로 주어짐을 강조한다. 이 신학에 의하면 하
나님은 성경 서사를 통해서 자기 자신을 알리신다. 곧 사람들은 성
경의 이야기에 초대받아 그 안으로 들어갈 때 거기에서 그 이야기
가 가리키는 분인 예수 그리스도의 하나님을 만난다. 탈자유주의
신학자 켈시(David Kelsey)는 이를 서사가 인물을 드러낸다
(Narrative can render a character)라고 말한다.[8] 따라서 스토리
혹은 서사는 성경적 계시의 중심적 형태이다. 탈자유주의 신학이
또한 서사 신학(Narrative Theology)이라 불리는 이유가 여기에 있
다.[9]

넷째, 탈자유주의 신학은 성경의 서사가 말하는(rendering) 세계
야말로 그리스도 교회가 듣고 따라가야 하는 가장 근본적인 세계

한다.
8 David Kelsey, *The Uses of Scripture in Recent Theology* (Philadelphia:
Fortress Press, 1975), 39. 이 책은 새로운 서문과 함께 1999년에 *Proving
Doctrine: The Uses of Scripture in Modern Theology*라는 제목으로
Trinity Press International사가 다시 출판했다.
9 탈자유주의 신학자 중 특별히 하나님 말씀의 담지자로서의 성경 서사를 특
별히 강조하는 이는 한스 프라이이다. 그는 성경 서사와 교리 중 보다 본래
적인 것은 성경 서사라고 주장한다. 그에 따르면 교리란 스토리(서사)를 철
학적 도구의 도움을 받아서 이해, 정리, 개념화 한 것에 불과하다. 따라서
"교리의 의미가 이야기이며 이야기의 의미가 교리는 아니다." Hans Frei,
Types of Christian Theology (New Haven: Yale University Press, 1992),
90. 이렇게 말함으로 프라이는 신학의 과제는 성경 서사를 충실히 기술함으
로써 기독교적 정체성을 확보하는 것이라고 주장한다. 플레커(William
Placher)는 똑 같은 말을 이렇게 표현한다. "해석학의 목표는 스토리들의 '진
정한 의미'들을 구성해 주는 일련의 교리적 명제들을 찾아낸 다음 그 스토
리 자체를 집어 던져 버리는 데 있지 않다. 오히려 교리들의 형태로서의 개
념적 구성체들은 독자들이 그 스토리로 되돌아가서 그것을 새롭게 이해하게
할 때 그 교육적 기능을 최대로 잘 수행하게 된다." William Placher,
Narratives of a Vulnerable God: Christ, Theology, and Scripture
(Louisville: Westminster/John Knox Press, 1994), 15.

임을 강조한다. 탈자유주의 신학에 의하면 우리의 삶은 많은 이야
기들(서사들) 앞에 노출되어 있고 또 그것들에 의해 이루어진다.
각각의 이야기는 그 나름의 실재(reality) 이해를 품고 있으며 그
것들이 전달하는 서로 다른 실재 이해들은 상호 보완하기도 하고
충돌하기도 하면서 우리 존재를 형성한다. 탈자유주의 신학은 이
많은 이야기들 중 교회가 듣고 따라가야 하며 또 그 빛으로 세계를
이해해야 하는 본래적인 이야기가 바로 성경 이야기라고 주장한다.
즉 성경 서사가 이 세상에서 가장 중요한 이야기이며 다른 모든 이
야기들을 해석하고 변혁시키는 것이 되어야 한다는 말이다. 탈자유
주의 신학에 의하면 이것이 실상 성경이 주장하는 것이기도 하다.
탈자유주의 신학자 한스 프라이는 문예 비평가 아우에르바하
(Auerbach)를 인용하면서 이 세상의 책들 중 성경만큼 거의 독재
적으로 그 진리성을 강하게 주장하는 것은 그 어디에도 없다. 성경
의 주장은 아주 긴박하다. 성경은 그것이 말하는 세계만이 유일한
실재이며 모든 다른 세계 이해는 여기에 종속되고 또 그것에 의해
변화되어야 한다고 주장한다. 따라서 탈자유주의 신학에 따르면 기
독교 교회가 해야 할 일은 성경 서사의 세계야말로 진정한 실재임
을 선포함으로 인해 그리스도인들로 하여금 그 세계에 충실하게
살아가도록 하는 일이다. 죠지 린드벡은 이를 "이 세상이 성경 본
문을 흡수하는 것이 아니라 성경 본문이... 이 세상을 흡수한다."10)
라고 표현한다. 만약 그 반대로 성경이 아닌 세상의 다른 이야기
가 교회와 신학을 압도할 때 그것은 벌써 잘못된 것이다. 한스 프
라이는 이것이 바로 지난 250여 년 동안의 자유주의 신학의 근본적
문제이며 실패의 원인이었다고 주장한다.11)

---

10 Lindbeck, *The Nature of Doctrine*, 118.
11 한스 프라이의 어려운 책 *The Eclipse of the Biblical Narrative*는 다름 아

다섯째, 탈자유주의 신학은 성경 서사에 관심을 집중시키는 가운데 성경을 하나의 문학 작품으로 이해하고자 한다. 탈자유주의 신학에 따르면 근대 이후 성경에 대한 두 가지 잘못된 이해가 있었으니 첫째, 복음주의 신학의 성경 이해로서 성경을 객관적 사실에 대한 기술(description)로 보는 것이다. 여기에서 성경은 그것이 가리키는 심미적, 실존적, 역사적 실재와 완전히 상응하는 것으로 이해된다. 둘째, 자유주의 신학의 성경 이해로서 성경을 모든 종교 속에 공통으로 나타나는 보편적 종교 경험의 한 표현으로 이해하는 것이다. 탈자유주의 신학은 성경에 대한 이 두 가지 견해를 다같이 부인한다. 이 신학에 의하면 성경은 복음주의자들의 주장처럼 객관적 진리의 진술도 아니고 자유주의자들의 말처럼 보편적인 종교 체험이 외적, 구체적, 객관적으로 표현된 것도 아니다. 그러면 성경은 어떤 책인가? 탈자유주의에 따르면 성경은 교회 공동체 안에서 그 공동체를 규정하고 인도하는 책이다. 성경은 교회라는 사회를 규정하고 인도하는 공식 언어이다. 즉 사회 속의 사람들이 삶의 방식을 규정하는 그 사회 특유의 언어/문화 체계 속에서 살듯이 교회도 특정한 방식으로 자기를 이해하게 하는 길잡이를 가지니 그것이 곧 성경이다. 즉 성경은 객관적인 사실의 진술도 아니며 보편적 종교 경험의 한 표현도 아니고 교회 안에서만 통용되는 일종의 '언

닌 바로 이 사실을 보여주는 데 그 목적이 있다. 그에 의하면 처음 약 1700여 년 동안 대부분의 그리스도인들은 성경을 하나의 큰 서사(이야기)로 읽어 왔고 이 이야기가 말하는 세계에 자기들의 삶을 맞추어 살아왔다. 성경이 서사하는 세계가 실제 세계와 상응하는가 하는 질문은 그들에게 애초에 의미가 없었다. 이는 그들에게는 성경 서사의 세계 자체가 실제 세계였기 때문이다. 하지만 18세기 들어 상황은 완전히 바뀌어 버렸다. 이때부터 사람들은 그들의 일상의 경험의 세계를 진정한 세계로 이해하기 시작했고 이 때부터 성경의 세계는 이 일상의 경험의 세계와 연관되는 정도만 진정한 세계로 여겨졌다.

어 게임(language game)'이다. 그 가치는 그것이 객관적 사실이거
나 인간의 보편적 종교 경험의 표현이라는 데 있지 않고 교회라는
특정한 공동체를 규정하고 인도한다는 데 있다. 따라서 기독교인이
된다는 것은 성경의 문자적 진리를 사실로 받아들이거나 특정한
종교 경험을 하는 것이 아니라 교회 안에서 사용되는 이 언어를 배
우며 그것에 의해 삶을 형성해 가는 것이다. 신학은 바로 이 교회
안의 언어로 주어진 성경 말씀을 논리적으로 일관성 있게 진술하
며 해명하는 과제를 가진다. 즉 신학은 교회 공동체 안의 언어인
성경이 올바로 진술되며 사용되고 있는가를 검토하는 기능 곧 신
앙의 문법(the grammar of faith)으로 존재한다.12)

이 점에서 탈자유주의 신학은 성경을 사실에 대한 기술이 아니
라 하나의 문학 작품처럼 본다. 문학 작품에서 중요한 것은 그 이
야기의 사실성(factuality)이 아니라 그 인물과 사건들이 그 이야기
를 듣는 공동체에 미치는 영향이다. 가령 춘향전에서 성춘향, 이몽
룡, 변학도가 실존 인물인지 또 그들의 이야기가 실제로 있었는지
등은 중요하지 않다. 춘향전에서 중요한 것은 그것들이 그 이야기
를 듣는 사람들(민중들)의 삶을 형성하고 만들어 나갔다는 점이다.
설혹 춘향전이 허구이더라도 공동체에 미친 영향은 여전히 남아
있고 바로 여기에 춘향전의 가치가 있다. 마찬가지로 성경 역시 사
실이어서가 아니라 교회 공동체 안에서 교회를 규정하며 그 방향
을 인도한다는 점에서 권위를 가진다. 즉 성경의 진리성은 교회라
는 특정한 공동체 안에 신앙과 삶의 규칙을 제공한다는 데서 발견
된다.

여기에서 우리는 탈자유주의 신학과 보다 전통적인 복음주의 신

---

12 여기에 대해서 Paul Holmer, *Grammar of Faith* (New York: Harper and
Row, 1978), 23ff.

학 사이의 차이를 본다. 탈자유주의 신학에 있어서 성경은 교회 내부에서 교회를 규정하는 교회의 언어이며 성경 밖의 외적 실재와 상응하지 않는다. 따라서 이 신학은 성경의 객관적 진리 주장(truth claim)을 하지 않는다. 반면 전통적 복음주의자들은 성경이 교회의 책이란 것을 인정하면서도 동시에 그 것은 객관적 실재와의 상응성 곧 사실성(factuality)을 가진다고 주장한다. 이 점에서 복음주의자들은 탈자유주의 신학을 상대주의로 간주한다.13)

여섯째, 탈자유주의 신학은 성경이 기독교 교회 역사에서 어떻게 이해되고 해석되었는가에 주로 관심을 갖는다. 탈자유주의 신학에 있어서 성경은 무엇보다 교회의 책이다. 성경의 진리성은 외적 객관적 근거에 의해 확보되지 않고 그것이 고백되는 교회 안에서 확보된다. 따라서 올바른 성경 해석은 소수의 비평적 성서 신학자들이 아닌 교회 공동체 안에서 이루어지며 그렇게 해석된 것이야말로 성경에 대한 올바른 해석이라고 본다. 이 점에서 제2세대의 탈자유주의 신학자 태너(Catherine Tanner)는 교회사에서 계속 읽혀지고 인정되어 온 성경 읽기가 성경의 문자적 의미(literal meaning)라고 말한다.

분명 탈자유주의 신학자들이 말하듯이 성경은 교회의 책이며 교회 공동체 안에서 올바르게 해석될 수 있다. 하지만 여기에서 중요한 질문은 성경 본문에 대한 표준적인 성경 읽기라는 것이 정녕 교회 역사 속에 있었던가 하는 점이다. 실제로 있었던 것은 하나의 표준적 성경 읽기가 아니라 오히려 다양한 공동체들의 다양한 성

---

13 복음주의자들의 탈자유주의 신학에 대한 가장 근본적인 비판은 그것의 성경의 '객관적 진리성'에 대한 상대주의적 태도이다. 복음주의의 관점에서의 탈자유주의 신학에 대한 좋은 비평은 Alister McGrath, *A Passion for Truth: The Intellectual Coherence of Evangelicalism*, (Downers Grove: InterVarsity Press, 1996)의 3장 "Evangelicalism and Postliberalism."

경 읽기가 아니었던가? 표준적인 성경 읽기란 말은 특정한 힘있는 집단이 그들의 성경 읽기를 강요해 온 것으로 이 말 자체 안에 이미 다른 집단에 대한 억압적 요소가 들어 있지는 않은가? 탈자유주의 신학은 아직 이런 질문들에 대해 충분히 설득력 있는 답을 제시하지 못하고 있다.

일곱째, 탈자유주의 신학의 큰 특징은 이 신학이 언어와 경험의 관계에 특별한 관심을 보이고 있다는 데 있으며 바로 이 점에서 이 신학은 바르트와 구별되며 또한 자유주의 신학과 근본적으로 충돌한다. 자유주의 신학에 있어서는 경험이 언어보다 앞선다. 좀더 구체적으로 말하면 첫째, 자유주의 신학에 있어서 종교의 핵심은 그 종교 경험(religious experience)이다. 이 종교 경험은 개인적이며, 내재적이며 정서적, 심미적 요소를 수반한다. 둘째, 이 종교적 경험은 보편적이다. 즉 모든 인간은 이 궁극자 경험에 대해 열려 있다. 셋째, 종교의 경전, 교리, 예전 등등은 이 원초적인 종교 경험의 외적, 문화적, 사회경제적 표현이다. 넷째, 기독교 신앙 역시 이 원초적, 보편적인 종교 경험의 한 시대적, 문화적 표현 양식이다. 즉 자유주의 신학에 있어서 보편적 종교 경험이 특정한 문화적 상황에서 언어로 표현된 것이 곧 교리 및 신학 혹은 외적 제도로서의 종교이다.

하지만 탈자유주의 신학은 언어와 경험의 관계를 정반대로 이해한다. 죠지 린드벡에 의하면 언어와 경험 중 우선적인 것은 언어이다. 우리의 모든 경험은 가장 기본적인 경험까지 포함하여 이미 언어에 의해 규정되어 있다. 실상 인간의 경험은 모두 인간의 언어와 문화적 상황 안에서 해석된 것에 불과하다. 즉 린드벡에 의하면 언어 곧 사회 문화적 구성 요소가 경험보다 앞서 있으며 그것을 규정하고 인도한다. 따라서 종교란 어떤 원초적 절대자에 대한 경험의 표현이 아니라 오히려 특정한 언어 체계이다. 종교인이 된다는 것은 특정한 종교 경험을 하는 것이 아니라 그 공동체 안에서 통용되는 특정한 언어를 배우는 것이다.

즉 린드벡에 의하면 경험이 언어로 표현되는 것이 아니라 공동체 안에 특정한 언어가 이미 주어져 있으며 이 언어가 종교적 경험을 산출하고 또 그것을 규정하며 인도한다. 따라서 교회 안에 이미 주어져 있는 교회의 언어가 없으면 그 어떤 종교 경험도 무의미해진다. 아니 이런 언어가 없으면 경험 자체가 불가능하다. 린드벡은 언어와 종교 경험의 관계에 대한 그의 이해를 문화-언어적 관점(Cultural-linguistic view)으로, 자유주의적인 언어와 경험의 관계에 대한 이해를 경험-표현적 관점(Experiential-expressive view)이라고 명명한다. 그에 따르면 지난 250여 년간 서구 사회를 주도해 온 것은 경험-표현적 관점이었다. 그러나 이제 이 관점은 종교학, 심리학, 철학 등 거의 대부분의 영역에서 극복되었고 그 자리를 문화-언어적 관점이 대신하고 있다. 오직 신학의 경우에서만 아직 경험-표현적 관점이 아직 주도적인 역할을 하고 있지만 이것도 곧 바뀌어 갈 것이라고 주장한다.

3. 정리와 몇 가지 질문들

지금까지 우리는 탈자유주의 신학의 특징을 그 주된 논적인 자유주의 신학 및 그 연장으로서의 재편주의 신학과 비교하는 가운데 살펴보았다. 탈자유주의 신학은 자신을 자유주의 신학과 그 후예인 재편신학에 대한 비판과 극복으로 이해한다. 자유주의 신학이 신학의 주된 과제를 보편적으로 인정되는 공통의 인간 경험이나 보편적 합리성의 빛 안에서 기독교 신앙의 가능성 내지 의미를 찾는 것으로 보는 반면 탈자유주의 신학은 교회 안에 주어진 말씀을 충실히 진술하는 것으로 본다. 즉 자유주의 신학은 기독교 신앙을 설명(explanation)하려는 데 비해 탈자유주의 신학은 이를 진술(description)하려 한다. 자유주의 신학은 신학의 공적 특성을 확보하기 위해 그 주된 청중을 교회 밖의 세속인들, 특히 지성 사회(대학 사회)에서 찾으나 탈자유주의 신학은 교회 안에서 그 청중을 찾는다. 자유주의 신학은 탈자유주의 신학의 프로그램은 결국 신학을 교회 안으로 축소하는 '지역주의(localism)' 혹은 '종파주의'로 만들 뿐이며, 이로 인해 교회는 그 공적 연관성을 잃어버리게 됨으로 고립된 하나의 게토(ghetto)가 될 뿐이라고 비판한다. 반면 탈자유주의 신학은 자유주의 신학의 '공적인 신학(public theology)'에 대한 탐구는 이미 사라져 버린 계몽주의적 세계 이해의 잔해에 불과하며, 결국은 기독교의 정체성을 약화시킬 뿐이라고 비판한다. 이를 도표로 표현하면 아래와 같다.

	탈자유주의 신학	자유주의 신학과 그 계승자로서의 재편 신학(revisionist theology)
신학의 과제:	기독교 신앙에 대한 진술 (description)/선포적	신앙에 대한 설명 (explanation) /변증적
주된 목표	기독교 공동체의 양육	기독교 신앙의 지적 가능성/ 공적특성 확보
주된 청중	교회 / 그리스도인들	세상/ 특히 지성 사회
신학 방법	성경과 교회 전통에 대한 기술/ (description)/ 선포적	보편적 인간 구조에 대한 현상학적 분석
약점	분파주의(?) 신앙주의(Fideism ?) 교회 공동체란 안전한 장소로의 도피(?)	기독교적 정체성 약화(?) 이미 사라진 근대주의 세계관의 포로(?)

이제 우리는 다음의 몇 가지로 탈자유주의 신학의 강점과 약점 그리고 앞으로의 전망을 정리하고자 한다.

첫째, 탈자유주의 신학의 공헌은 신학의 과제와 기능이 무엇인가? 하는 중요한 질문을 제기하면서 그 동안의 서구 교회가 다소 소홀하게 다루어 온 교회 공동체에 주어진 말씀에 대한 충실한 기술(description)이라는 신학 본연의 임무를 다시 강조했다는 데 있다. 지난 250여 년 동안 서구의 신학은 근대의 인간 중심주의에 맞추어 기독교 메시지를 재해석하는 데 주로 초점을 맞추다 보니 교회와 사회는 한때 서구를 지배했던 '성경의 언어'를 거의 잃어버렸다. 탈자유주의 신학의 공헌은 이런 상황에서 하나님 말씀에 대한 충실한 진술로서의 신학의 주된 과제를 다시 확보함으로써 교회가 그 말씀에 충실할 수 있는 가능성을 신학적으로 정당화시켰다는 데 있다.

둘째, 탈자유주의 신학은 성경 서사의 중요성을 다시 회복시켰다는 공헌이 있다. 이 신학은 교회가 듣고 따르며 그 정체성을 형성해야 할 것이 바로 성경의 서사임을 잘 말하고 있다. 하지만 여기에서 교회가 듣고 따라야 하는 것이 어떤 성경 이야기냐 하는 질문이 제기된다. 실제로 성경 서사를 문자 그대로 받아들일 때 우리는 거기에서 해방의 메시지뿐 아니라 성차별, 인종차별, 대량 학살(가령 아말렉인들에 대한 무차별적 학살) 등의 억압적 메시지도 보게 된다. 따라서 성경 서사에 충실해야 한다는 탈자유주의 신학의 주장은 그리 간단한 문제가 아니다. 또한 우리는 탈자유주의 신학이 '성경 서사에 대한 문자적 이해(the liberal meaning of the biblical scripture)'란 개념을 서로 다른 두 가지 방식으로 해석하며 이 해석의 방식에 따라 탈자유주의 신학의 방향이 앞으로 크게 바뀔 수 있음에 주목한다. 한 방향은 하나님의 계시가 성경의 서사

(story- telling) 안에 들어 있다. 즉 텍스트의 의미는 텍스트 안에 객관적으로 들어 있으며 따라서 성경의 표준적 의미(The meaning of the Scripture)는 존재한다는 주장이다. 그러나 다른 한 방향은 텍스트의 의미는 교회가 그것을 계속해서 읽어 온 그 의미이며 따라서 성경의 의미는 교회의 성경 해석 안에 있다는 주장이다. 이같은 주장 이면에는 언어는 일종의 게임(language as a game)이라는 비트겐슈타인의 후기 사상이 들어 있다.14) 즉 성경 서사는 그 자체로 표준적 의미를 가지고 있는가? 아니면 그 공동체에 의해 결정되는가? 하는 질문에 있어서 탈자유주의 신학자들 사이에서 의견이 나뉘고 있다. 가령 초기의 프라이는 성경의 서사 안에 그 의미(the meaning) 곧 표준적 의미가 있다는 전자의 관점을 취하나 후기의 프라이는 성경의 분명한 의미(the plain sense of the Scripture)는 교회가 그것을 이해해 온 의미라고 함으로 후자의 관점을 택한다. 티만(Thiemann)과 플레커(Placher) 역시 후자적 견해를 받아들인다. 하지만 플레커는 동시에 성경 안에는 그 이야기(the story)가 있다고 말함으로 논리상 서로 양립할 수 없는 주장들을 같이한다.

특별히 탈자유주의 신학이 후자의 방향으로 나아가서 어떤 본문의 문자적 의미(literal meaning)를 교회가 그 본문을 이해해 온 그 의미(the meaning) 라고 볼 때는 심각한 문제가 생긴다. 곧 이때는 '어느 교회인가? 지배자들의 교회인가? 일반 민중들의 교회인가? 백인 교회인가? 흑인 교회 인가? 또 어느 시대의 교회인가? 또 교

---

14 비트겐슈타인에 의하면 언어는 그 자체로서는 객관적으로 확정된 의미를 가지고 있지 않으며 그것을 사용하는 공동체에 의해 결정된다. 가령 화살표의 의미는 그 자체로 이미 결정되어 있는 것이 아니라 그 화살표를 쓰는 공동체 안에서 만들어진다.

회 안의 누구인가? 목회자인가? 일반 교인들인가?' 하는 질문이 필
연적으로 뒤따르게 되며 결국 성경 해석에서의 걷잡을 수 없는 상
대주의가 일어나게 된다. 이런 상대주의를 피하는 다른 극단은 어
떤 한 해석을 절대화해서 그것에 매달리는 교리적 독단주의
(Dogmatism)일 것이다. 탈자유주의 신학이 성경의 문자적 의미를
교회 공동체가 이해해 온 의미라고 말할 때 결국 독단주의와 상대
주의라는 문제 앞에 서게 될 것이다. 그렇다면 어떻게 이런 양극단
을 제대로 극복할 수 있을까? 이 문제를 어떻게 신학적으로 해결하
느냐가 탈자유주의 신학이 영향력 있는 신학으로 남느냐 아니냐를
결정할 것이다.

셋째, 탈자유주의자들에 의하면 기독교 신앙의 진실성을 검증할
외적, 객관적, 보편적 토대란 존재하지 않는다. 존재하는 것은 오직
그 자체의 언어와 문화를 가진 서로 구별되는 독특한 공동체들뿐
이다. 그리스도 교회 역시 이런 공동체의 하나이며 이제 교회가 할
일은 그 전수를 받은 원래의 언어에 충실하는 데 있다. 즉 탈자유
주의자들은 진리 주장(the truth-claim)의 문제에 관여하지 않는다.
가령 린드벡에 의하면 교리는 그 자체로 옳고 그름을 객관적으로
말할 수 있는 것이 아니라 기독교 공동체 안에서의 질서를 유지하
고 균형을 잡는 문법 내지 룰에 불과하다(doctrine as a regulative
grammar in Christian church). 탈자유주의는 진리 주장의 문제에
있어서 상대주의적인 태도를 취한다. 보편적인 진리 주장을 하지
않음으로 이제 남는 것은 프라이의 경우 하나의 긴 성경 서사(one
long biblical narrative)이며 린드벡의 경우에는 하나의 전체로서의
교회 전통(the church tradition as a whole)이다. 그러나 이 정도로
는 충분할 만큼 정당한 신학의 근거가 되기 어렵다. 분명 신학적
진술은 교회 공동체의 진술이며 신앙 고백적 진술임에 틀림없으나

그것은 또한 어느 정도의 객관적 실재와의 상응성(correspondence)을 가지고 있어야 한다. 이는 신학적 진술의 근거인 교회 안의 말씀이 '보편적' 하나님이기 때문이다.

결론적으로 탈자유주의 신학은 많은 강점에도 불구하고 완결되어 있는 신학적 체계라고 할 수 없다. 그것은 다른 좋은 신학들처럼 여러 가능성과 아울러 그 자체의 강점 및 약점을 지니고 있다. 이 신학이 앞으로 제대로 된 신학으로 오랫동안 영향력을 행사할지 아니면 단지 일시적 운동으로 그칠지는 좀더 시간을 두고 살펴보아야 할 것이다.

참고 도서

Alister McGrath, *A Passion for Truth: The Intellectual Coherence of Evangelicalism* (Downers Grove: InterVarsity Press, 1996), 119-161; *The Genesis of Doctrine: A Study in the Foundations of Doctrinal Criticism.* 영국 옥스퍼드의 복음주의 신학자인 먹그레이스의 이 책들은 복음주의적 시각에서 탈자유주의 신학, 특히 린드벡의 *The Nature of Doctrine*을 잘 비평하고 있다.

William Placher, *Narrative of a Vulnerable God: Christ, Theology and Scripture* (Louisville: Westminster Press, 1994). 제2세대 탈자유주의 신학자인 역사 신학자 플레커의 글은 모두 명쾌하고 통찰력이 있어 읽을 가치가 있다. 이 책은 성경 서사에 근거해서 기독교적 신 이해, 그리스도 이해를 조직적으로 서술하고 있다.

_____, *Unapologetic Theology: A Christian Voice in a Pluralistic Conversation.* Louisville: Westminster Press, 89. 린드벡의 기념비적인 책인 *The Meaning of the Doctrine*에 비교될 만한 책으로 탈자유주의 신학의 정신을 따라 비변증적인 신학을 전개한다.

_____, "Revisionist and Postliberal Theologies and the Public Character of Theology," *Thomist* 49, July 1985. 탈자유주의 신학에 대한 기초적 해설.

David Tracy, "Lindbeck's New Program for Theology: a Reflection," In *Thomist* 49, July 1985. 460-472. 재편주의 입장에서의 린드벡의 신학에 대한 비판. 탈자유주의 신학에 대한 균형 잡힌 이해를 위해 도움이 되는 글이다.

William Placher, "Postliberalism," David Ford(ed), *Modern theologians: An Introduction to Christian Theology in the Twentieth Century* vol. II, (New York: Basil Blackwell, 1989). 탈자유주의 신학에 대한 명확한 개념 정의와 균형 잡힌 비평.

Werner Jeanrond, "The Problem of the Starting Point of Theological

Thinking," In *John Webster (ed), The Possibilities of
Theology.* Edinburgh: T and T. Clark, 1994, 70-89. 신학 방법론
이란 관점에서 탈자유주의 신학을 비평적으로 검토한 글.
Charles L. Campbell, *Preaching Jesus: New Directions for Homiletics
in Hans Frei's Postliberal Theology.* Grand Rapids: William
Eerdmans, 1998. 한스 프라이 신학에 대한 가장 포괄적 연구서.
설교 학자인 저자는 책의 전반부에서는 프라이의 탈자유주의 신
학에 대한 포괄적 해설을, 후반부에서는 이 신학이 어떻게 설교
신학 및 그 방법론에 적용될 수 있는지 검토하고 있다.

제8장 종교 신학

들어가는 말

그리스도 교회는 하나님이 성경, 특히 예수 그리스도를 통해 결정적으로 계시되었다고 주장해 왔다. 이것은 인간의 문화나 세계 종교를 통한 하나님의 다른 계시를 배제하는 것은 아니나 예수 그리스도를 통한 하나님과 그 일에 대한 지식이 하나님에 관한 다른 모든 지식의 규범(norm)이자 완성(consummation)이며 따라서 예수 그리스도만이 구원에 이르는 유일한 길이라는 주장이다.[1]

하지만 예수 그리스도의 절대성에 대한 이런 주장은 발달된 통신과 교통의 결과로 전에는 멀리 떨어져 있던 세계 종교들이 서로 영향을 주고받으며 공존하게 된 지금은 도전을 받지 않을 수 없게 되었다. 오늘의 기독교 신학은 세계 종교들의 의미를 진지하게 고려하지 않으면 안 되게 되었고 그 가운데 점진적으로 기독교 신앙의 빛에서 세계 종교들의 의미를 신학적으로 성찰하는 종교 신학을 형성하기에 이르렀다.[2]

---

[1] Wolfhart Pannenberg, "Religious Pluralism and Conflicting Truth Claims", in *Christian Uniqueness Reconsidered: The Myth of a Pluralistic Theology of Religions*, Gavin D'Costa (ed). (Maryknoll: Orbis Books, 1990), 97.

[2] 실상 근대 신학에 있어서 다른 종교의 의미는 그렇게 문제가 되지 않았으니 이때까지만 해도 여행자나 탐험자 같은 소수의 사람들만이 다른 종교들을

오늘날의 종교 신학의 흐름은 다양하다. 하지만 대략적으로 보
아 다른 종교를 보는 기독교회의 시각은 배타주의, 포용주의, 상대
주의란 다른 종교를 보는 세 가지 유형에 대한 논의를 중심으로 정
리될 수 있다. 이 유형은 알란 레이스(Alan Race)에 의해 1983년
처음 제시되었고3) 비록 여러 형태로 비판받고 또 수정되고 있으
나4) 아직까지 다른 종교를 이해하는 가장 영향력 있고 또 신뢰할

목도했을 뿐이었고 대중들은 그것들로부터 멀리 떨어져 있었다. 다른 종교
의 의미를 진지하게 고려하게 된 것은 세계 선교가 활발하게 일어난 19세기
이후부터였다. 하지만 이때도 다른 종교들은 사람들을 미혹시키는 사탄의
역사나 기껏해야 기독교를 통한 구원의 준비 단계로 이해되었고 다른 종교
속에 하나님의 구원의 은혜가 있다고 본 사람들은 극소수에 불과했다. 이와
같은 이해는 20세기 전반까지 계속되었다. 가령 2차 대전 직전 칼 바르트
신학의 영향을 받은 핸드릭 크래머 (Hendrik Kraemer)는 1938년 인도 탐바
란(Tambaran)에서 열린 세계 선교사 회의(the 1938 World Missionary
Conference)의 준비 문서로 작성된 The Christian Message in a Non-
Christian World에서 모든 종교는 인간이 자기 힘으로 구원에 이르려는 노
력이며 인간 불순종의 표현으로서 하나님의 심판 아래 있다고 주장했다. 다
른 종교를 좀더 진지하고 학문적으로 연구하고자 하는 태도는 제2차 세계
대전 이후 시작되었다. 교통과 통신의 발달로 인해 사람들은 다른 종교들에
대해 좀더 알게 되었으며 특히 대도시 한복판에는 다양한 종교 전통들이 공
존하게 되었다. 사람들은 바로 옆집에 기독교인뿐 아니라 불교인, 도교인, 힌
두교인, 이슬람인들이 함께 살고 있음을 발견하게 되었다. 이런 가운데서 신
학계는 이런 종교들의 의미에 대한 신학적 검토를 하지 않을 수 없게 되었
으며 여기에서 종교 신학 (the theology of religion)이 탄생하여 이미 있던
종교 철학, 종교 심리학, 종교사, 종교 현상학 등과 공존하게 되었다.
3 Alan Race. *Christians and Religious Pluralism* (London: SCM Press, and
  Maryknoll, 1983).
4 이 유형론은 최근에 마캄(Ian Markham)에 의해 비판받았고(Ian Markham,
  "Creating Options: Shattering the 'Exclusivist, Inclusivist, and Pluralist'
  Paradigm," in *New Blackfriars* (January, 1993)) 드코스타(Gavin D'Costa)
  에 의해 지지되었다. (Gavin D'Costa, "'Creating Confusion' A Response to
  Markham," in *New Blackfriars* (January, 1993)). 그러나 드코스타는 최근에
  그의 생각을 바꾸어 이 유형론을 비판한다. 그는 상대주의 역시 일종의 배
  타주의에 불과하며 따라서 오직 배타주의와 포용주의밖에 없는데 그 중 포
  용주의가 보다 적절한 기독교 종교 신학이라고 주장한다. 여기에 관해
  Gavin D'Costa, "The Impossibility of a Pluralist View of Religions" 224f.

만한 모형으로 인정받고 있다.

　배타주의(exclusivism)는 복음을 듣고 명확히 예수 그리스도를 주로 고백하는 이들만 구원을 받는다는 주장이다. 포용주의 (inclusivism)는 예수 그리스도가 하나님의 구원 계시에 있어서 유일하고 표준적인 분이라고 고백하는 점에서 배타주의와 일치하나 그 구원의 범위는 단지 예수 그리스도를 명시적으로 주로 고백하는 사람들을 넘어서서 신비적 방법으로 많은 사람들에게 미친다고 함으로서 구원의 범위를 확장한다. 즉 이 입장에 따르면 구원은 오직 예수 그리스도를 통한 구원이지만 그 범위는 단지 그리스도인뿐 아니라 다른 종교인들, 그리고 비종교인에게도 미친다. 상대주의 혹은 다원주의(pluralism)는 모든 종교는 하나의 궁극적인 신적 실재를 향해 가는 동등한 길들이며, 예수 그리스도는 똑같이 중요한 여러 구원 계시들 중의 하나라고 주장한다.

　배타주의, 포용주의, 그리고 다원주의는 그 성격상 상호 배타적이다. 논리적으로 볼 때 어느 한 유형을 취하면서 동시에 다른 쪽을 같이 취할 수 없다. 그러나 또한 이 세 유형에는 공통 부분도 있으니 첫째, 그리스도론에 있어서 세 유형은 다같이 예수 그리스도가 적어도 진정한 한 중보자 혹은 구원에 이르는 한 길(a way to salvation)임을 인정하고 있다. 또한 세 유형은 모두 교회를 구원의 수단으로 이해한다. 하지만 그들은 예수와 다른 구원의 중보자들 또 교회와 다른 구원의 수단들의 관계에 대해서는 서로 다른 이해를 하고 있다. 즉 그들은 구원에 있어서 예수 그리스도와 교회의 역할에 대해서 서로 다른 이해를 하고 있다.

　이 글에서는 이 세 가지 유형을 좀더 자세히 분석함으로써 다른

in *Religious Studies* 32, 1996.

종교를 대하는 그리스도 교회의 보다 적절한 자세를 탐구하고자 한다. 특별히 각 유형의 특징을 말하는 가운데 그 대표적 신학자들의 주장을 소개함으로써 각각의 유형들의 특징을 분명히 할 것이다. 결론적으로 우리는 교리로서가 아니라 희망과 기도로서의 그리스도 중심의 포용주의를 다른 종교에 대한 기독교인의 자세로 제시할 것이다. 이는 이 관점이야말로 기독교의 정체성을 유지하면서도 다종교 사회 속에서 다른 종교와의 건강하고 생산적인 만남을 가능하게 한다고 보기 때문이다.

1. 배타주의(Exclusivism)

배타주의는 다른 종교를 보는 세 가지 입장 중에서 가장 보수적인 입장이다. 이 관점은 구원자는 오직 그리스도로 고백된 예수뿐이라고 주장한다. 배타주의에 따르면 모든 다른 구원자들은 우상이나 인간이 만든 것에 불과하며 결코 구원으로 인도할 힘이 없다. 구원은 오직 예수 그리스도에 대한 명확한 인격적 지식과 헌신에 의해서만 가능하다.5)

성경은 배타주의적 입장을 상당히 분명하게 지지하고 있다. 가령, "다른 이로서는 구원을 얻을 수 없나니 천하 인간에 구원을 얻을만한 다른 이름을 우리에게 주신 일이 없음이니라"(행 4:12), 또 "예수께서 가라사대 내가 곧 길이요 진리요 생명이니 나로 말미암지 않고는 아버지께로 올 자가 없느니라"(요 14:6). "또 가라사대 너희는 온 천하에 다니며 만민에게 복음을 전파하라. 믿고 세례를 받는 사람은 구원을 얻을 것이요 믿지 않는 사람은 정죄를 받으리라"(막 16:15-16) 등의 구절들을 문자적으로 해석할 때 배타주의는

---

5 J. Peter Schineller, S. J. "Christ and Church: A Spectrum of Views," *Theological Studies*, Vol. 37, (1976. December, No. 4), 549.

분명 성경적 근거를 가지고 있다.

배타주의는 개신교, 특히 복음주의 교회 안에서 분명하게 발견된다.6) 복음주의 교회에 의하면 구원은 오직 예수 그리스도 안에만 있고 또 그를 분명히 주님으로 고백하는 그리스도 교회 안에만 있다. 지난 세대의 가장 중요한 복음주의 문헌 중의 하나인 프랑크푸르트 선언(The Frankfurt Declaration)7)은 이렇게 말한다: "따라서 우리는 창조에 의해 하나님께 속해 있는 모든 비그리스도인들

---

6 로마 카톨릭 교회 역시 한때 배타주의적 입장을 취했고 또 일부는 여전히 그러하다. 하지만 이들의 배타주의는 개신교의 '그리스도 중심적' 배타주의이기보다 '로마 카톨릭 교회 중심적' 배타주의였다. 즉 이 교회는 한때 교회 밖에 구원 없다(*extra ecclesiam nulla salus*)는 말을 오직 로마 카톨릭 교회 안에 속할 때에만 구원이 있다고 해석했다. 이 주장의 기원은 3세기의 키프리아누스(Cyprian)이었고 교황 보니파스 7세(Boniface VII)의 1302년 칙서에서 공식적으로 선포되었다. 플로렌스 공의회(The Council of Florence, 1438-1445)는 "카톨릭 교회 밖에 머무르는 이 곧 이방인뿐 아니라 유대인이나 이단자 또 분리주의자는 영원한 생명에 참여할 수 없다. 만약 그들이 죽기 전에 이 교회에 참여하지 않으면 그들은 악마와 그의 천사들을 위해 예비된 영원한 불 못에 들어갈 것이다"라고 이 입장을 반복했다. H. J. D. Denzinger, *Enchiridion Symbolorum*, 33판 (Barcelona: Herder, 1965). No. 714.
　 하지만 이런 교회 중심적 구원 이해는 1854년 피오 9세(Pius IX)의 칙령에 의해 수정되었다. 그는 불가항력적인 이유로 인해 참된 종교를 몰랐던 사람들은 하나님께 정죄받지 않을 것이라고 선포했다. 또한 로마 교리성은 1949년에 영원한 구원을 얻기 위해서는 사람이 반드시 교회의 일원이 될 필요는 없으나 적어도 구원에의 소망은 가지고 있어야 한다고 주장함으로 소위 '소망의 세례(baptism of desire)' 이론을 말했다. 오늘날 로마 카톨릭 교회의 공식 입장은 배타주의 아닌 뒤에 설명할 포용주의이다.
7 이 선언은 튀빙겐 신학교의 복음주의 신학자 피터 바이에르하우스(Peter Beyerhaus)에 의해 쓰여져서 1970년 3월 4일의 복음주의 신학 연맹에서 수용되고 곧 독일 내의 보수적 교회들의 열광적 지지를 받았다. 보수적 기독교 잡지인 「오늘의 기독교」(*Christianity Today*)는 '가장 감동적인 선교 문서의 하나'로 소개했고 곧 보수적 복음주의 교회의 열정적 환영을 받았다. *Christianity Today*, 14(1970), 843. 인용은 Paul Knitter, *No Other Name?: A Critical Survey of Christian Attitudes Toward the World Religions*, (Maryknoll: Orbis Books, 1985), 79.

에게 그(예수 그리스도)를 믿고 그의 이름으로 세례받을 것을 도전한다. 이는 영원한 생명은 오직 그 안에서 그들에게 약속되기 때문이다."[8] 구원에 있어서의 예수 그리스도의 유일성에 대한 이런 주장은 1974년 7월에 스위스 로잔의 국제 복음주의 대회에서 다시 한번 더 확인되었다. '통합주의, 보편주의, 그리고 복음주의에 대한 거부'를 특징으로 하는 자유주의적 경향에 대한 반발로서 형성된 이 대회는[9] 성경의 절대적 권위, 예수 그리스도의 유일성, 복음전파의 긴급성 등을 특별히 강조한다. 이 대회는 예수만이 유일한 '신인'이며 '하나님과 인간 사이의 유일한 중보자'이기 때문에 "어떤 종류의 통합주의(syncretism)이나 그리스도는 모든 종교들과 이데올로기를 통해 똑같이 말씀한다는 것을 의미하는 대화"를 거부하며 다른 종교에서의 구원 가능성을 완전히 거부한다.[10] 하지만 로잔 선언은 프랑크푸르트 선언과 달리 '그리스도인의 사회적 책임'의 필요성을 분명하게 말한 다음 '다른 종교를 이해하기 위한 진지한 대화의 필요성'도 같이 말한다. 그러나 이 선언 역시 이런 대화를 오직 복음전파의 수단으로만 이해한다는 점에서 다른 종교의 구원의 문제에 대해 배타주의적 관점을 분명히 하고 있다.[11]

---

8   John Hick, *God and the Universe of Faiths* (London: Macmillan, 1973), 129-30. 또한 그의 다른 책 *God Has Many Names*, 36.

9   Quebedeaux, *Worldly Evangelicals*, 59. 인용은 Knitter, 79.

10 *Ibid.* 또한 "Lausanne Congress, 1974," *Mission Trends No 2: Evangelization*, Gerald Anderson and Stransky (편) (New York: Paulist, 1981), 168, 162. 인용은 Paul Knitter, *No Other Name?* 79.

11 "Lausanne Congress, 1974" in *Mission Trends No 2: Evangelization*, 242. 인용은 Knitter, 79. 최근의 다른 복음주의 선언은 이 말의 뜻을 더욱 분명히 해준다. 이 선언에 따르면 다른 종교와의 대화가 필요한 것은 먼저 그들을 이해하지 않고는 회심시킬 수 없기 때문이다. 따라서 종교간의 대화는 오직 복음 선포와 회심의 수단으로만 유효하다. 저명한 복음주의 신학자인 존 스토트(John Stott)에 따르면 대화는 언제나 '회개에로의 부름'으로만 이해되어야 한다. 여기에 대해서 "Dialogue, Encounter, Even Confrontation,"

보수적 복음주의와 마찬가지로 개신교 내의 주류 교회도 예수 그리스도를 구원을 위한 유일한 길로 이해하며 이 점에서 배타주의적이다. 하지만 보수적 복음주의 교회와 달리 개신교 주류 교회는 다른 종교들의 가치를 존중히 여긴다. 일반 계시에 근거하여 개신교 주류 교회들은 다른 종교들도 기독교 교회가 가진 신적 빛과 진리를 공유하고 있다고 본다. 독일의 신학자 알트하우스(Paul Althaus)에 따르면 다른 종교에서 보이는 이 계시는 그리스도 안의 계시와 독립되어 그 자체의 정당성과 효율성을 가진다. 그것은 그 자체로 타당하다. 그것은 그것 자신의 빛을 비춘다. 그것은 예수 그리스도와 그의 복음에 본질적으로 매여 있지는 않다.[12] 에밀 브룬너(Emil Brunner) 역시 이 일반 계시야말로 모든 세계 종교를 가능케 했고 또 유지시키는 힘이라고 주장한다.[13]

하지만 개신교 주류 교회는 종교들 속의 이 일반 계시가 사람에게 구원을 가져오지는 않는다고 함으로서 여전히 배타주의를 고수한다. 즉 개신교 주류 교회에 따르면 하나님의 계시는 다른 종교 안에도 존재하지만 이는 구원으로 인도하는 계시는 되지 못한다. 알트하우스에 의하면 그리스도 밖에도 정녕 하나님의 자기 전달이 있고 따라서 하나님에 관한 지식이 있다. 하지만 그것은 구원 곧 하나님과 인간 사이의 연합으로 이끌지 못한다. 비록 비그리스도인들이 하나님의 사랑의 선물을 경험하지만 그들은 여전히 자기들 힘으로 구원을 성취하려고 한다. 다른 종교들 속에도 진리는 있으

Mission Trends No. 5: Faith Meets Faith, Anderson and Stransky, (편) (New York: Paulist. 1981). 168. 162. 인용은 Knitter. 80.

12 Paul Althaus, *Die Christliche Wahrheit* (Gutersloh: Gutersloher Verlagshaus, 1966), 44. 인용은 Knitter, 99.

13 Emil Brunner, "Revelation and Religion," *Attitudes toward Other Religions*, Owen C. Thomas (ed), (London: SCM press, 1969), 120-22.

나 그것들은 너무나 오류에 빠져 있어서 결국 그곳의 진리는 그 오
류들 속으로 함몰되어 버린다. 브룬너에 따르면 모든 비성경적 종
교들은 아무리 신비적이며 심히 윤리적이어도 거기에서 사람은 그
스스로의 구원을 찾는다. 그가 설혹 신 앞에 굴복해도 그는 그 자
신의 안전을 찾는다.14) 따라서 개신교 주류 교회의 입장에서도 구
원은 예수 그리스도에 대한 명시적 지식과 헌신에 의해 가능하다.

20세기 신학 중에서 아마도 배타주의의 가장 극단적 형태는 칼
바르트가 그의 『교회 교의학』 1-2의 "종교의 극복으로서 하나님의
계시(The revelation of God as the Abolition of Religion)"에서 주
장한 내용일 것이다.15) 바르트에 따르면 계시란 인간은 결코 도달
할 수 없는 하나님의 자기 전달인 반면, 종교는 인간이 스스로의
노력으로 하나님의 뜻을 알려는 시도이다. 이 점에서 종교는 하나
님에 대한 거부이며 반역이다. "종교는 불신앙이다. 계시의 관점에
서 종교는 하나님이 그의 계시에서 무엇을 하시려고 의도하는지
또 무엇을 하시는지를 예상하는 인간적 시도로 명확히 간주된다.
그것은 하나님의 일을 인간의 일로 대치하려는 시도이다."16)

계시와 종교를 이처럼 완전히 다른 것으로 이해한 바르트는 이
제 기독교 자체에 대한 비판으로 나아간다. 그에 의하면 기독교 역
시 하나의 종교로서 다른 모든 종교와 마찬가지로 하나님의 심판
대 앞에 서 있다. 하나의 종교로서의 기독교는 다른 종교보다 특별
히 나을 것이 없다. 기독교를 구성하는 요소들을 자세히 살펴보면
거기에는 다른 종교와 마찬가지로 하나님의 계시에 대해 반역적인

---

14 Brunner, "revelation," *Ibid.*, 122-25.
15 Karl Barth, *Church Dogmatics* (Edinburgh: T and T. Clark, 1956), 1/2, 280-361.
16 *Ibid.*, 299-300.

불신앙 곧 '적극적인 우상 숭배와 자기 의'를 발견하게 된다.17) 따라서 그리스도인들이 명확하게 해야 할 일은 종교에 대한 하나님의 심판을 먼저 스스로에게 적용하는 것이다.18) 그렇다면 어떻게 기독교가 다른 종교와 다른 '참된' 것이 될 수 있을까? 바르트에 의하면 우리는 오직 우리가 '의롭게 된 죄인'을 말하는 것과 같은 의미에서만 "참된 종교를 말할 수 있다."19) 즉 죄인된 인간이 오직 하나님의 은혜에 의해서만 용납받고 구원에 참여하듯 종교도 오직 하나님에 의해서만 그 모든 자연적 죄와 부패에서부터 들려 올림받을 수 있다. 말을 바꾸면 기독교 역시 다른 종교와 마찬가지로 죄에 물들어 있으며 그 자체로는 아무 가치가 없다. 하지만 하나님이 예수 그리스도 안에서 이 종교를 받아들였기 때문에 이 종교는 참된 종교라고 불리워질 수 있다. 즉 기독교는 오직 하나님이 그리스도의 빛을 그 위에 비춰도록 결정하셨기 때문에 참된 종교가 될 수 있다. 따라서 바르트에 따르면 인간의 구원은 오직 예수 그리스도를 통해서만 가능하다. 이 이름은 성경에 의해 알려지며 교회에서 선포된다. 따라서 교회의 복음 전파라는 방법 외에는 다른 종교들은 결코 구원에 참여하지 못한다.20)

2. 포용주의(Inclusivism)

포용주의는 배타주의와 마찬가지로 인간 구원에 있어서 예수 그

---

17 *Ibid.*
18 *Ibid.*, 327.
19 *Ibid.*, 325.
20 최근에 바르트의 종교 신학을 포용주의적 입장으로 이해하려는 시도가 있다. 가령 Trevor Hart, "Karl Barth, The Trinity, and Pluralism," in Kevin J. Vanhoozer(ed), *The Trinity in a Pluralistic Age: Theological Essays on Culture and Religion* (Grand Rapids: Eerdmans, 1997), 124-143.

리스도의 절대성을 주장한다. 포용주의에 따르면 예수 그리스도는 인간 구원에 있어서 중심적 자리를 차지하고 있다. 그리스도야말로 유일한 구원자이니 그를 떠나서는 구원은 없다. 하지만 배타주의와 달리 포용주의는 비록 구원은 예수 그리스도로 말미암으나 이 구원의 은혜는 단지 명시적인 교회의 구성원으로서 그리스도를 주로 고백하는 사람들뿐 아니라 많은 사람들 심지어 예수에 대해 들어 보지 못한 이들에까지 미친다고 본다. 즉 포용주의는 오직 하나의 구원 경륜만 있으며 예수 그리스도야말로 하나님의 규범적 구원 계시로 보지만 이 구원은 우리가 알지 못하는 하나님만 아시는 신비스러운 방법으로 교회 밖에 곧 명시적 그리스도인들 너머까지 미친다고 본다.21) 따라서 포용주의에서는 익명의 기독교 신앙이 가능하다.

포용주의자들은 어떤 근거로 예수 그리스도의 구원의 은혜가 명시적인 교회 밖에까지 미치고 있다고 주장하는가? 카톨릭 신학자 칼 라너에 따르면 "그리스도는 비신자 속에 현존하고 또 역사하며 따라서 그의 성령 안에서 또 성령을 통하여 비기독교적 종교 속에 현존하며 또 역사한다."22) 그는 더 나아가 만약 그리스도인들이 예수 그리스도를 모든 사람의 구원으로 믿고 또 비그리스도인들의 구원도 예수 그리스도와 관계 없는 하나님과 그의 자비에 의해 이루어진다고 생각하지 않는다면 구원의 전 역사와 모든 사람들과의 관계를 통한 예수 그리스도의 이 같은 '현존'은 결코 "그리스도인들에 의해 거부되거나 무시될 수 없다"23)고 주장한다. 존 캅(John Cobb) 역시 그리스도는 우리가 인식하든 하지 않든 존재하는 한

---

21 J. Peter Schineller, S. J. "Christ and Church: a Spectrum of Views," 552.
22 Karl Rahner, *Foundations of Christian Faith*, 316.
23 *Ibid.*, 312.

실재를 가리키고 있으며 따라서 "그리스도는 그가 부인되는 곳에
서도 보인다"24)라고 주장한다.

포용주의를 뒷받침하는 중요한 성경 구절은 디모데 전서 2:4-6
절의 "하나님은 모든 사람이 구원을 받으며 진리를 아는 데 이르기
를 원하시느니라. 하나님은 한 분이시요 또 하나님과 사람 사이에
중보도 한 분이시니 그가 모든 사람을 위하여 자기를 속전으로 주
셨으니 기약이 이르면 증거할 것이라"와 바울이 아테네 사람들 앞
에서 행한 설교의 일부분인 사도 행전 17:23 절의 "내가 두루 다니
며 너희의 위하는 것들을 보다가 알지 못하는 신에게라고 새긴 단
도 보았으니 그런즉 너희가 알지 못하고 위하는 그것을 내가 너희
에게 알게 하리라"25) 등이다. 라너는 이런 구절들에 근거하여 하나
님은 모든 사람의 구원을 원하신다. 그리고 하나님이 원하시는 이
구원은 그리스도에 의해 얻어진 구원이다. 그런데 실제로 예수 그
리스도를 명시적으로 주로 고백하지 않고 죽는 사람들이 허다함을
볼 때 하나님은 우리가 알지 못하는 신비한 방법으로 그리스도를
주로 고백하지 않는 자에게도 구원의 길을 열고 계신다고 보아야
한다고 주장한다.26) 반면 캐나다의 카톨릭 신학자 프레드릭 크로
(Fredric Crowe)는 삼위일체적인 관점에서 포용주의를 주장한다.
그에 의하면 교회는 성령을 이미 일어난 성자의 구원 사역을 현재
화시키는 이로 이해해 왔다. 그로 인해 성령은 언제나 성자에 종속
되었으며 구원은 예수 그리스도를 명시적으로 고백하는 이들에게
만 제한되었다. 여기에서 크로는 성경적으로 볼 때 성자와 성령의

24 John Cobb, *Christ in a Pluralistic Age* (Philadelphia: Westminster Press, 1975), 80.
25 Karl Rahner, *The Christian of the Culture* (New York: 1967), 94-97.
26 Karl Rahner, *Mary, Mother of the Lord*, (New York, 1963). 95.

관계를 뒤집어 이해할 수 있다고 본다. 구약 성경에서부터 살펴보면 그리스도가 오시기 이전에 이미 성령이 전우주적으로 역사하고 있었으며 성자는 이 성령의 사역을 명료화, 구체화 한 분으로 이해할 수 있다. 이것을 구원의 문제로 연결해 보면 이미 성부 하나님은 만민을 향한 구원 의지를 가졌고 성령 하나님은 성부의 구원 의지를 그 우주적 사역을 통해 만민들에게 드러내셨으며 성자 하나님은 성부의 마음에 있었으며 성령을 통해 신비적 방법으로 사람들에게 전해졌던 것을 명확하고 구체적인 형태로 드러내었다고 말할 수 있다. 따라서 그는 이미 성령 안에서 성부 하나님의 구원의 은혜에 참여했으나 아직 그리스도 예수를 모르는 사람들이 있을 수 있다고 보며 이런 사람들을 익명의 성령인(anonymous Spiritians)라고 부르자고 제안한다.27)

　포용주의의 구원 이해는 분명 "교회 밖에 구원 없다"는 명제에 대한 해석에 있어서 배타주의보다 포괄적이다. 이 이해에 따르면 구원은 철저히 예수 그리스도로 말미암으나 꼭 그리스도인이 아니라도 구원받을 수 있다. 그러나 이런 주장은 곧 복음 전파로서의 기독교 선교의 의미에 대한 질문을 제기한다. 만약 비기독교인과 다른 종교 속에 이미 그리스도의 구원의 은혜가 있다면 구태여 그리스도를 전파할 필요가 없지 않는가? 이 질문에 대해서 포용주의는 비그리스도인들과 다른 종교 속의 그리스도의 구원의 은혜는 그리스도의 교회에 주어진 것처럼 분명하고 또 능력이 있지 못하기 때문에 복음 증거는 필요하다고 답변한다. 크로에 의하면 만약 하나님이 성령으로 충분했다면 예수 그리스도를 보내시지 않았을

---

27 Fridrick Crowe, "Son of God, Holy spirit, and World Religions," in Fredrick Crowe, *Appropriating the Lonergan Idea* (Washington, D. C.: Catholic Christianity of American Press, 1988), 324-343.

것이다. 하지만 하나님이 구원의 길을 명확히 하기 위해 그의 아들을 보내셨다면 우리 역시 그 아들의 복음이 명확하게 보일 수 있도록 전해야 한다고 주장한다. 즉 포용주의적 입장에 의하면 선교란 피선교자들로 하여금 이미 그들에게 주어진 하나님의 구원의 은혜를 더 명확히 할 수 있도록 그리스도 교회에게 주어진 예수 그리스도의 구원의 은혜를 다시 선포하는 것이다. 따라서 포용주의 입장에서도 전통적인 복음 전파는 무시될 수 없다. 다만 이때 선교의 자세는 배타주의의 경우와 달리 좀더 포괄적이며 상호 존중적이 된다. 카스퍼(Walter Kasper)는 이 같은 포용주의적 선교의 자세를 다음과 같이 말하고 있다. "기독교의 절대적 주장에 근거해 있는 교회의 선교는 원리적으로 보이는 공동체 밖에서도 구원받을 수 있는- 개개인을 구원하는 데 있기보다- 하나님의 사랑을 제시하며 희망을 증거하며 그리하여 나라들 사이에 한 표식으로 존재하는 것"이라고 표현하고 있다.

실상 포용주의의 선교에 대한 이런 이해는 선교에 대한 건강한 이해라고 할 수 있다. 선교 신학자 레슬리 뉴비긴이 말하듯이 선교의 주된 동기는(그것이 아무리 선한 것이라고 해도) 구원받지 못한 사람들에 대한 인간적인 동정도 아니며 더욱이 어떤 강박적 책임의식도 아니다. 그 참된 동기는 인간에게 있지 않고 하나님께 있다. 선교는 교회 공동체에게 주어진 하나님의 놀라운 메시지 곧 십자가에 달린 그리스도 안에서 온 세상이 하나님과 화해하였고 이제 새로운 삶을 살게 되었다는 메시지를 기쁨으로 선포하는 것이다.[28] 실제로 사도행전에 기술되어 있는 대부분의 복음 선포는 초대 그리스도인들의 변화된 삶에 대한 사람들의 관심 어린 질문들에 대

---

28 레슬리 뉴비긴, 『다원주의 사회에서의 복음』, 황영철 역 (서울: 한국 기독 학생회 출판부, 1995).

한 응답의 형태로 이루어지고 있다(가령 오순절의 베드로 설교, 사
도들과 스데반의 심문, 빌립이 이디오피아 내시에게 받은 질문, 고
넬료 집안에서의 베드로, 비시디아 안디옥에서의 바울의 설교). 즉
첫 그리스도인들의 삶에 일어난 놀라운 일들에 대해 사람들은 충
격을 받았으며 무엇이 이런 변화를 가져 왔는지 알고 싶어했다. 그
래서 이들은 질문했고 그 질문에 대한 응답으로서 복음 곧 그리스
도와 그의 나라에 대한 이야기가 선포되었다. 즉 선교는 하나님이
하신 놀라운 일로 인한 기쁨의 폭발이며 소개였지 영혼 구원에 대
한 긴박감에 의해 이루어진 것이 아니었다. 선교는 우리의 일이 아
니라 하나님의 일이었다: "교회는 선교 사명의 대행자가 아니라 선
교 사명의 장소이다."[29] 레슬리 뉴비긴은 이를 "선교의 시작이 우
리 자신의 행동이 아니라 새로운 실재의 현존, 곧 능력 가운데 나
타나는 하나님의 성령의 현존에 의한 것이라는 사실을 아무리 강
조하여도 지나치지 않다. 신약 성경 전체가 이를 증거하고 또한 전
시대를 걸쳐 오면서 교회는 선교 경험을 통해 이것이 사실임을 증
거하고 있다"[30]고 말한다.

만약 레슬리 뉴비긴의 말처럼 선교는 하나님이 하신 일에 대한
기쁨의 폭발이라면 포용주의적인 선교 이해는 다분히 설득력을 갖
게 된다. 선교가 이렇게 이해될 때 교회는 하나님이 비그리스도인
과 다른 종교 속에서 하신 일에 대해 주의를 기울이며 그것을 존중
하면서 교회 자체에 주신 놀라운 하나님의 은혜를 나눌 수 있다.
이 점에서 포용주의는 그리스도 교회에 주신 하나님의 은혜의 절
대성을 고백하면서 동시에 다른 종교와 비그리스도인들을 존중히
여기며 선교의 사명을 감당할 수 있는 좋은 자세라고 할 수 있다.

29 *Ibid.*, 195.
30 *Ibid.*, 195-96.

3. 다원주의(Pluralism)

배타주의와 포용주의가 구원은 오직 예수 그리스도의 구원이라고 주장함으로서 그리스도 중심적인데 비해 다원주의는 구원은 오직 신 혹은 궁극적 실재에 달려 있다고 함으로 보다 신 중심적, 혹은 실재 중심적(reality-centered)인 구원 이해를 하고 있다. 다원주의는 만일 하나님이 모든 사람이 구원받기를 원하신다면 하나님의 구원 사역의 많은 부분은 다른 종교들을 통해 이루어진다고 보아야 한다고 주장한다. 대표적인 종교 다원론자인 쫀 힉(John Hick)에 따르면 이 세계에는 하나의 보편적이며 궁극적인 실재가 있고 종교들은 이 실재에 대한 다양한 형태의 반응에 불과하다. 그리고 이 종교들이 비록 무척 다양한 형태로 존재하지만 그 중심에는 이 궁극적 실재에 대한 동일한 경험이 있다.[31] 즉 모든 종교들에 의해 경험되고 또 그들의 거룩한 경전들을 통해 표현된 궁극적인 신비는 동일한 것이며 다만 그 문화- 언어적 구조의 차이 때문에 그 표현에서 서로 달라질 뿐이다. 이 같은 주장을 뒷받침하기 위해 그는 인간 인식 너머에 존재하는 선험적 세계(the noumenal world)와 인간 의식에 나타나는 현상적 세계(the phenomenal world)를 구별하는 칸트의 통찰에 의지한다.[32] 그에 의하면 유신론적이든, 무신론적이든 다양한 종교 전통들 안의 다양한 현상적 반응들은 선험적 실재(the noumenal reality)에 대한 진정한 그러나 서로 다른 반응들이다. 가령 인격 종교로서의 기독교나 무인격적 종교로서의

---

31 John Hick, *Interpretation of Religion*, 10-11; *A Christian Theology of Religions* 40.
32 Hick, *God Has Many Names*, 103-6. Cf. *The Interpretation of Religion*, 246f. *The Metaphor of God Incarnate*, 140f.

불교는 동일한 선험적 진리(the noumenal truth)에 대한 서로 다른
두 가지 현상적 표현들(phenomenal expressions)이다.33) 힉에 따
르면 예수나 석가는 바로 이 궁극적인 실재에 대한 신비적 체험을
했던 신비가들이며 이들은 그 체험을 그들의 문화-언어적 상황 속
에서 인격주의적으로(예수) 혹은 무인격주의적으로(석가) 서로 다
르게 표현했다. 즉 예수와 석가의 경험은 동일한 것이었으나 그들
이 처해 있는 사회 문화적 환경 속에서 이들의 경험은 각각 기독교
와 불교라는 형태로 다르게 표현되었다. 결국 세계 종교들의 뿌리
는 바로 한 궁극적 실재에 대한 체험이며 이것은 그 문화적, 언어
적 상황에 의해 한편으로는 하나님, 야훼, 시바, 이스바라, 알라 등
의 인격주의적 언어로, 다른 한편으로는 무인격적인 용어인 브라
만, 도(Tao), 니르바나, 신성(Godhead) 등으로 현상화되었다.34) 따
라서 그에 의하면 우리는 실재 그 자체가 그것의 표현들인(하늘의
아버지의 경우처럼) 사랑과 정의 혹은 브라만의 경우처럼 의식과
축복과 같은 특징을 가지고 있다고 말할 수 없다.35) 그렇다면 세계
종교들은 결국 궁극적인 한 실재로 가는 동등한 통로들이다. 이들
은 우리들로 하여금 자아의 집착에서 벗어나 궁극적인 실재를 향
해 가도록 하며 사랑과 자비로 살아가게 해준다. 따라서 교리적인
면에서 종교 사이의 우열을 말할 수 없다. 어떤 종교의 우수성을
보일 수 있는 유일한 길은 그 궁극적 실재에 합당하게 더욱 도덕적,
영적으로 살아가는 길뿐이다.

따라서 힉에 의하면 예수 그리스도는 하나님 혹은 궁극적 실재
로 가는 유일한 길이 아닌 그 한 중보자(a mediator)일 뿐이다. 예

---

33 Hick, *The Interpretation of Religion*, 375.
34 *Ibid.*, 244ff.
35 *Ibid.*, 247.

수 그리스도 외에 이 궁극적 실재로 인도하는 많은 중보자들이 있다. 또 다른 종교 다원론자인 인도 출신의 라이문도 파니카(Reimundo Panikkar) 역시 비슷한 주장을 한다. 그는 한 역사적 인물로서의 예수와 그리스도를 구분한다. 그에게 있어서 그리스도는 신과 인간 그리고 세계를 통합하는 보편적 구세주(the universal redeemer)를 뜻한다.36) 이 그리스도는 세계 종교들을 통하여 여러 모습으로 나타났으니 기독교에서는 예수라는 역사적 인물로, 힌두교에서는 라마 (Rama), 크리슈나(Krishna), 이슈바라(Isvara), 푸루샤(Purusha) 등의 신화적 인물로 나타났다. 따라서 예수는 유일하고 독특한 중보자는 아니다.37) 물론 예수는 그리스도의 한 현현이며 그를 믿는 자는 분명히 신적인 구원에 참여할 수 있으나38) 이것이 그가 그리스도의 유일한 현현이며 구원의 독점자란 말은 아니다. 기독교는 그리스도를 온전히 소유했다고 주장할 수 없다. 오히려 그리스도가 기독교와 힌두교 그리고 다른 종교들을 소유하고 있다.39) 그리고 만일 그리스도가 기독교뿐 아니라 힌두교와 다른 종교 속에도 현존하고 있다면 힌두교인들 역시 이 그리스도로 말미암는 구원에 참여하고 있다. 이들은 기독교가 아니라 그들 자신의 종교를 통해 말로 표현할 길 없는 이 구원의 신비에 참여할 수 있다. 따라서 "진

---

36 Reimund Panikkar, *The Trinity and the World Religions*, 69.

37 Panikkar, *Unknown Christ of Hinduism*, 121.

38 Panikkar, "Instead of a Foreword: An Open Letter," 1988, xii. 인용은 Camilia Gangasingh MacPherson, *A Critical Reading of the Development of Raimon Panikkar's Thought on the Trinity.*, 124.

39 *The Unknown Christ*, 20-21. 다른 곳에서 그는 또한 "힌두교에서 만나는 그리스도는 동일한 그리스도이다. 두 그리스도가 있는 것이 아니라..."라고 주장한다. Panikkar, "Confrontation between Hinduism and Christ," *Logos*, 10. 1969. 51. 인용은 Cheriyan Menachery, *Christ: the Mystery in History; a Critical Study on the Christology of Raymond Panikkar* (New York: Peter Lang, 1996), 72.

실하고 선한 힌두교인들은 그리스도에 의해... 힌두교의 성례들을 통해, 힌두교를 통해 그에게 전해져 내려온 신비에 의해 구원받는다."40)

만약 예수 외에 다른 많은 중보자가 있으며 종교들은 그 자체로 구원에의 길들이라면 그리스도 교회의 선교는 도대체 어떤 의미가 있는가? 확실히 다원주의에 있어서 영혼 구원으로서 선교의 자리는 없다. 다원주의의 관점에서 볼 때 교회의 우선적 관심은 교회의 숫자를 늘리거나 그리스도인으로 회심시키는 데 있지 않고 하나님 혹은 이 궁극적 실재의 뜻이 이 땅에 이루어지도록 하는 데 있다. 기독교적 용어로 표현하면 교회의 우선적 관심은 이 땅에 하나님의 나라가 임하도록 사랑과 정의 진리와 평화를 위해 헌신하는 데 있다. 따라서 이런 이해에 의하면 그리스도인이 된다는 것은 그 자체로 목적이 되거나 완결된 것이 아니라 하나의 시작에 불과하다. 그리스도인의 우선적 책임은 종교인이든 비종교인이든 가릴 것 없이 그들과 협력하여 이미 우리 가운데 구원의 능력으로 임해 있는 이 궁극적 실재 혹은 하나님의 뜻을 수행하는 데 있다. 그것은 우리가 만나는 사람들로 하여금 더욱 열려진 채로, 또 더욱 창조적이며 건강하게 이 궁극적 실재를 따라 살아가도록 하는 것이며 또 특별히 종교인들에 대해서는 그들의 종교를 통해 이것을 성취하도록

<hr>

40 *The Unknown Christ*, 54. 다른 곳에서 파니카는 그의 기독론적인 명제를 이렇게 요약한다. 1) 하나님은 모든 인류가 구원에 이르기를 원하신다. 2)구원의 수단들은 사람들의 종교성에 의해 제공되며 일반적으로 세계 종교들 속에서 발견된다. 3) 믿음 없이는 구원이 없으나 이 믿음은 기독교인들이나 혹은 어떤 특정 집단들의 전유물이 아니다. 그리스도는 주님이지만 주님이 오직 예수만은 아니다. 4)그리스도는 유일의 중보자이나 그리스도는 그리스도인의 독점물이 아니며 그 이름이나 형태에 관계없이 모든 진정한 종교들 속에서 역사하고 있다. Reimundo Panikkar, "Inter-religious Dialogue: Some Principles," *Journal of Ecumenical Studies*, 12 (Summer, 1975): 408-409.

도전하고 자극을 주는 것이다. 한 선교 신학자는 이런 태도를 아래와 같이 요약하고 있다: "교회는 인류 세계의 구원을 위한 표시와 성례로 존재하는 의무를 가진다. 그것은 불교로 하여금 그것 자체의 구원의 역사를 따라 진보하도록 하며 또 불교도로 하여금 더 나은 불교도가 되도록 하는 식으로 일해야 한다."41)

4. 평가

지금까지 우리는 기독교 신학이 세계 종교를 이해하는 세 가지 중요 관점을 다루었다. 배타주의에 따르면 구원은 오직 예수 그리스도를 명시적으로 알고 고백하는 그리스도 교회 안에서 가능하다. 포용주의 역시 구원은 오직 예수 그리스도에 의해서만 가능하나 그 범위는 하나님의 신비한 사역에 의해 그리스도를 명시적으로 고백하지 않는 이들까지 포함한다고 주장한다. 따라서 이 입장에서 구원은 오직 기독교적 구원이나 그것은 교회 밖의 다른 종교 속에서도 가능하다. 다원주의는 그리스도와 기독교 신앙의 최종성 내지 우월성을 포기하며 구원에 이르는 다양한 길이 있다고 본다. 그럼 이 세 가지 입장 중 어느 것이 올바른 기독교적인 세계 종교 이해인가? 이 질문은 특히 우리 나라처럼 종교 다원적인 상황 속에 있는 나라에서는 대단히 중요하다. 왜냐하면 종교 사이의 평화 없이 사회와 나라의 평화와 발전이 없으며 또 하나님 나라의 확장이 없기 때문이다.

이제 우리는 세 가지 근본적인 질문을 던짐으로 배타주의, 포용주의, 다원주의의 세 가지 입장을 평가하고자 한다. 첫째 질문은 이 세 가지 주장 중 무엇이 예수 그리스도는 유일의 구세주라는 기독

---

41 M. Zago, "Evangelization in the Religious Situation of Asia," *Concilium*, 114 (1979): 74.

교의 가장 기본적 주장에 부합되는가 하는 것이다. 둘째는 어떤 관점이 성경이 말하는 구원에 대한 일반적인 증언에 충실한가 하는 질문이다. 셋째는 어떤 것이 기독교 교회가 역사 속에서 보여 왔던 정복주의, 승리주의적 자세를 극복함으로 생산적이고 건강한 종교 간의 만남을 가능하게 하는가 하는 질문이다. 첫 번째와 두 번째 질문은 그리스도교 신앙의 정체성과 연관된 질문이며 세 번째 질문은 종교적 다원 사회 속에 있는 기독교 신앙의 관계성 혹은 연관성(relevance)에 관한 질문이다. 이 세 가지 질문을 던짐으로 우리는 우리가 다룬 세 모형 중 희망으로서의 포용주의가 우리 시대의 그리스도 교회가 가져야 할 관점임을 말하고자 한다.

4-1. 첫째 질문: 어떤 관점이 예수 그리스도는 유일한 구세주라는 기독교의 근본적 주장에 충실한가?

배타주의, 포용주의, 다원주의 중에서 어떤 접근법이 예수 그리스도를 유일의 구세주로 고백하는 기독교의 근본적 주장에 가장 충실한가? 이 질문은 우리가 다름 아닌 "기독교적" 종교 신학을 지향하고 있다는 점에서 중요하다. 이는 기독교 신앙에서 가장 본질적인 주장은 예수가 곧 그리스도라는 주장이기 때문이다.

신약 성경에 의하면 예수는 인간 구원에 있어서 아주 독특한 자리를 차지하고 있다. 신약은 예수를 단지 그리스도의 한 현현 이상의 존재로 본다. 그것은 역사적 인물인 예수가 바로 그리스도라고 가장 분명하고 단순하게 말하며 또한 이 주장이야말로 역사적 기독교의 중심을 차지하고 있다. 예수가 그리스도이며 오직 그를 통해 구원이 주어진다는 주장이 없이는 기독교 신앙은 성립할 수 없다. 따라서 기독교 종교 신학은 이 주장을 포기할 수 없다. 마이클 그린(Michael Green)은 이를 비유적으로 말하여 "헤드라이트나, 몸체, 혹은 심지어 브레이크 없는 차도 차일 수 있으나 엔진이 없는 것을 애초에 차라고 할 수 없듯이 그리스도의 유일성 없이는 기독교 신앙이 아니다"라고 적절히 말하고 있다.[42] 따라서 올바른 '기독교' 종교 신학은 예수가 바로 그리스도이며 또 그리스도는 바로 예수이며 이 예수 안에서만 인간의 구원은 가능함을 분명히 말해야 한다. 이 점에서 Jacques Duphis는 예수는 기독교 신앙에서 그 어떤 다른 종교의 창시자가 갖지 못하는 독특하며 중심적 자리를 차지하고 있다고 바로 말하고 있다.[43] 위르겐 몰트만 역시 "예수가 하나님의 그리스도로 인정받는 곳은 어디든지 기독교 신앙은 발견된다. 이것이 의심받거나 희미해지거나 거부되는 곳은 어디든지 간에 기독교 신앙은 더 이상 존재하지 않으며 역사적 기독교의 풍성함도 함께 사라진다"[44]라고 주장한다.

---

42 Michael Green, (ed). *The Truth of God Incarnate* (Grand Rapids: Eerdmans, 1977).
교황 요한 바오로 2세(Pope John Paul II) 역시 전통적 기독교 신앙은 예수가 유일한 그리스도임을 고백하는 데 있다고 말한다. 그의 연두 교서인 Redemptoris Missio에서 그는 "그리스도는 하나님을 계시할 수 있고 하나님께로 이끌 수 있는, 모든 이를 위한 단 하나의 구세주이다"라고 선포한다. 또한 사도행전 4장 8, 12절의 베드로의 고백인 "너희가 십자가에 못 박고 하나님이 죽은 자 가운데서 살리신 나사렛 예수 그리스도의 이름으로 이 사람이 건강하게 되어 너희 앞에 섰느니라... 천하 인간에 구원을 얻을 만한 다른 이름을 우리에게 주신 일이 없음이니라"를 인용하면서 그는 이 말은 모든 사람들에게 보편적 가치를 가진 말이며 그리스도란 다름 아닌 나사렛 예수라고 선포한다. John Paul II, *The Mission of Christ the Redeemer*, 13.
43 Jacques Duphis, S. J. *Jesus Christ at the Encounter of World Religions*, (Maryknoll: Orbis Books, 1989), 93.
44 Jurgen Moltmann, *The Crucified God* (Minneapolis: Fortress Press, 1993), 82. 물론 이 주장은 믿음의 선포이지 오늘의 침례교 신학이 시도하듯이 객관적으로 검증될 수 있는 성격의 것은 아니다. 이는 엄밀한 객관이란 없으며 설혹 그런 것이 있어서 기독교 신앙의 진리성이 검증될 수 있다 해도 그때는 그 검증의 기준이 복음보다 더 우위에 서기 때문이다. 그때 기독교 신앙은 더 이상 신앙이 아니라 단지 합리적 논증으로 축소될 것이며 또한 우

따라서 구원에 있어서 예수 그리스도의 유일성을 거부하는 다원주의는 '기독교적' 종교 신학으로는 적절치 못한 '비기독교적' 접근법이다. 다른 종교를 대하는 기독교적으로 정당한 종교 신학은 그리스도 예수의 독특성과 최종성을 그 기본적 규범으로 삼고 있어야 한다. 반면 배타주의와 포용주의는 그들의 그리스도 중심성으로 인해 이 같은 기준을 적절히 만족시키고 있다. 배타주의는 오직 그리스도만이 유일의 구원자이며 이 예수 그리스도에 대한 명시적 신앙만이 구원의 길로 이끌어 간다고 믿음으로 이 기준을 만족시키며 포용주의 역시 비록 구원이 명시적 그리스도인들밖에도 존재한다고 말하지만 그 구원은 예수 그리스도의 구원이라고 함으로서 이 기준을 만족시킨다.45)

4-2. 둘째 질문: 어떤 관점이 성경과 기독교 전통의 일반적 증언에 충실한가?

첫 번째 질문과 마찬가지로 이 질문도 기독교의 정체성에 대한 질문이다. 기독교 신앙은 원천적으로 그리스도로 고백된 예수에 근거한다. 그러나 이 예수는 성경에 의해 알려진다. 따라서 모든 신학적 사고는 성경에 근거해야 하며 성경의 정신에 의해 평가, 판단되어야 한다. 이것은 종교 신학에 있어서도 마찬가지이다. 그러면 성경은 비그리스도인들의 구원에 대해 어떻게 이해하고 있는가?

우선, 다원주의는 성경적 근거를 충분히 가지고 있지 못하다. 신

리가 믿는 하나님은 전 인격적 결단으로 따라갈 분이 아니라 단지 하나의 보편적 원리가 될 것이다. 따라서 그리스도인들뿐 아니라 다른 종교인들 역시 그들 종교의 우월성이나 독특성, 심지어 유일성을 주장할 권한을 가지고 있다. 여기서 요점은 그리스도의 유일성에 대한 고백은 객관적으로 논증할 수 없으나 신앙의 핵심이기 때문에 다른 종교를 대할 때 결코 포기될 수 없다는 것이다.

45 J. Peter Schineller, S. J. "Christ and Church: a Spectrum of Views," in *Theological Studies*, Vol. 37, (1976. December, No. 4): 549.

약 성경은 예수 그리스도 외의 다른 구원자를 알지 못한다. 성경은 하나님의 구원의 은혜는 철두철미하게 예수 그리스도를 통해 이 세상에 주어짐을 말하고 있다.

배타주의의 경우 상당히 많은 성경적 지지를 받고 있는 것으로 보인다. 성경은 예수 그리스도 외에 우리에게 다른 구원자가 없다고 말한다. 더 나아가 성경은 예수 그리스도를 믿는 자가 구원을 받는다고 말하다. 따라서 성경은 언뜻 볼 때 오직 예수 그리스도에 대한 명시적 지식과 믿음으로만 구원에 이른다고 주장하는 것처럼 보인다.

하지만 성경을 자세히 보면 배타주의적 모델과 일치하지 않는 성경 구절들이 있다. 성경은 우선 하나님은 모든 사람이 구원에 이르기를 원하신다고 말한다.[46] 하나님의 구원의 의지는 소수의 그리스도인들에게만 있지 않고 온 세계의 모든 사람을 향해 있다는 말이다. 또한 사도 바울은 로마서 1:18-32에서 하나님의 계시는 예수 그리스도의 복음 이전부터 또 그것과 독립적으로 이미 존재한다고 말하고 있다. 그것은 창조와 인간 경험이란 보편적인 실재 안에서 이미 일어나고 있다. 바울은 로마서 2장과 7장에서 이방인들의 마음속에 쓰여져 있는 하나님의 율법이 있다고 말하며 이 율법은 다름 아닌 그리스도를 명시적으로 알지 못하는 이들의 마음속의 법과 동일한 것이라고 말한다. 더 나아가 요한복음 서문(요한 1:1-14)은 모든 사람의 빛이자 생명인 로고스가 선재했으며 이 로고스가 다름 아닌 창조와 구원의 중개자였다고 말한다. 특별히 여기에서 인상적인 것은 신약에서의 예수 그리스도 자신의 증언이다. 예수는 모든 나라의 사람들이 하나님 나라에 참여할 것을 예상하

---

46 디모데 전서 2:4.

면서 그때 예수와 그의 선포가 사람들이 하나님 나라에 들어가기
에 적합한지 아닌지를 결정하는 궁극적 기준이 될 것이라고 말한
다.47) 즉 예수와 그가 전한 메시지가 그를 알지 못했던 사람들에게
도 하나님 나라 백성이 되느냐 되지 않느냐의 기준이 될 것이란 말
이다. 마태복음 25:40에는 많은 사람들이 비록 예수를 몰라도 그들
의 행위에 근거해서 하나님 나라에 들어갈 수 있을 것이라고 말한
다. 따라서 이런 말씀들이 의미하는 것은 비록 이스라엘 백성이나
그리스도 교회에 속하지 않아도 많은 사람들이 예수와 그의 나라
에 참여할 수 있다는 것이다. 즉 그들의 삶이 얼마나 예수의 사역
과 선포에 가까운가에 따라 그들의 최종적 운명이 결정될 것이다.
따라서 이런 본문들에 의하면 예수는 단지 그리스도 교회에 속해
있는 사람들에게뿐 아니라 온 세계 모든 사람들에게 구원의 주로
존재한다. 그의 교회의 구성원들은 이 사실을 분명히 알고 있으나
교회 밖의 사람들은 이것을 모르고 있다는 것 외에 그들의 영원한
운명은 동일하다. 예수는 교회 안과 교회 밖 모든 사람들에게 영원
한 구원의 주로 존재한다. 이와 같은 증언은 결국 포용주의의 입장
이 된다. 배타주의와 마찬가지로 포용주의 역시 신약의 지지를 받
고 있다. 신약 성경은 한편으로 구원은 예수 그리스도에 대한 명시
적 신앙으로 가능하다고 말하면서 동시에 이 구원의 신비는 명시
적 그리스도인들을 넘어 온 세계에 미친다고 말한다. 이 점에서 우
리는 칼 브라텐(Carl Braaten)의 말처럼 신약 성경은 하나님의 구
원은 교회 밖의 다른 곳 다른 종교들 속에서도 일어나고 있을 수
있음을 암시한다고 할 수 있다.48)

---

47 누가 복음 13:29, "사람들이 동서남북으로부터 와서 하나님의 나라 잔치에
　참석하리니"
48 Karl Braaten, *No Other Gospel!: Christianity among the World's Religions*

이제 고대 교회의 전통을 살펴보기로 하자. 실제 고대 교회 때는 배타주의 아닌 포용주의적 사고가 더 주도적이었다. 2세기의 변증가 순교자 져스틴(Justin Martyr)은 온전한 로고스는 예수 그리스도 안에서 나타났으나 부분적인 로고스의 '씨앗'들은 온 세계 역사에 흩어져 있다고 말함으로.다른 종교, 문화 속에서의 구원의 가능성을 말했다. 더 나아가 초대 교회 때부터 예수 그리스도가 십자가 죽음 이후 죽음의 세계로 내려 가셨으니 이는 온 인류를 대변하는 인물인 아담을 구원하러 가신 것으로 주로 이해되었으며 그 이후 기독교 역사에서 가장 빈번한 성화의 주제로 그려졌다.49) 즉 그리스도 중심적 포용주의는 그 뿌리를 예수의 가르침과 초기 교부들에 근거하고 있으며 이 점에서 배타주의와 함께 심각한 고려를 받을 자격이 있다. 판넨베르크는 이 점에서 교회 밖에 구원이 없다는 배타주의는 초기의 보다 포용적이며 유연한 포용주의가 후대에 경화된 것으로 이해한다.50) 특히 예수 그리스도 오기 전에 이미 많은 사람들이 살았고 또 인류 역사 속에 예수 그리스도에 대해 들어보지도 못하고 죽은 엄청나게 많은 사람들이 있는 것을 생각해 볼

(Minneapolis: Fortress Press, 1989), 68f.

49 Pannenberg, "Religious Pluralism and Conflicting Truth Claims" in *Christian Uniqueness Reconsidered*, 98f.

50 이런 맥락에서 우리는 배타주의를 지지하는 가장 대표적인 구절인 "다른 이로서는 구원을 얻을 수 없나니 천하 인간에 구원을 얻을 만한 다른 이름을 우리에게 주신 일이 없음이니라"(행 4:12)를 포용주의적 관점에서 읽을 수 있다. 판넨베르크에 따르면 이 구절은 예수를 명시적으로 아는 사람만 구원을 얻음을 말하지 않고 구원은 오직 예수 그리스도를 통해 이루어짐을 말한다. 이 구절은 구원이 명시적 믿음을 가진 사람에게만 미친다라고 분명하게 말하지 않는다. 이 구절은 그리스도를 통한 구원의 은혜가 보편적으로 열려 있을 가능성을 배제하지 않으며 따라서 포용주의를 지지하는 구절로 이해될 수 있다. Pannenberg, "Religious Pluralism and Conflicting Truth Claims," in *Christian Uniqueness Reconsidered*, 100f.

때 포용주의는 배타주의보다 더 설득력을 가지는 것처럼 보인다. 어쨌든 포용주의는 배타주의만큼이나 성경적, 교회사적 근거를 많이 가지고 있음을 볼 수 있다.

4-3. 셋째 질문: 어떤 관점이 기독교 정복주의(Christian imperialism)를 극복하면서 건강한 종교간의 만남과 대화를 가능하게 하는가?

앞의 두 질문과 달리 이 질문은 기독교 신앙과 구체적 현실과의 연관성(relevance)에 대한 질문이다. 신학은 기독교적 정체성을 유지함과 동시에 상황적 연관성을 같이 확보할 수 있어야 한다. 이것은 종교 신학의 경우도 마찬가지이다.

기독교는 오랫동안 그 정복주의적, 승리주의적 태도로 인해 많은 비판을 받아 왔다. 실상 근세 선교의 역사는 그 빛나는 위업에도 불구하고 서구 열강의 세계 지배와 식민지 쟁탈과 운명을 같이 해왔다. 서구 교회의 선교가 식민지 지배와 너무 결합되어 있었기에 2차 세계 대전 이후의 신생 독립국들의 '예수는 좋다 그러나 기독교는 싫다'는 서구 교회에 대한 거부는 사실상 자연스러운 결과였다. 따라서 종교 신학에서 중요한 것은 기독교 역사를 얼룩지게 했던 기독교 승리주의를 어떻게 극복할 수 있는가? 어떻게 다른 종교인들을 참된 이웃으로 대하고 그들의 문화와 종교 전통을 깊이 존중하면서도 동시에 예수 그리스도의 복음에 대한 확신으로 복음 전파를 감당할 수 있는가? 하는 질문이다.

우선 언뜻 볼 때 다원주의야말로 이 면에서 가장 적절한 관점으로 보인다. 다원주의자들은 구원에 있어서 기독교의 유일성을 포기하지 않고서는 결코 기독교 승리주의를 극복하지 못하며 또 진정한 종교간의 대화에 나서지 못한다. 따라서 세계의 모든 종교가 하나님께로 나아가는 다양한 길들임을 고백하는 다원주의야말로 종교간의 대화에 있어서 상대방을 진정 존중하면서 가장 창조적인 결과를 가져올 수 있다고 주장한다. 힉에 의하면 그리스도인들이 예수의 독특성과 유일성을 포기할 때에만 기독교 교회는 진정한 종교간의 만남과 대화를 가능하게 할 수 있다.[51]

하지만 다원주의가 진정 기독교 승리주의를 극복하고 참된 종교 간의 대화를 가능하게 하는지는 의심스럽다. 이는 진정한 대화는 자기 자신의 고유성과 독특성을 유지할 때만 가능하기 때문이다. 진정한 종교간의 대화는 대화에 참여한 이들이 각자의 독특성과 고유성을 유지하면서 상대방을 진지하게 듣고 배우려 할 때만 가치가 있고 또 생산적이 된다. 즉 종교 사이의 최선의 대화는 그 참여자들이 모두 자기의 종교에 대한 깊은 헌신과 확신을 가지고 있을 때 가능하다. 그때에만 서로 잘 들을 수 있고 배울 수 있으며 마침내 자기의 종교 전통을 더 풍요하게 할 수 있다. 죤 캅(John Cobb)이 말하듯이 진리는 확신의 결여가 아닌 자기 비판 및 배움에의 갈망을 동반한 강한 확신 속에서 가장 잘 발견될 수 있다.[52]

---

51 다른 곳에서 힉은 종교간의 대화는 추론적 신학적 대화(discursive theological dialogue), 내적 대화 (interior dialogue), 그리고 실천적 대화(practical dialogue)의 세 가지 수준에서 이루어질 수 있다고 말한다. *God Has Many Names*, 116. 하지만 힉이 주로 관심을 가지는 것은 첫 번째인 추론적 신학적 대화이다. 그는 이 대화 방법을 다시 각자의 대화 참여자가 자기 신앙이 절대적 진리를 가지고 있다는 확신 속에 행하는 고백적 대화(confessional dialogue)와 그 어떤 종교도 완전한 진리를 소유하고 있지 못하다는 겸손한 인식에서 나오는 진리 추구적 대화(truth-seeking dialogue)로 구분한다. 그에 의하면 고백적 대화로는 결코 건강하고 생산적인 종교간의 대화를 성취할 수 없다. 이는 이 같은 방식은 결국 회심이 아니면 서로의 차이점만 확인하고 끝나기 때문이다. 힉에 의하면 고백적 대화가 아닌 진리 추구적 대화에서만 진정한 종교간의 대화가 가능하다. *Ibid.* 121f.

52 John Cobb, *Beyond Dialogue* (Philadelphia: Fortress Press, 1982). 45-46. 또한 여기에서 레이몬드 파니카의 효율적인 종교간의 대화의 원칙을 기억하는 것이 도움이 된다. 그에 의하면 효율적이며 생산적인 종교간의 대화는 자기의 종교 전통에 대한 올바른 지식과 헌신, 전통 안의 중요한 것과 부차

따라서 예수의 독특성이 문제가 될 때 종교간의 대화에 참여한 그리스도인들은 그것을 분명하게 주장하고 또 그 이유를 말해야 한다. 아마도 그때 다른 종교의 대표자들도 자기 종교의 창시자에 대해 비슷한 주장을 할 수 있을 것이다. 하지만 이런 확신에 찬 서로 간의 대화와 또 경청과 비판을 통해 참여자들은 그들이 그리스도를, 마호멧을, 또 부처를 중심적 인물로 고백하는 것이 무엇을 뜻하는지 더 분명하게 이해하게 된다. 마침내 그들은 상대방의 믿음의 이유와 근거에 대해 더 깊은 이해를 가지고 그 장소를 떠날 수 있게 된다. 따라서 대화의 참여자들이 대화 이전이나 도중에 그들 종교의 주장과 독특성을 포기해야 할 이유는 결코 없다. 오히려 참되고 생산적인 종교간의 대화는 참여자들이 그들의 믿음을 계속 유지할 때 제대로 이루어진다. 하지만 다원주의는 그 종교의 절대적 주장을 포기함으로 자신의 주장을 상실해 버리며 결국 상대주의 내지 실용주의적 태도 외에는 가지고 있을 것이 없게 된다.

배타주의의 경우 기독교 승리주의 및 정복주의를 벗어나서 진정한 종교간의 대화로 나아가기에 문제가 있다. 여기에는 크게 두 가지 이유가 있다. 첫째, 배타주의는 다른 종교들의 존재 의미를 진지하게 고려하지 않기 때문이다. 배타주의에 의하면 다른 종교들은 단순히 신성 혹은 절대적 진리를 찾으려는 인간의 헛된 노력이거

적인 것을 구분하는 능력, 그리고 다른 종교들에 대한 존중과 지적 개방성, 배우려는 자세가 있을 때 가능하다. Panikkar, *The Unknown Christ of Hinduism*, (London: Darton, 1964), 3, 7, 11f. "The Sermon on the Mount of Interreligious Dialogue," in *Journal of Ecumenical Studies* 22, (Fall 1985): 773. "The Internal Dialogue-The Insufficiency of the so-called phenomenological 'Epoche' in the religious Encounter," in *Religion and Society* 15, (1968, 3). 1968. 55f. 인용은 Cheriyan Menacherry, *Christ: the Mystery in History; a Critical Study on the Christology of Raymond Panikkar*, (New York: Peter Lang, 1996), 26-7.

나 기독교로 오기 위한 준비 단계 정도에 불과하다. 따라서 배타주의로서 다른 종교인들을 진정 존중하며 그들에게서 배우려는 자세를 기대하기 어렵다. 아울러 이 입장은 기독교만이 참된 종교라는 의식을 벗어버릴 수 없어서 결국은 기독교 우월주의에 빠지게 된다. 지난 200여 년 동안의 정복주의적인 기독교 선교가 여기에 관한 역사적 예들을 많이 보여주고 있다. 둘째, 배타주의는 성공적인 종교간의 대화를 사실상 불가능하게 만든다. 많은 배타주의자들에게 있어서 종교간의 대화란 단지 복음 전파의 한 수단에 불과하며 그 이상은 믿음의 타협으로 보일 것이다. 여기에는 자기 확신, 상대방에 대한 존중, 배우려는 자세 등의 진정한 종교간의 대화를 가능하게 하는 요소가 빠져 있다. 그렇다면 결국 다원주의나 배타주의 아닌 예수 그리스도에 대한 확신과 함께 이 그리스도가 상대방의 종교 속에서 어떤 모습으로 나타나는지 진지하게 듣고 배우려는 포용주의적 입장이 결국 다원주의 사회에서 가장 적절한 자세가 될 것이다.

결론: 희망으로서의 포용주의

지금까지 우리는 다른 종교를 대하는 종교 신학의 세 가지 입장인 배타주의, 포용주의, 다원주의의 특징 및 그 강점과 약점을 살펴보았다. 이상에서 얻은 결론으로 우리는 이 세 가지 모형에 대해 다음과 같이 평가할 수 있다. 첫째, 다원주의는 성경과 기독교 전통이 주장해 온 예수 그리스도의 유일성과 절대성을 충실히 반영하지 못하며 또 그 상대주의적 태도로 인해 건강하고 생산적인 종교간의 대화를 가능하지 못하게 한다. 따라서 이 입장은 우리 시대에 적절한 종교 신학이 될 수 없다. 배타주의의 경우 그것이 그리스도 예수의 중심성을 주장한다는 점에 있어서 기독교 전통에 부합되나 그 배타성으로 인해 진정한 종교간의 만남과 대화를 이끌어 내기 어렵다. 이에 비해 포용주의는 구원에 있어서 그리스도의 절대성을 주장하면서도 그 구원의 범위를 보편적인 것으로 이해하며 또한 자기 종교에 대한 확신과 함께 상대방의 종교 전통을 존중히 여김으로 상호간의 성숙을 이끌 수 있는 강점을 가지고 있다. 하지만 포용주의가 그 자체로 완전히 옳은 관점일 수는 없다. 이는 구원 문제에 대한 성경의 증언에는 배타주의적인 요소(오직 예수 그리스도를 명시적으로 주로 고백하는 자가 구원을 받는다)가 분명히 있으며 포용주의(예수 그리스도의 구원은 명시적 교회를 넘어 보편적으로 확장된다)의 요소는 열린 가능성으로만 있기 때문이다. 여기에서 우리는 하나의 고정된 교리로서의 포용주의를 받아들이기 어려움을 발견한다. 우리는 우리가 받은 성경과 교회 전통에 근거해서 하나의 고정된 형태로서의 포용주의를 주장할 수 없다. 세계의 구원의 문제는 하나님의 선하신 의지에 달려 있다. 따라서 우리가 할 수 있는 것은 예수 그리스도 안에서 우리에게 주어진 구원의 은혜가 하나님의 크신 사랑과 은혜로 인해 온 세상의 모든 사람에게 미칠 것을 희망하고 기대하는 것이다. 이 점에서 보편 구원의 문제 또 다른 종교 속에 구원이 있는가 하는 문제는 열려져 있는 질문이다. 그것은 고정된 교리로서가 아니라 희망과 소원, 그리고 기도의 언어로 존재한다. 우리는 다른 종교들 속에 하나님의 구원의 은혜가 깃들여 있을 가능성을 진지하게 고려하면서 그들의 믿음을 존중히 여기고 배워야 할 것이다. 동시에 우리 소망의 이유인 그리스도를 담대히 전할 수 있어야 할 것이다. 참으로 하나님은 만민이 구원에 이르기를 바라신다. 우리는 이것을 희망하며 기도한다. 하지만 이것은 고정된 하나의 불변의 진리 아닌 오직 희망과 기도의 언어로 말해질 수 있다.

참고 도서

폴 니터, 『오직 예수 이름으로만?』 변선환 역. 서울: 한국 신학 연구소,
  1986. 원제는 *No Other Name?: A Critical Survey of Christian
  Attitudes Toward the World Religions, Maryknoll: Orbis
  Books*, 1985. 이미 종교 신학 분야의 고전이 된 책. 풍부한 자료와
  명확한 분석으로 다른 종교를 보는 여러 관점들을 서술하고 있다.
Braaten, Karl. *No Other Gospel!: Christianity Among the World
  Religions*, Minneapolis: Fortress Press, 1989. 미국의 루터파 신
  학자인 브라텐의 글모음으로 배타주의와 포용주의 중간적 입장에
  서 세계 종교를 보는 관점을 서술하고 있다.
Huston Smith, *The World's Religions*, New York: HarperSanFrancisco,
  1991. 1958년 이후 백오십만 권 이상이 팔린 *The Religions of
  Man*의 확대 개정판으로 세계의 주요 종교들에 대한 탁월한 소개
  서이다.
John Cobb, *Beyond Dialogue*, Philadelphia: Fortress Press, 1982. 과정
  신학자이며 생태 신학자, 종교 신학자인 콥은 이 책에서 포용주의
  적 입장에서 다른 종교와의 대화, 특히 기독교와 불교의 대화를
  다루고 있다.
Gavin D'Costa *Theology and Religious Pluralism*, New York: Basil
  Blackwell, 1986. 드코스타는 대표적인 포용주의자로서 다원론자
  들과 논쟁하고 있다.
John Hick, *God Has Many Names*, Philadelphia: Westminster, 1982;
  *The Metaphor of God Incarnate: Christology in a Pluralist
  Age*, Louisville: Westminster, 1993; The Myth of God Incarnate.
  London: SCM Press. 1979. 대표적인 다원론자인 존 힉의 글들.
  그의 글은 아주 명확하고 논리적이어서 읽을 가치가 높다.
John Hick and Paul Knitter (eds), *The Myth of Christian Uniqueness*.
  Maryknoll: Orbis Books, 1987. 종교 다원론자들의 글 모음집. 이

글에 대한 반박으로 나온 것이 Gavin D'Costa (ed) *Christian Uniqueness Reconsidered,* New York: Orbis Books, 1990. 이다. 이 두 책을 비교하면 포용주의와 다원주의 사이의 논쟁을 세부적으로 잘 알 수 있다.

Schineller, J. Peter. S. J. "Christ and Church: a Spectrum of Views," in *Theological Studies,* Vol. 37, (1976. December). 다른 종교를 보는 기독교의 여러 시각을 정리하기에 탁월한 글.

제9장 포스트모던 신학

들어가는 말:

포스트모던 신학(postmodern theology)은 근대와 그 정신은 이
미 사라지고 탈근대(postmodern era)가 왔다는 관찰 속에 그 시대
정신과 부합하는 신학을 전개하려는 운동이다. 그런데 실상 포스트
모더니즘(postmodernism/ 탈근대주의) 혹은 포스트 모더니티
(postmodernity/ 탈근대성) 자체가 규정하기 어려운 애매한 말들이
며1) 이 점에서 포스트 모던 신학도 무엇이라고 꼭 꼬집어 말하기

1　포스트모더니즘(postmodernism)이란 말은 그 전에도 쓰이기는 했으나 1970
　년대 중반 이후, 특히 리요타르(Jean-Francois Lyotard)의 *La condition
　postmoderne*(『포스트모던의 조건』, 1979) 이후 본격적으로 사용되기 시작했
　다. 하지만 그 뜻은 여전히 모호하며 학자에 따라 다양하게 이해된다. 일반
　적으로 보아 포스트모더니즘은 우리 시대의 사상적 경향을 지칭하는 말이며
　포스트모더니티(postmodernity)는 이런 사상이 지배하는 시대를 가리킨다.
　이런 점에서 어떤 이들은 포스트모더니티는 말할 수 있으나 포스트모더니즘
　이란 실체가 분명치 않은 것이라고 주장하기도 한다. 포스트모던 운동이 본
　격적으로 가시화된 것은 1960년대에 예술, 건축, 사상의 영역에서 나타난 반
　근대주의적 작업에서이다. 어떤 문학 평론가는 모더니즘의 대표적 인물인
　엘리어트(T. S. Eliot)가 죽은 1965년을 포스트모더니즘의 시작으로 잡는다.
　Jerome Mazzaro, *Postmodern American Poetry* (Urbana: University of Illinois
　Press, 1980), viii. 인용은 신국원, 『포스트모더니즘: 우리 시대의 사상과 문화
　에 대한 기독교적 조망』 (서울: IVP, 1999), 15.). 반면 건축가인 찰스 젱크스
　(Charles Jencks)는 가장 근대적인 효율성으로 지어진 프루이트-아이고우
　(Pruitt-Igoe) 주택 단지가 더 이상 사람이 살 수 없는 곳이 됨으로 결국 폭
　파시킬 수밖에 없었던 1972년 7월 15일 오후 3시 32 분이 그 기점이라고 주

가 어렵다. 실상 포스트모던 신학은 하나의 체계적이고 통일된 신학이 아니라 탈근대성을 의식하면서 전개되는 서로 다른 여러 신학들을 지칭한다. 따라서 여기에서는 포스트모던 신학을 구체적으로 살피기보다 모더니즘(근대주의)과 그 반동으로 나온 포스트모더니즘의 주된 특징을 살펴본 다음 이런 시대에 신학은 어떤 모습을 가져야 하는가 하는 점을 간단히 검토하도록 하겠다.

1. 근대주의(modernism)란 무엇인가?

포스트모더니즘은 모더니즘에 대한 비판 및 대안으로 나왔다. 포스트모더니즘은 근대 정신 곧 모더니즘이 잘못된 정신적 기반 위에 서 있었다고 보며 이를 극복하려고 시도한다. 따라서 포스트모더니즘을 이해하기 위해서는 우리는 먼저 계몽주의 이후 근대의 정신적 특성을 먼저 이해할 필요가 있다.

대략 1750년경에 서구 정신사에서 하나의 중요한 사상적 변화가 일어났다. 흔히 계몽주의 시대(the Enlightenment era)라고 불리는 이 때부터 서구의 문화 풍토는 근본적인 변화를 겪게 되었으니2)

장한다. Charles Jencks, *The Language of Post-modernism Architecture* (London: Academy Editions, 1984), 9. 인용은 신국원, 15. 그외 포스트모던이란 용어의 기원에 관한 좀더 상세한 논의는 Margaret Rose, "Defining the Post-Modern," in *The Postmodern Reader*, ed. Charles Jencks (New York: St. Martin's Press, 1992), 24ff.

2 계몽주의는 역사적 사건으로 볼 때는 삼십 년 전쟁의 끝(1648)에서 프랑스 대혁명까지, 사상사적으로는 프란시스 베이컨의 신 기관(*Novum Organum*, 1620)에서 칸트의 『순수 이성 비판』(*Critique of Pure Reason*, 1781)에 이르는 약 150여 년을 말한다. 이 시기는 인간 자율성의 시기요 이성의 시기였으며 역사의 진보에 대한 낙관으로 특징지워지는 시기였다. 계몽주의 시대의 최대의 사상가이며 또한 그 극복자였던 칸트는 이 시기의 특징을 "계몽은 인간이 그 스스로 취한 속박에서 풀려나는 것이다. 속박이란 인간이 다른 사람의 지시 없이는 그의 이성을 사용할 수 없는 인간의 무능력이다... 감히 알려고 시도하라(*sapere aude*)! 이것이 계몽의 표어이다"라고 표현했

우리는 다음의 네 가지를 근대의 주요한 특징으로 말할 수 있다.

1) 자율적 인간 (autonomous man)

근대의 인간은 자율적 인간 곧 삶과 행위의 근거와 규범을 자기 안에서 찾는 존재이다. 이 점에서 근대인은 고대와 중세의 인간과 완전히 구별된다.

중세기의 인간은 하나님 앞에 서 있는 인간이었다. 그는 그의 삶의 의미와 가치를 그가 하나님의 피조물이라는 데서 찾았다. 모든 권위는 인간 밖의 영원한 하나님의 세계로부터 왔으며 지상의 삶은 내세를 위한 준비 단계로 이해되었다. 그리고 사람들은 하나님으로부터 온다고 믿어진 외적 권위 곧 종교적으로는 교회, 세속적으로는 국가(왕)에게 복종함으로 이 영원한 천상의 나라를 준비하도록 요청되었다. 그러나 계몽주의 시대에 이르러 인간은 스스로를 신 아닌 자기 앞에 서 있는 존재 곧 스스로 인생을 만들어 가는 자율적이며 이성적 존재로 이해하기 시작했다. 먹기페르트(A. C. Mcgiffert)는 이 같은 근대에 등장한 자율적 인간상을 다음과 같이 요약한다: "사상과 문화의 모든 세계는 변형되었다... 초자연적 능력에의 의존, 외적 권위에의 복종, 시간의 영원에의 종속 또 사실의 상징에의 종속... 인간의 죄와 세계의 악에 대한 엄숙한 의식, 실재에 대한 정적인 해석... 개선은 무덤 너머의 다른 세계에서만 가능하다는 믿음- 중세를 특징짓던 이 모든 것이 널리 극복되었다. 사람들은 그들 자신에 대한 새로운 확신과 인간의 능력 및 업적에 대한 새로운 인식 그리고 현재적인 가치들에 대한 새로운 인정으로

다. Immanuel Kant, "What Is Enlightenment?" trans. and ed., W, Beck. (Chicago, 1955), 286. 인용은 James C. Livingston, *Modern Christian Thought: from the Enlightenment to Vatican* II (New York: Macmillan Publishing, 1971), 1.

삶을 직면했다."3)

즉 근대는 인간의 자율성에 근거한 인간 중심적 시대이다. 이런 인간 중심주의는 프랑스의 철학자 르네 데카르트에게서 분명히 나타나며 근대의 가장 뚜렷한 특징이 되었다.4)

2) 기계적이며 객관적인 세계 이해(the world as a machine)

근대의 두 번째 주요 특징은 세계를 고정된 법칙에 의해 움직이는 객관적 실재, 곧 하나의 기계와 같은 것으로 이해하는 데 있다. 서기 1600년 전까지의 유럽의 지배적 세계관은 대부분의 다른 문명처럼 유기적이었다. 중세 과학은 이성과 신앙의 두 기둥 위에 서 있었고 과학의 주목적은 사물의 예측과 통제보다는 신이 만든 세계의 의미와 중요성을 이해하는 것이었다. 즉 과학의 목표는 창조 세계의 질서를 이해함으로 조화로운 삶을 사는 지혜를 얻는 데 있었다.5) 여기에서 우리는 이 시대의 세계 이해와 동양 사상 특히 도교 철학의 무위(無爲) 사이의 유사성을 볼 수 있다.

하지만 17세기에 이르러 이런 유기체적이며 생명체적이며 정신

3　A. C. McGiffert, *The Rise of Modern Religious Ideas* (New York, 1921). 인용은 James C. Livingston, 2.

4　근대의 인간 중심주의와 그 인식론의 기초를 쌓은 르네 데카르트는 그의 『방법 서설』에서 모든 확실한 지식의 근거를 생각하는 인간에서 찾는다. 그에 의하면 이 세상의 모든 진리 주장은 그것이 설혹 신적인 권위나 전통에 근거해 있더라도 다 의심스럽다. 하지만 적어도 한 가지 의심할 수 없는 것이 있으니 곧 지금 의심하고 있는 '나(ego)'가 존재한다는 것은 결코 의심할 수 없다. 바로 여기에서 출발하여 그는 모든 지식의 근거를 생각하는 나(Thinking 'I') 곧 생각하는 존재로서의 인간에서 찾았다. 그의 표현을 빌리면 "나는 생각한다. 고로 존재한다(*cogito ergo sum*)." 이처럼 모든 존재와 인식의 근거를 인간에게 의존하는 인간 중심주의야말로 근대의 가장 뚜렷한 특징이다.

5　Fritjof Capra, *The Turning Point* (New York: Simon Schuster, 1982). 인용은 한국어 역인 이성범, 구윤서, 『새로운 과학과 문명의 전환』 (서울: 범양사, 1985), 50.

적인 우주 이해는 기계론적 세계 이해로 대치되었다. 이 시대의 과학자 갈릴레오는 자연을 정밀한 법칙에 의해 움직이는 하나의 기계와 같이 보았으며 철학자 프란시스 베이컨은 실험에서 일반적 결론을 얻고 다시 실험을 통해 그 결론을 확증하는 귀납법을 가장 믿을 만한 지식을 얻는 방법으로 믿었다. 그리고 갈릴레오와 베이컨이래 과학의 목표는 자연을 지배하고 통제하는 지식의 획득에 있게 되었으며 그 결과 반생태계적이 되었다. 곧 17세기부터 유기체적 자연관은 기계적 자연관으로 대치되었다.

세계를 이처럼 고정된 불변의 법칙에 따라 움직이는 객관적 실재로 보는 이해는 근대의 최고의 과학자인 뉴턴(Issac Newton)에게 분명히 드러난다. 뉴턴에 의하면 세계는 ①정확한 수학 법칙에 따라 작용하고 있는 하나의 거대한 기계이다. ②모든 물리 현상은 절대 공간과 절대 시간 상에서 일어난다. ③공간은 그 자체의 본성에 있어서 외부의 어떤 것과도 관계 없이 언제나 동일하며 정지 상태로 있다. ④시간 역시 절대적인 것으로서 물질적 세계와 독립적으로 과거에서 현재를 거쳐 미래로 일정하게 흘러가고 있다. ⑤이 절대 공간과 절대 시간 속에 있는 모든 것들은 더 이상 나눌 수 없는 최소한의 입자들로서 구성되어 있다. ⑥이 세상의 모든 것들은 결코 틀릴 수 없는 인과율에 의해 유지되며 그 관계되는 자료들을 알면 그 행동과 위치를 완전히 정확하게 예측할 수 있다(결정론 / 決定論).6)

---

6 카프라, 59-61. 뉴턴은 이런 고정된 세계가 하나님으로부터 왔다고 생각했다. 즉 하나님은 세계를 더 이상 나눌 수 없는 원소들의 조합으로 만드셨고 그 속에 결코 바뀔 수 없는 법칙으로 이 세계를 만드셨다고 믿었다. 그는 그의 책 『광학』(Opticks)에서 "태초에 신이 물질을 이렇게 창조했을 것으로 나는 생각한다. 즉 견고하고 질량을 가졌으며 딱딱하고 투과할 수 없고 움직일 수 있는 입자의 형상으로 물질을 빚으셨으며 당신의 창조 목적에 가장 잘

3) 궁극적 규범으로서의 인간 이성 (reason as the ultimate criteria)

근대는 인간 이성을 신뢰한 시대였다. 근대인은 인간은 그 이성적 능력으로 참된 지식을 알 수 있으며 또 그렇게 얻어진 지식은 선하며 합리적이며 객관적이라고 믿었다. 첫째, 근대의 사상가들은 지식의 선함을 믿었다. 그들은 프란시스 베이컨의 "아는 것이 힘이다"라는 말처럼 지식의 증가가 곧 삶의 풍요를 보장해 준다고 확신했으며 이 확신 속에서 교육의 중요성을 강조했으므로 모든 사람들이 교육받을 권한이 있다는 오늘날의 보편 교육에 대한 믿음은 이 때에 형성되었다. 오늘날 한국 사람들 속에 깊이 들어 있는 '교육을 잘 받으면 성공한다'는 생각 역시 이런 계몽주의적 믿음을 반영하고 있다. 둘째로 근대의 사상가들은 지식이 합리적 구조를 가지고 있기 때문에 인간 이성으로 검증될 수 있다고 믿었다. 따라서 이들은 합리적 지식, 특히 수량화하고 통제할 수 있는 소위 과학적 지식을 중시했으며 이 점에서 물리학을 가장 엄밀한 학문으로 보았다. 반면 이성적으로 검증되지 않는 모든 것은 공론화할 가치가 없는 단순한 의견(opinion)으로 치부해 버렸다. 그 결과 초자연적인 세계를 다루는 종교(신, 영혼의 문제, 불멸)와 미적 차원과 연관된 예술은 모두 미신이든지 아니면 개인적인 취향으로 간주되었다. 셋째, 근대의 사상가들은 지식의 보편성을 믿었다. 이들은 어떤 지식이 참되면 그것은 곧 시공을 초월해서 언제나 어디서나 참되다고 생각했다. 즉 근대는 모든 사람이 옳다고 동의할 수밖에 없는 보편적 지식과 윤리가 있다고 믿었고 그것을 찾으려고 시도했다. 뒤에

이바지할 수 있도록 크기와 모양과 그리고 공간에 대한 비율을 결정하셨으리라. 이들 원초적 입자는 고체이며 비할 바 없이 단단해서 이들은 결코 닳지도 조각나지도 않는다. 신이 몸소 빚으신 이 최초의 창조물을 어떤 세속의 힘도 나눌 수 없으리라"라고 말한다. 인용은 카프라, 62.

살펴보겠지만 이런 보편성(universality)이란 애초에 존재하지 않으며 보편성을 말하는 자체가 억압적이라는 의식과 함께 탈근대주의는 시작된다.

4) 진보에 대한 믿음(belief in progress)

근대 정신의 또 하나의 주요 특징은 역사의 진보에 대한 믿음이다. 인간의 자율성과 그 이성적 능력을 믿은 근대인은 시간이 지남에 따라 미래는 모든 면에서 현재보다 나아질 것이라고 확신했다. 과거의 역사는 암흑이었으나 인간의 지성이 계속 발전됨에 따라 시간이 가면 갈수록 좋아질 것이다. 이를 위해 이들은 교육의 기회를 넓히기 위해 노력했고 또 최선을 다해 노력하는 인간이 되어야 한다고 주장했다(근면한 인간으로서의 근대인- 부르죠아지).

진보에 대한 이런 믿음은 두 가지 결과를 가져왔다. 첫째 역사의식의 약화이다. 근대인에게 중요한 것은 미래이지 과거는 아니다. 과거는 미신과 맹목의 시대이며 모든 좋은 것은 미래에 있는 것으로 생각되었다. 이런 생각 속에서 과거를 진지하게 다루면서 그 역사를 통해 배운다는 것은 거의 불가능했다.[7] 둘째, 역사의 진보가 이루어지지 않을 때 근대 정신은 근본적인 위기에 빠질 수밖

---

7 이런 계몽주의의 진보에 대한 믿음은 유럽의 경우 과거 역사를 존중히 여기는 로망주의(Romanticism)에 의해 많이 극복되었다. 하지만 신대륙인 북미주, 특히 미국은 그 개척자 정신(frontier spirit)에서 보듯 거의 전적으로 진보 이념에 의해 형성되었다. 캐나다의 신학자 더글라스 죤 홀(Douglas John Hall)에 따르면 오늘날 북미주의 문제는 진보의 꿈은 깨어졌으나 그것을 대신할 정신 세계는 아직 형성되지 않았다는 데에 있다. Douglas John Hall, *Thinking the Faith: Christian Theology in a North American Context* (Minneapolis: Fortress Press, 1991), 145-196, 228-235. 잘 살아 보세 노래와 새마을 운동으로 대변되는 1970년대의 박정희 정권의 개발 독재 시대 이후의 한국 역시 근대적 진보 이념에 붙잡혀 온 사회였다. 그리고 오늘 우리 사회의 혼란의 일부 요인도 IMF 대란에서 보듯 진보의 꿈은 깨어졌으나 그것을 대신할 새로운 공동의 목표를 아직 만들지 못한 데 있다고 할 수 있다.

에 없다. 실상 20세기 들어서 세계는 1, 2차 대전 600만 명의 유대인 대학살, 대경제 공황, 월남전, 미소 냉전 체제 등의 역사의 진보를 의심할 수밖에 없는 갖가지 부조리한 경험들을 하게 되었으며 이런 경험은 역사의 진보에 대한 믿음을 근본적으로 무너뜨려 버렸다. 탈근대주의는 바로 근대의 진보 이념에 대한 반동이며 거부이다.

2. 포스트모더니즘의 도전

위에서 우리는 근대가 자율적 존재로서의 인간, 객관적이며 기계적인 세계, 궁극적 규범으로서의 이성(지식의 선함, 검증 가능성, 보편성에 대한 믿음), 그리고 역사의 진보에 대한 확신이란 네 가지 기둥 위에 세워져 있었음을 보았다. 탈근대주의는 이런 근대 정신이 이제는 더 이상 역할을 하지 못하며 실제로 파산해 버렸다는 의식에서 출발한다. 계몽주의의 계획(the Enlightenment Project: Habermas)이 회복 불능 상태가 되어 버렸다는 주장은 이미 19세기의 철학자 니이체(Friedrich Nietzsche, 1844-1900)에게 나타나며 또한 하이데거(Martin Heideggar, 1889-1976), 푸코(Michel Foucault, 1926-1984), 데리다(Jacques Derrida, 1930-) 등에게 보인다. 좀더 구체적으로 탈근대주의 사상가들은 근대주의에 대해 다음의 것들을 주장한다.

1) 자율적 존재 아닌 관계적 존재로서의 인간

포스트모던 사상가들에 의하면 근대에서 인간의 자율성이란 하나의 신화에 불과하다. 이들에 따르면 인간의 정체성을 생각하는 자로서의 고독한 자기(self) 혹은 의식(consciousness)에서 찾았던 근대의 데카르트적인 인간 이해는 허구이다. 그 자체로 독립적으로 있는 생각하는 주체자로서의 인간이란 존재하지 않는다. 인간이란 오히려 본성적으로 관계적 존재이며 관계 안에서 그가 누구인지 결정된다. 즉 인간은 자기 충족적인 자율적 존재 아닌 타인과 세계에 의존되어 있으며 그 의존성 안에서 자기를 파악하는 자이다. 따라서 인간과 다른 생명체를 질적으로 완전히 구분하는 것은 그 자체로 벌써 의심스럽다. 인간은 여러 생명체와 나란히 있는 또 하나의 생명체에 불과하다. 이렇게 주장함으로 포스트모더니즘은 모더니즘에 비해 환경 친화적 특징을 갖는다.

2) 기계 아닌 역동적인 유기체로서의 세계

포스트모던 사상가들은 세계를 기계적 실재로 이해했던 근대 정신을 거부한다. 이들에 따르면 세계에 대한 올바른 은유는 기계이기보다 하나의 역동적 유기체 혹은 생명체이다. 여기에서 포스트모던 사상가들은 인간만 관계적 존재일 뿐 아니라 이 세상 모든 것이 관계의 망 속에 연결되어 있음을 주장한다. 이들에 의하면 세계는 주체와 대립되어 있는 관찰의 대상으로서의 객관적 실재가 아니라 주객 도식이 극복된 관계의 망으로 둘러 쌓인 신비한 실재이다. 그것은 더 이상 나누어질 수 없는 입자들이 모여서 된 것이 아니라 끊임없이 변화하고 움직이는 관계들의 연속이다.[8] 탈근대의 사상가들은 러시아의 시인 예프투센코의 "오늘 내 눈에서 흘러내린 눈물은 내일 지구 저 편에서 비가 되어 내린다"라는 시구처럼 온 세계를 미래를 향해 열려 있고 끊임없이 움직이며 변화되어 나가는 하나의 신비체로 이해한다. 이처럼 실재를 하나의 유기체 내지 끊임없이 연결되어 있어 계속 변화하는 관계의 망으로 보는 점에서

---

8 James B. Miller, "A Emergence of Postmodern World," in *Postmodern Theology*, 세계 신학 연구원 편역, 『포스트모던 신학』 (서울: 동광 출판사, 1990), 34-38.

탈근대의 실재 이해는 세계를 정적인 유기체(static organism)로 본 고전 시대의 이해나 근대의 기계론적이며 이원론적 이해와 확연히 구분된다. 그리고 이런 실재 이해는 특히 20세기 초기 이후의 현대 물리학의 발견에 의해 더욱 공고히 되었다.9)

---

9 현대 물리학의 두 가지 큰 업적은 상대성 이론과 양자 역학이다. 첫 번째 것은 아인슈타인 혼자의 힘으로 거의 완성되었고 두 번째 것은 1920년대 이후 전 물리학자 집단에 의해 완성되었다. 이 두 가지 큰 발견으로 인해 고전 물리학과 그것이 의미하는 세계관은 근본적인 도전을 받게 되었다. 고전 물리학은 객관적으로 존재하는 세계가 있으며 이 세계는 그 가장 기본적인 단위들을 발견함으로 객관적으로 검증할 수 있다고 믿었다. 하지만 현대 물리학은 고전 물리학이 전제하고 있던 절대 공간과 절대 시간, 기본적인 고체입자, 기본 물질, 물리적 현상의 엄격한 인과성, 그리고 자연의 객관적 기술 등의 어느 것 하나도 받아들일 수 없게 만들었다. 현대 물리학이 발견한 세계는 데카르트의 기계론적 세계 이해와는 대조적으로 유기적, 전일적(全一的, holistic), 그리고 상대적이다. 즉 현대 물리학이 발견한 세계는 무수한 물질들로 구성된 하나의 기계가 아니라 서로 분할될 수 없는 역동적인 전체이다. 고전 물리학은 원자를 하나의 견고한 고체 입자로 생각했다. 하지만 현대 물리학은 원자를 극히 미세한 입자인 전자가 핵 주위를 돌고 있는 광대한 공간으로 구성되어 있는 것으로 이해하기에 이르렀다. 더 나아가 아원자 입자— 전자 및 원자핵 내의 양성자와 중성자—도 고전 물리학의 고체적 실체가 아님을 밝혀 내었다. 물질의 이 아원자적 단위는 때로는 입자로 때로는 파동으로 나타난다. 즉 전자는 그 자체로서는 입자도 파동도 아니며 그 상황에 따라 이렇게도 되고 저렇게도 된다. 가령 관찰자가 입자 질문을 하게 되면 입자 해답을 주고 파동 질문을 하면 파동 답변을 준다. 이 둘은 서로 보완적이다(닐스 보아의 '상보성'). 그리고 어떤 특정 입자의 위치와 운동 에너지 중 하나는 알 수 있으나 둘을 동시에 알 수는 없다(하이젠베르크의 '불확정성의 원리'). 결국 현대 물리학에 의하면 아원자의 세계로 내려가면 거기에 있는 것은 물체(객관적 실재)가 아니라 물체들 사이의 끊임없는 상호 연결이다. 양자론에서는 '물체'로 끝나는 일이 없고 언제나 상호 연관을 취급하게 된다. 즉 현대 물리학에서는 세계는 결코 독립적인 최소 단위로 분해될 수 없고 통일된 전체의 여러 가지 부분 상호 간의 복잡한 관계의 그물처럼 구성되어 있다. 결국 이제 세계는 더 이상 기계가 아니라 부분과 전체가 서로 깊이 연결되어 있고 서로 영향을 주고받으며 계속 변화되어 가는 하나의 생명체와 같은 것으로 이해된다. 즉 근대 정신은 물리학에서 가장 엄밀한 학문의 전형을 보았으나 이 물리학의 발전이 근대의 객관적이며 기계적 세계 이해를 완전히 거부하는 결과를 가져 왔다. 여기에 대해 프리요프 카프라, 이성범, 구윤서 역, 『새로운 과학과 문명의 전환』 (서울: 범

3) 불합리한 것으로서의 인간 이성과 지식

근대 정신은 인간의 이성적 능력을 신뢰했다. 그것은 인간 이성이 모든 것을 판단하는 척도가 될 수 있다고 보았고 여기에 근거해서 지식의 선성, 합리성, 보편성을 믿었다. 하지만 탈근대주의자들은 인간 이성과 그 지식에 대한 이런 확신이야말로 오늘의 위기를 자초한 근대의 환상이라고 본다. 탈근대주의자들에 의하면 인간의 지식은 결코 좋은 것만이 아니다. 이들은 기술 문명의 발달로 인해 일어난 공해와 그로 인한 생태계의 위기, 핵전쟁의 위험, 경쟁 사회 속에서의 인간 소외와 공동체의 상실을 지적하면서 지식의 선함이란 하나의 신화에 불과하다고 주장한다. 또한 이들은 지식의 합리성을 강조한 근대정신을 비판한다. 이들에 의하면 근대가 합리적 지식만 강조하다 보니 정작 종교와 예술과 같은 삶에 결정적으로 중요한 부분들이 약화되어 버렸음을 지적하면서 삶에 있어서의 감정과 직관의 중요성을 강조한다. 근대주의가 합리적 문화였다면 탈근대주의는 초합리적, 신비적, 예술적인 특징을 갖는다.

또한 보편적인 학문이나 윤리 또 보편적인 미가 존재한다고 믿고 그것을 탐구했던 근대 정신에 대해 탈근대주의자들은 보편성이란 처음부터 존재하지 않은 허구라고 주장한다. 이들에 의하면 지식은 객관적이고 보편적이기보다 관계적이고, 참여적이며 미결정적이다. 양자 역학이나 하이젠베르크의 불확정성의 원리가 보여주듯 가장 엄밀한 과학이라고 여겨진 물리학에서조차 지식이 결코 객관적이며 보편 타당하지 않다. 아니 소위 과학적 지식이란 것도 종교적 지식과 마찬가지로 하나의 신념에 불과하다. 인간의 지식은 결코 객관적이고 보편적이기보다 주관적이며 특수하다. 그것은 특

양사 출판부, 1985).

정 공동체 안에서 형성되어 그 공동체 안에서 의미를 갖는다. 또한 이들은 모든 지식은 특정 계층의 관심과 이익을 반영하며 그 이익을 위해서 봉사한다고 주장한다. 즉 이들에 의하면 지식은 이데올로기성을 지니고 있으며 따라서 어떤 지식이 보편적인 것으로 주장될 때는 그것은 특정 계층의 사람들을 억압하는 폭군이 된다. 여기에서 탈근대주의자들은 한 때 인간 해방을 지향했던 근대 정신이 이제는 그 보편성 주장으로 인해 억압적이 되었다고 하면서 기존의 가치관을 의심하며 해체하려고 시도한다.

4) 상대주의 및 진리의 지역성(다원주의)

앞에서도 말했듯이 탈근대주의자들은 시공을 초월한 보편적인 학문과 윤리, 보편적인 미란 존재하지 않으며 참으로 존재하는 것은 언제나 특수하며, 잠정적이며, 일시적인 것이라고 본다. 이 점에서 탈근대주의는 상대주의적이다. 궁극적이며 절대적인 진리는 없다. 모든 진리는 지역적이다(local truth). 즉 자기가 진리라고 믿고 살면 그것이 '그에게' 진리이다. 하지만 그는 그것을 다른 사람에게 강요할 권한은 없다. 그것을 강요할 때 그것은 다시 폭력이 되며 억압이 된다. 모든 진리 주장은 상황적이며 일시적이다. 이 같은 정신을 반영하면서 포스트모던 이론가 중 한 명인 리요타르는 탈근대의 근본적인 특징으로 거대 담론(실재 전체를 아우르며 설명하는 거대한 이야기: meta-narrative)의 붕괴를 지적한다.

이 같은 상대주의는 두 가지 결과를 가져온다. 긍정적으로 볼 때 그것은 타인의 의견과 주장을 너그럽게 용인하는 관용의 정신을 낳는다. 탈근대를 살아가는 사람들은 자기와 다른 가치관에 대해 허용적이다. 하지만 부정적으로는 이것은 철저한 개인주의와 타인에 대한 무관심을 초래한다. 특히 이런 분위기 속에서는 어떤 것을 절대적 진리라고 말하기가 무척 어렵게 되며 여기에서 예수 그리스도의 절대성을 고백하는 기독교 신앙은 근본적인 도전을 맞게 된다.

5) 진보 이념의 종언

근대 정신은 역사의 진보를 믿었다. 시간이 지남에 따라 인간의 무지는 극복되며 자연은 통제되고 세상은 좀더 살기 좋은 곳이 될 것이라고 확신했다. 하지만 탈근대주의자들은 진보에 대한 믿음이 허구라고 주장한다. 이들에 의하면 근대가 꿈꾸었던 낙원은 계속 미래로 밀려나다가 마침내 하나의 환상으로 끝났다. 일차대전, 세계 경제 대공황, 이차대전, 유대인 대학살, 월남전 등은 인간은 이성적이기보다 광기에 사로잡힌 존재이며 역사는 계속된 악과 고통으로 점철되어 있음을 확실히 보여주었다. 탈근대주의는 이 점에서 결코 역사를 낙관적으로 보지 않는다. 오히려 역사를 회의하며 의심한다.

6) 전통적 가치관에 대한 거부와 해체

앞에서 말한 것처럼 탈근대주의자들은 모든 시대와 상황에 동일하게 적용되는 보편성이 없으며 존재하는 것은 무수히 많은, 특수하고 개별적이며 각 공동체에만 통용되는 지식들과 원칙들뿐이라고 본다. 즉 세계 전체를 설명하고 그 안에 편입시키는 거대 담론(meta-narrative)은 존재하지 않는다. 여기에서 이들은 소위 보편적 가치관은 그 자체로 억압적이며 그 가치관을 수용할 수 없는 사람들을 억압하는 기능을 한다고 주장한다. 이들은 근대 문화가 보편성이란 이름 아래 소수 엘리트들의 대중 지배와 남성들의 여성 지배를 정당화했다고 보면서 그런 진리 주장을 하는 모든 집단이나 사상에 대해 의심의 눈초리를 보낸다. 리요타르(J. F. Loytard)

는 지난 세대의 대표적 담론 중의 하나였던 마르크시즘을 인류에 대한 범죄라고 말하며 또 미셸 푸코(M. Foucault)는 이성애자들의 동성애자들에 대한 거부를 억압의 한 형태로 본다. 그에게 있어서 사회가 미친 짓(광기)이라고 말해 온 것은 사실은 그 사회의 주도 층이 용납할 수 없는 특정 집단들과 행위들을 지칭하는 것에 불과 하다. 그것은 객관적, 중립적 진술이 아니라 편파적이며 그 이면에 는 힘의 논리가 깔려 있다. 텔리 에글톤(Terry Eagleton)에 의하면 보편적인 진리나 의미에 대한 논의는 그 자체로 억압적인 학문적 인 테러(academic terrorism)이다. 이 점에서 탈근대주의는 전통적 가치관을 의심하고 비판하며 그것을 해체(deconstruction)하려고 시도한다. 여기에서 탈근대주의는 기존의 체제에 대해 분노하면서 그것을 뒤집어 버리려는 사회 운동의 모습을 띤다. 탈근대주의가 소극적으로는 상대주의적이며 허무주의적이며 적극적으로는 기존 의 모든 가치관에 대한 의심과 분노, 그리고 거부로 특징지워진다. 즉 탈근대주의는 한편으로는 절망의 목소리로 다른 한편으로는 새 시대를 여는 예언자적 음성으로 이해된다.

3. 생활 속의 탈근대주의

지금까지 우리는 근대의 주요 특징과 그것에 대한 거부로 나타 난 탈근대주의의 특징들을 살펴보았다. 이런 특징들은 단지 학자들 의 지적인 논의에만 국한되지 않는다. 실상 근대 정신이 삶의 모든 영역에 영향을 미쳤듯이 탈근대성도 오늘 우리의 일상 속에 큰 영 향을 미치고 있다. 여기에서는 탈근대주의적 사고가 우리 삶에 미 치는 모습들을 몇 가지 살펴봄으로써 탈근대주의를 좀더 가깝게 느껴 보도록 하자.

1) 건축에서

탈근대주의는 건축 양식에서 제일 먼저 나타났다고 보통 이야기된다. 고전 건축은 우주의 질서나 도를 반영함을 이상으로 삼았다. 그리이스 신전, 중세의 고딕 성당, 궁전 등은 말할 것도 없고 오늘날의 결혼식장, 관청과 국회 의사당 등은 그 각자가 가진 의미에 따라 영원한 신적 세계를 모방, 반복하는 형태로 건축되었다. 여기에 비해 근대의 건축은 철저히 인간 중심적이며 객관적인 형태를 취한다. 그것은 합리성, 효율성, 기능성, 획일성, 경제성을 강조한다. 불필요한 부분은 최대한 배제했고 그 결과 직선적인 구조로 나타났으니 대표적인 예가 아파트이다. 하지만 이런 건축물에는 아름다움과 여유가 빠져 있고 결국은 비인간화와 소외를 일으킨다. 하지만 포스트모던 건축은 다양성과 장식성, 장난기, 그리고 자연 친화성을 특징으로 갖는다. 또한 여러 장르를 혼합하는 혼합주의적 성격을 띈다. 우리 나라의 경우 서울역은 고전주의적 건축물이며 그 맞은 편 산쪽의 대우 빌딩은 근대적 건축물 그리고 벽산 빌딩은 다분히 포스트모던적이다.10)

2) 감각적인 텔레비전 광고

텔레비전 광고만큼 탈근대주의의 도래를 잘 보여주는 것도 드물다. 전통적인 광고는 주로 소비자들에게 제품의 질이나 필요성을 이성적으로 납득시키는 형태로 이루어졌으며 이 점에서 그 성격상 사실성(factuality)이나 효율성(efficiency)에 우선적 가치를 둔 근대적 광고였다. 하지만 오늘날의 많은 텔레비전 광고, 특히 젊은 층을

---

10 여기에서 나는 신국원 교수의 관찰에 빚지고 있다. 신국원, 『포스트모더니즘: 우리 시대의 사상과 문화에 대한 기독교적 조망』, 118쪽 이하. 이 책은 특히 우리 나라에서 볼 수 있는 포스트모던적 현상들을 잘 지적하고 있다.

주요 대상으로 삼고 있는 광고는 제품의 내용보다 이미지를 판다고 할 정도로 감각과 느낌에 호소하며 이 점에서 다분히 포스트모던적이다. 이따금 이성에 호소해서 논리적으로 선택하게 하는 광고도 있으나 그때 광고의 대상은 주로 근대적인 세계관 속에 사는 40대 이상의 사람들이다. 이처럼 사람들이 멋있다(cool)고 느끼게 하는 데 초점을 맞춘 광고가 주도적이 되는 데에서 우리는 생활 속에 깊이 들어와 있는 포스트모던 현상을 보게 된다.

3) 열린 음악회, 셋트 메뉴, 퓨전 가전 제품

탈근대주의의 도래를 보여주는 또 하나의 예는 매주 일요일 밤 방영되는 열린 음악회이다. 열린 음악회는 고전 음악과 대중 음악의 퓨전(fusion: 혼합)으로 특징지워진다. 통기타 가수가 나오는가 하면 성악가가 나오고 다시 민요와 가요가 한데 어우러진다. 이는 모든 것을 합리적으로 구분하고 고급문화와 대중문화를 나누는 근대 정신에서는 찾아보기 어려운 현상이다. 요즈음 일부 음식점에서 짜장면과 짬뽕, 볶음밥 등의 메뉴를 몇 개씩 묶어 한 접시에 담아내는 것이나 서로 독립되어 있던 전자 제품들을 한데 묶어 한 대가 여러 기능을 할 수 있도록 한 다기능 전자 제품도 모든 것을 장르 구분 없이 뒤섞어 버리는 포스트모던의 좋은 예이다.

4) '2 퍼센트 부족할 때'

한 동안 필자는 '2 퍼센트 부족할 때'를 보면서 왜 저 맹물 같은 것을 사 마시나? 영양가도 있고 건강에도 좋은 오렌지 주스 같은 음료수도 많이 있는데 하고 생각해 본 적이 있다. 이는 필자가 이왕이면 몸에 좋은 음료나 음식을 먹는 것이 좋다는 근대적 사고(효율성)를 하고 있기 때문이다. 하지만 오늘날 많은 사람들, 특히 젊은 세대들이 영양가는 하나도 없고 맹물에 향료만 약간 탄 이 음료를 즐긴다. 하지만 과연 이 음료가 10년 전쯤 나왔다면 지금처럼 잘 팔렸을 지는 의심스럽다. '2 퍼센트 부족할 때'는 어떤 물건의 가치나 효용성보다 느낌과 이미지를 중요하게 생각하는 포스트모던적 정신을 잘 드러내고 있다.

4) 영화 터미네이터, 접속, 토탈 리콜, Back to the Future, X- File, Star Wars.

영화는 종합 예술이며 그 어느 것보다 강렬하게 시대 정신을 반영하고 있다. 근대 정신에 의하면 시간과 공간은 객관적으로 존재하며 과거에서 현재를 거쳐 미래로 일정하게 흘러간다. 따라서 근대적인 영화는 대체적으로 시간의 순서에 따라 논리적으로 전개된다. 하지만 탈근대주의는 이를 완전히 섞어 버린다. 미래가 현재 속에 있고 과거와 현재도 특별히 구분되지 않는다. 현실과 허구가 뒤섞여 모호하다. 미래의 전투 인간이 현실 속에 나타나 역시 미래에서 온 액체 금속 인간과 대결을 벌리는 터미네이터 2나 영화 접속처럼 20년이라는 시공의 차이를 뛰어 넘는 사랑, Back To the Future처럼 과거·현재·미래를 완전히 뒤섞어 버린 활극 등은 우리가 이미 포스트모던적인 세계 안에 살고 있음을 잘 보여주고 있다.

5) 영화 필라델피아

특별히 포스트모던적인 가치관을 담고 있는 영화가 톰 행크스가 주연으로 나온 필라델피아이다. 에이즈에 걸린 한 변호사(톰 행크스)와 그를 해고한 법률 회사의 보수적 기독교인 상사들, 그 변호사를 법정에서 변호하는 흑인 변호사와 법률 회사에 의해 고용된 여자 변호사 등이 엮어 내는 이 영화는 동성애와 에이즈에 대한 고정 관념을 거부하며 동성애자인 에이즈 환자가 전통적인 성윤리로 무장한 기독교인들보다 더 인간적이라는 메시지를 던짐으로 포스트모던 시대의 상대주의와 다원주의적 가치관을 전파한다.

4. 포스트모던 신학의 특징

이상에서 우리는 근대성(modernity)과 그 극복으로서 탈근대성의 주요 특징을 보았으며 또한 탈근대주의를 우리 삶 속의 몇 가지 구체적인 예를 통해 살펴보았다. 모든 시대는 그리스도 교회로 하여금 그 시대의 고민과 문제 의식에 적절한 형태로 예수 그리스도의 복음을 소개하도록 도전한다. 그러면 포스트모던 시대의 기독교 신학은 어떤 모습을 가져야 할 것인가? 포스트모더니즘은 기독교 신앙의 동반자인가 아니면 적군인가? 우선 탈근대주의는 근대성의 몇 가지 잘못된 전제들을 거부한다는 데서 기독교 신앙과 서로 같은 길을 가는 동반자가 될 수 있다. 하지만 또 다른 면에서는 포스트모더니즘은 기독교 신앙의 가장 근본적인 몇 가지 주장과 상치되며 이 점에서 신앙에 위협이 된다. 이 점에서 포스트모더니즘은 기독교 신앙에 있어서 양날을 가진 칼과 같다. 아래에서는 포스트모더니즘의 이 양면을 간략히 소개한 다음 포스트모던 시대의 신학이 가져야 할 몇 가지 모습을 말하고자 한다.

1) 탈 이성 중심주의: 초월적 실재로서의 하나님 논의에 대한 새로운 가능성

포스트모더니즘은 근대의 이성 절대주의를 거부하며 이로 인해 교회로 하여금 하나님의 실재와 그 계시하심을 좀더 쉽게 말할 수 있게 한다. 근대 세계의 이성 중심주의에서 하나님, 영원, 불멸성, 그리고 모든 초자연적 세계에 대한 논의는 무의미하거나 개인적 취향으로 밀려나 버렸다. 하지만 포스트모더니즘은 초자연성, 신비성, 예술적 실재에 대해 훨씬 더 열려 있다. 여기에서는 마음은 이

성이 알지 못하는 그 자체의 이성들을 가지고 있다는 파스칼 (Blaise Pascal)의 말이 이전보다 훨씬 설득력을 얻는다. 포스트모 더니즘 시대는 기독교인들로 하여금 초자연적인 세계, 하나님과 그 분의 계시에 대해 좀더 편안하게 말할 수 있는 분위기를 제공한다.

2) 지역성에 대한 강조: 교회 전통에 충실하게 할 가능성

앞에서 살펴보았듯이 탈근대주의는 모든 실재를 포괄하는 보편 성(universality)을 거부하며 오히려 지역성(locality)을 예찬한다. 그것은 정말 존재하는 것은 언어적으로 창조된 다양한 세계들이며 따라서 각각의 공동체는 그 물려받은 전통에 충실해야 한다고 말 한다. 이와 같은 상황에서 기독교 공동체는 기독교 신앙을 소위 '보 편적 원리'에 맞추어 해명하려던 근대 사회에서의 노력에서 떠나 자기 안으로 깊이 들어가 그 받은 말씀을 숙고하고 그로 인해 변화 될 가능성을 갖게 된다. 실상 서구의 교회는 아주 오랫동안 인간 중심주의, 이성 절대주의, 진보에 대한 믿음 등의 근대적 정신에 맞 추어 신앙의 타당성을 확보하려는 데 주력해 왔다. 그러나 그 결과 로 기독교는 지나치게 주지주의적, 방어적, 변증적 특징을 띄게 되 었으며 결국 성서 서사의 잠식(the eclipse of the biblical narrative/ 한스 프라이) 곧 성서 메시지의 약화를 가져오게 되었다. 하지만 지 역성과 특수성이 예찬되는 탈근대주의 시대에 교회는 그 자체의 언어와 전통 안으로 깊이 들어가 그곳에서 교회를 새롭게 할 메시 지를 찾아내며 그로 인해 사회에 영향을 줄 수 있는 새로운 갖게 된다.11)

---

11 이 점에서 탈근대주의 시대의 교회의 사명이 "잃어버린 성서 언어(시온의 노래)"를 회복하는 일이라는 죠지 린드벡의 말은 대단히 의미 있다. 린드벡 에 따르면 서구는 기본적으로 성서에 의해 형성된 문화였다. 서구 역사 속 에서 성서는 신자, 비신자를 막론하고 모든 사람들의 사상과 언어 그리고

3) 허무의 시대: 인간의 죄됨과 하나님의 구원을 설득력 있게 말할 가능성

탈근대주의는 인간 지식의 선함과 가능성을 믿지 않는다. 탈근대 시대에 인간은 합리적이기보다 충동적이며 신비적이며 비합리적이며 심지어 광기적 존재로 이해된다. 탈근대주의의 정조는 기본

행동에 엄청난 영향을 주어 왔으니 기독교를 거부하며 성서를 하나님의 말씀으로 받아들이지 않는 사람들까지 성서에 근거해서 그들의 주장을 펼쳤다. 하지만 오늘날 성서는 공중의 언어 속에서 거의 완전히 사라져 버렸다. 오늘날의 신앙인들은 40년 전의 불신자나 무신론자들보다 성서에 대해 더욱 무지하다. 미국 사회에서 빌리그래함의 인기가 퇴조한 한 중요한 이유는 빌리 그래함의 설교는 적어도 사람들이 성서에 대해 어느 정도 안다는 것을 전제하고 있었으나 이 전제는 사라져 버렸기 때문이다. 25년 전 마틴 루터 킹의 설교들은 설혹 그를 반대하던 사람들조차도 이해했다. 그러나 사람들이 성서의 세계를 거의 상실해 버린 오늘날 그 메시지가 똑같은 충격을 줄는지는 의심스럽다. 미국 사회는 마치 아라비아 숫자를 잃어 버려 할 수 없이 로마 숫자를 사용해야 하는 처지에 이르렀으며 그로 인해 미국 사회는 첫째, 사회를 이끌어 가며 내일의 비전을 제시해 줄 상상력을 상실해 버렸다. 둘째, 사람들이 모두 공유하며 당연하다고 여기는 공통의 장을 잃어 버렸다. 이제 남아 있는 것은 오직 사회 전체를 이끌어 가기에는 너무나 허약한 공리주의나 개인주의뿐이다. 이런 속에서 한 사회나 문명이 살아 남을 수 있을지 의문이다. 따라서 교회가 할 수 있는 일은 잃어버린 성서의 언어를 다시 배우는 일이다. 성서의 언어를 배운다는 것은 역사 비판적인 지식으로 성서를 객관적 탐구 대상으로 다룬다는 말이 아니며 비성서적인 언어로서 성서의 교훈과 의미를 시대에 맞게 다시 설명하는 것도 아니다. 그것은 사람들로 하여금 성서의 이야기, 이미지와 상징들, 그 구문과 문법들에 익숙하게 하여 성서가 기술하는 세계 안에 살아가게 하는 것이다. 이와 같은 일이 지극히 세속화되고 다원화된 북미주에서 과연 가능한 일인지 의심스럽다. 그러나 이것만이 한 문명이 붕괴되고 있는 지금 기독교인들이 이웃을 위한 선한 사마리아인이 될 수 있는 방식이다. 탈근대주의 속에서 교회가 해야 할 가장 중요한 일은 시온의 노래를 다시 배우고 그 세계 안에서 살아가는 일이며 그로 인해 사회에 공적인 언어를 제공하는 일이다. 죠지 린드벡, "근대 후기 문화에 대한 교회의 사명," Fredric B. Burnham, ed., *Postmodern Theology: Christian Faith in a Pluralistic World* (New York: Harper and Row, 1989). 세계 신학 연구원 역『포스트모던 신학』, (서울: 조명 문화사, 1990), 81-106.

적으로 회의적, 허무적이다. 그리고 바로 여기에서 교회는 인간의 근본적인 문제는 단지 왜곡된 지식뿐 아니라 왜곡된 의지의 문제, 곧 죄의 문제라는 근대에서는 말하기 어려웠던 주장을 좀더 쉽게 말할 수 있게 된다. 즉 인간의 근본적인 문제를 무지(ignorance)로 올바른 교육을 통해 더 나은 미래를 기대할 수 있다고 믿었던 근대의 꿈(진보에 대한 믿음)이 깨어진 지금 교회는 인간의 근본적인 문제는 무지가 아니라 왜곡되고 반역적인 의지의 문제, 즉 죄성의 문제이며 왜곡된 의지의 갱신과 회복만이 개인과 사회가 살길임을 설득력 있게 말할 기회를 갖게 된다.

이상에서 살펴보았듯이 포스트모더니즘은 그리스도의 교회에게 새로운 가능성을 열어 준다. 하지만 동시에 포스트모더니즘은 몇 가지 점에서 기독교의 복음 선포를 어렵게 한다. 즉 포스트모더니즘은 절대적 진리가 있다고 믿지 않으며 이 점에서 교회로 하여금 예수 그리스도의 절대성을 말하는 데 어려움을 겪게 한다. 포스트모더니즘은 모든 실재를 총망라하는 객관적 진리 혹은 통일된 실재란 허구에 불과하다고 본다. 거대 담론의 가능성이 사라진 지금 남아 있는 것은 그저 서로 충돌을 일으키는 다양한 작은 이야기들밖에 없다. 사람들이 절대적 진리의 가능성을 의심하는 분위기에서 과연 어떻게 예수 그리스도의 절대성을 말할 수 있을까? 어떻게 기독교 신앙은 현실에 존재하는 서로 분리되고 갈등 속에 있는 작은 이야기들을 하나로 모으면 거기에는 모든 인류와 시간을 총망라하는 하나의 이야기 곧 예수 그리스도를 중심한 하나님의 구속 이야기가 있으며 그것이 바로 진리라고 말할 수 있을까? 포스트모던 시대의 교회는 이 같은 근본적 도전 앞에 서 있다.

이런 상황 속에서 교회는 어떤 모습을 가져야 할 것인가? 첫째, 탈근대주의 시대의 교회는 근대 이후 극단화된 개인주의적 교회 이해를 넘어 진정한 공동체의 모습을 회복해야 할 것이다. 근대 정신은 개인주의적이었다. 이것은 데카르트에서 보듯이 인간을 그의 대상과 객관적으로 마주서 있는 스스로 선택하고 결정하는 개별적 존재(개체)로 이해했다. 그러나 탈근대주의는 더 이상 인간을 독립된 개체로, 또 세계를 개체로서의 중립적 관찰자와 마주서 있는 객관적 실재로 이해하지 않는다. 탈근대주의에게 있어서 인간과 세계는 함께 결코 분리될 수 없는 유기적인 전체를 이루는 것으로 이해된다. 이 가운데서 오늘을 살아가는 사람들은 그 어느 시대의 사람들보다 더욱더 자기들이 소속될 수 있고 참된 정체성과 삶의 의미를 찾을 수 있는 진정한 공동체를 추구한다. 그렇다면 기독교 공동체는 근대의 개인주의적 신앙 양태를 벗어버리고 공동체적인 신앙 양식을 회복해야 할 것이다. 사실 성경 자체가 이렇게 인간을 공동체 안의 존재로 이해한다. 성경은 인간을 예수 그리스도의 복음을 통한 하나님의 부르심에 주체적으로 응답하며 그 결과에 책임질 수 있는 개체로 보지만 또한 동시에 언제나 관계 속에 있는 존재로 이해한다. 성경은 인간을 하나님과 이웃 그리고 세계와의 관계 속의 존재로 이해한다. 하나님은 이스라엘과 교회 공동체를 전체로 부르신다. 더 나아가 하나님은 온 세계를 하나님의 영광의 나라로 부르신다. 거기에는 개인주의적으로 이해된 구원이나 믿음은 설 자기가 없다. 탈근대주의 시대의 교회는 종래의 개인주의적 교회상을 벗어버리고 진정한 공동체를 회복할 수 있도록 노력해야 할 것이다. 둘째, 탈근대주의 시대의 기독교는 합리주의적 기독교 변증에서 벗어나 통전적인 복음 이해로 나아가야 할 것이다. 근대주의는 인간 이성을 절대화했다. 이성의 기준에 맞지 않는 것은 모두 무가치한 미신으로 거부되었다. 이런 풍토 속에서 자유주의 신학이나 복음주의 신학은 다같이 기독교 신앙이 결코 미신이나 비합리적인 것이 아니라 이성적으로 받아들일 수 있는 것임을 증명하는 데 많은 노력을 기울여 왔다. 하지만 탈근대주의는 인간 이성이 별로 신뢰할 만 하지 않으며 실제로 이성의 이름으로 많은 억압이 있었음을 깊이 깨닫고 있다. 그것은 초이성적, 신비적, 영적 세계가 있으며 이 세계가 인간과 세계에 결정적으로 중요함을 인식하고 있다. 탈근대를 살아가는 사람들은 기본적으로 신비적이며 영적 현상에 목말라 있다. 오늘날 영성이란 말이 난무하는 데서 우리는 이런 조짐을 본다. 그렇다면 교회는 더 이상 구태여 이성적, 합리적인 방식만으로 기독교 신앙의 타당성을 주장할 이유가 없다. 교회는 지나치게 합리적인 방식으로 기독교 신앙을 증명하려고 했던 경향을 극복하고 보다 신비적이며 영적인 기독교를 말할 수 있고 또 말해야 한다. 지나치게 인간 지성에 호소하는 형태의 변증적인 복음 전파는 우리 시대에 적절하지 않다.

셋째, 탈근대주의 시대의 교회는 보다 민주적인 교회 곧 진정으로 교회 안팎에서 이웃을 발견하는 교회가 되어야 할 것이다. 탈근대주의는 특수성을 긍정하며 다양성을 찬양한다. 그것은 보편성은 결국 억압적이며 소수 집단에 대해 폭력으로 나타남을 고발하며 극복하려 한다. 이 점에서 탈근대주의는 예언자적인 요소를 가진다. 이런 탈근대주의적 정신 앞에서 교회는 스스로를 돌아볼 수 있다. 실상 한국 사회에서 교회가 힘있는 집단이 되면서 진리의 이름으로 교회 안팎의 사람들에게 억압자가 되지는 않았던가? 교회는 하나님의 이름으로 목회자 중심주의, 남성 중심주의, 교리주의, 교권주의, 다른 종교에 대한 독선과 무시 등을 정당화하고 조장하지 않았던가? 우리는 이런 질문을 진지하게 던지면서 교회가 하나님 말씀 따라 진정한 이웃 사랑을 실천할 수 있도록 도전해야 할 것이다.

참고 도서

신국원, 『포스트모더니즘: 우리 시대의 사상과 문화에 대한 기독교적 조
   망』, 서울: IVP, 1999. 개혁주의 입장에서의 포괄적인 포스트모더
   니즘 입문서. 한국의 자료와 예를 많이 사용하고 있다는 강점이
   있는 반면 포스트모더니즘의 주요 이론가들을 너무 부정적으로
   다루고 있다는 아쉬움이 있다.

Alister McGrath, *A Passion for Truth: The Intellectual Coherence of
   Evangelicalism*. Downers Grove: InterVarsity Press, 1996. 탈자
   유주의, 포스트모더니즘, 종교 다원론을 복음주의 입장에서 비평
   한 글. 복음주의와 포스트모더니즘 사이의 관계는 이 책 4장에 실
   려 있다.

Stanley Grenz, *A Primer on Postmodernism*. Grand Rapids: Eerdmans,
   1996. 복음주의 입장에서의 잘 정리된 포스트모더니즘 입문.

포스트모던의 주요한 특징에 대해서는 다음의 책을 참고하라.

Christopher Norris, *What's Wrong with Postmodernism?* Baltimore,
   MD: Johns Hopkins University Press, 1990.

David Harvey, *The Condition of Postmodernity*, Oxford: Blackwell,
   1989.

Kevin Hart, *The Trespass of the Sign*, Cambridge: Cambridge
   University Press, 1989.

Matei Calinescu, *Five Faces of Modernity*, Durham: Duke University
   Press, 1987.

Terry Eagleton, *The Ideology of the Aesthetic*, Oxford: Blackwell, 1990.

The Postmodern Reader, Charles Jencks (ed). New York: St. Martin's
   Press, 1992.

포스트모던 시대의 신학에 대해서는 다음의 책들을 참고하라.

Diogenes Allen, *Christian Belief in a Postmodern World.* Louisville: Westminster/John Knox Press, 1989.

Thomas C. Oden, *After Modernity... What?: Agenda for Theology,* Grand Rapids: Zondervan, 1990.

Graham Ward (ed), *The Blackwell Companion to Postmodern Theology,* Oxford: Blackwell Publishers, 2001.

제10장 생태계 신학

들어가는 말

생태계 신학은 기술 문명의 발달로 인한 자연 파괴와 인간 삶의 상실에 대한 신학적 응답으로서 1970년대 중반 이후 본격적으로 발전해 온 신학이다. 근대 기술문명은 미신 타파, 질병 극복, 물질적 풍요 등의 많은 혜택을 선사했지만 동시에 과학 기술의 비윤리적인 사용, 인간 소외, 전세계적인 빈부 격차, 그리고 생태계 훼손과 같은 부정적 결과를 낳았다. 여기에서 인간 중심주의, 물질주의, 소비 중심주의로 인한 자연 파괴를 비판하면서 파괴된 자연의 회복을 위해 일어난 것이 생태계 신학, 환경 신학, 혹은 생명 신학이다. 카톨릭 교회는 이미 1970년대부터 생태계의 파괴 앞에서 교회가 나아갈 길을 ①지구의 자원들은 모든 생명이 함께 나눌 수 있어야 한다 ②인간은 안전한 환경에서 살 권리가 있다. ③다양한 생명체들은 모두 원초적인 생존의 권리를 가지고 있으며 그들은 모두 창조주의 영광을 드러내고 있다. ④우주의 아름다움에 감격하는 것은 하나님에 대한 올바른 지식과 사랑으로 가는 고전적인 길이다. ⑤생태계의 불균형을 유발하는 모든 자연 파괴는 가난한 자들에 대한 억압과 긴밀히 연결되어 있다. ⑥오늘날의 생태계 위기는 전세계의 모든 나라가 함께 해결해야 할 문제이다라고 이 문제를 정

리했으며[1] 개신교 역시 여러 각도로 생태계 파괴의 문제점을 검토
하면서 그 회복을 위해 노력하고 있다.

우리 한국의 경우 환경 문제에 대한 신학적 성찰이 본격화된 해
는 1990년이라고 할 수 있다.[2] 한국 카톨릭 교회의 환경에 대한 관
심은 1990년 1월 1일의 교황 요한 바오로 2세의 평화의 날 메시지,
"창조주 하느님과 함께 하는 평화, 모든 피조물과 함께 하는 평화"
가 발표된 것을 계기로 본격화되었다. 개신교의 경우는 약 반 년
뒤인 1990년 7월 서울에서의 JPIC(Justice, Peace, Integrity of
Creation) 세계 대회를 통해 환경에 대한 관심이 공식적으로 표현
되었다. 특히 JPIC 세계 대회는 세계 정의와 평화, 그리고 환경 문
제가 서로 긴밀히 연결되어 있어서 인간 사회의 정의 구현과 평화
의 실천 없이는 오염된 환경의 회복이 불가능함을 강조했으며 이
를 위해 인간과 자연이 다 같이 하나님 앞에서 한 형제임을 깨닫는
것이 중요하다고 선언했다. 또한 한국 기독교 교회 협의회(KNCC)
는 1992년 환경의 날을 맞아 '92 한국 기독교회 환경 선언'을 발표
하면서 ①교회의 환경 보전 운동은 단순한 윤리적 행위이기 이전
에 삼위일체 하나님에 대한 신앙에 근거한 운동이며 ②오늘의 환

---

1 *The Harper'Collins Encycllopedia of Catholicism*, Richard P. McBrien
   (eds), (New York: HarperCollins, 1994), 449 쪽. 항목, "Moral Aspects of
   Ecology." 카톨릭의 환경 문제에 대한 중요한 문헌에는 필리핀 주교들의 목
   회 서신인 "What is Happening to Our Beautiful Land?" (1988), 교황 요한
   바오로 2세의 세계 평화의 날 성명인 "Ecological Crisis: A Common
   responsibility" (1990), 그리고 미국 카톨릭 주교단의 "Renewing the Earth"
   (1992) 등이 있다. 생태계 신학 전반에 관한 문헌들은 Howard Clinebell,
   Ecotherapy :Healing Ourselves, Healing the Earth (Philadelphia: Fortress,
   1996)의 부록에 잘 정리되어 있다. 한국어 역은 오성춘, 김의식, 『생태요법:
   인간 치유와 지구 치유』 (서울: 한국 장로교 출판사, 1998).
2 이재돈, "교회의 환경 운동과 '하늘. 땅, 물. 벗,'" 『사목』 192호, 한국 천주교
   중앙 협의회 (1995년 1월): 192.

경 파괴 이면에는 잘못된 인간 중심주의가 들어 있으며 ③이 세계
는 인간과 모든 생명체가 함께 살아가는 공동 운명의 장임을 말했
다. 특히 구체적인 실천 목록으로서 이 선언은 ①생명을 존중하는
가치관을 지니고 ②검소하고 절약적인 삶의 자세를 가지며 ③환경
파괴 세력에 대한 선한 싸움을 위해 국내외 환경 보전 단체와 폭넓
게 연대하며 ④환경 오염의 희생자들을 돌보며 ⑤핵폐기물, 산업
쓰레기, 골프장 건설, 농약 살포 등 땅을 황폐화시키는 것에 대해
반대 운동을 펼치자고 호소하고 있다.3) 이런 운동들과 또 여러 환
경 운동들의 결과로 인해 오늘날은 눈에 뜨일 정도로 사람들의 환
경에 대한 관심이 커졌음을 볼 수 있다. 실상 생태계 위기에 대한
신학적 반성은 1990년대 이후 카톨릭과 개신교, 그리고 신학적 보
수, 진보할 것 없이 많은 사람들이 관심을 보이고 있는 분야이며
또 최근 들어 가장 많은 글이 나오고 있는 영역이기도 하다.

　이 장에서 우리는 오늘날의 생태계 신학의 몇 가지 특징을 말한
다음 대표적인 생태 신학자인 토마스 베리와 셀리 먹페그의 신학
을 소개하려고 한다.

1. 생태계 신학의 특징

1-1. 인간 중심적 신학에 대한 비판

　서구 신학은 그 동안 주로 하나님과 인간의 관계 탐구에 집중해
왔다. 즉 서구 신학의 대부분은 어떻게 죄인된 인간이 어떻게 의로
우신 하나님 앞에서 의롭다 함을 받을 수 있는가의 문제 곧 인간
구원의 문제를 질문하는 구속 신학(redemptive theology)이었다.
이 전통에서 자연과 다른 생명체들은 신학의 주제로 거의 다루어

3　한국기독교교회협의회, "92 한국 기독교회 환경 선언" 인용은 『기독교 사상』,
　92년 7월호, 50-52.

지지 않았거나 바르트 신학에서처럼 단지 하나님의 인간 구원의 배경 정도로 이해되었다. 이처럼 철저히 인간 중심적인 구속 신학의 모습은 오늘날 교회의 설교를 살펴볼 때 분명해진다. 일 년에 단 두세 번이라도 자연이나 우리 주변의 생명들의 존재 의미를 설교의 주제로 삼는 교회를 찾기는 쉽지 않다.

이런 인간 중심적 신학은 창세기의 창조 이야기에 대한 교회의 해석에서 잘 드러난다. 창세기는 인간뿐 아니라 온 세계를 하나님의 창조물로, 또 하나님을 인간을 포함한 온 세계의 창조주로 고백한다. 창세기는 하나님을 세계 전체를 기뻐하시고 축복하신 분으로 말한다(창세기 1장). 하지만 교회는 창조 이야기를 하나님의 형상인 인간이 범죄하여 하나님을 떠나간 인간 창조와 구속의 이야기로만 읽어 왔으며 또 그 이후의 세계 역사도 주로 구속사의 관점에서 이해해 왔다.

하지만 생태계 신학은 자연 환경의 엄청난 파괴와 그로 인한 모든 생명체의 총체적 위기를 보면서 창세기 이야기를 새롭게 읽으려 한다. 생태계 신학에 의하면 창세기는 인간은 독특하나 역시 하나의 피조물임을 강조한다. 즉 창세기는 인간 창조를 우주 및 생명 창조란 더 넓은 맥락의 한 부분으로 이해한다. 인간이 창조되기 전에 이미 동물들이 창조되었고 하나님의 축복을 받았다. 인간 역시 다른 동물처럼 자연에서 나온 흙으로 지음 받았고 때가 되면 그 고향인 흙으로 돌아간다. 인간을 향한 생육하고 번성하라는 하나님의 명령은 생명 있는 것들에 대한 약탈 아닌 돌봄과 사랑을 뜻한다. 더 나아가 하나님의 사랑과 구원의 대상은 모든 생명들이라는 점은 노아 홍수 때 동물들 역시 구원의 방주에 탈 수 있었다는 데서 분명히 드러난다. 또한 하나님이 무지개를 통해 맺은 새 언약은 노아 가족 뿐 아니라 모든 생명 있는 것들과의 언약이었다. 즉 하나

님의 창조와 재창조(노아 홍수)에서 하나님의 돌봄과 구원의 대상
은 단지 인간만 아닌 모든 생명체들이었다. 이런 성서 읽기를 통해
오늘날의 생태계 신학은 하나님께는 모든 생명체가 그 필요성 때
문이 아니라 그 자체로서 가치와 존엄성을 가짐을 강조한다. 이 신
학은 그 동안의 신학이 지나치게 인간 중심적이었음을 비판하면서
인간을 포함한 전피조 세계를 하나님의 돌봄과 구원의 대상으로
볼 것을 주장한다. 이 점에서 생태계 신학은 "지구의 생태계의 건
강은 인간들이 건강하게 살 수 있는 전제 조건이다. 우리는 병든
지구 위에서는 가장 발전된 의학의 힘으로도 건강을 가질 수 없다.
땅이 소화하고 변화시킬 수 있는 것보다 더 많은 양의 독소들을 계
속 배출해 낸다면 지구 공동체의 가족들은 병들 수밖에 없다. 인간
의 건강은 부차적인 것에 불과하다. 지구의 건강이 더 근원적이다"
라는 토마스 베리의 말에 동의한다.[4] 생태계 신학은 신학의 대상
을 인간에서 세계 전체로 옮기고자 하며 이 점에서 전통적인 구속
중심의 신학(redemption-centered theology)을 벗어나 창조 중심의
신학(creation-centered theology)을 전개한다.

1-2. 살아 있는 유기체로서의 자연

생태계 신학의 다른 중요한 특징은 자연을 하나의 살아 있는 유
기체로 이해하려는 데 있다. 근대의 인간 중심적 사고는 자연을 사
람들의 필요를 위해 사용할 수 있는 거대한 물질로 이해했다. 계몽
주의 시대의 철학자 르네 데카르트에 따르면 자연은 하나의 기계
이상도 이하도 아니었으며 또한 식물과 동물을 포함한 모든 생명
체도 역시 기계에 불과했다. 그는 동물들의 비명소리는 마치 기계

---

4 Brian Swimme, Thomas Berry, *The Universe Story: From the Primordial
   Flaring Forth to the Ecozoic Era, A Celebration of the Unfolding
   Cosmos* (San Francisco: Harper San Francisco, 1992), 237.

의 삐걱거리는 소리와 같을 뿐 동물들이 고통을 느낀다거나 어떤 슬픔의 정조를 가질 수 있다는 생각은 인간의 감정을 주입한 것에 불과하다고 보았다. 더 나아가 그는 인간의 신체 역시 하나의 기계로 보았다.[5]

자연이 이처럼 인간의 필요를 채워 주는 하나의 물질 덩어리로 이해될 때 자연에 대한 무자비한 약탈은 쉽게 정당화될 수밖에 없다. 하지만 생태계 신학은 자연을 하나의 물질 덩어리가 아닌 살아 있는 하나의 통일된 생명체로 이해하고자 한다. 생태계 신학에 의하면 자연은 그 전체로서 숨쉬며, 움직이며, 성장, 변화, 쇠퇴해 가는 생명체와 같다. 따라서 우리는 이 전체로서의 지구를 존중히 여겨야 하며 그것의 생명 보존을 위해 힘써야 한다. 자연을 하나의 살아 있는 생명체로 보는 이런 입장은 특히 제임스 러브록(James Lovelock) 등이 주장한 가이아 가설(Gaia hypothesis)에서 특히 분명히 나타난다. 그리이스 신화의 지구의 모든 생명들을 먹이고 키우는 여신 가이아에 근거한 이 가설은 지구 전체를 하나의 살아 있는 생명체로 보고자 한다. 러브록이나 마르글리스(Lynn Margulis)에 의하면 바다, 토양, 대기, 숲, 그 안의 각종 동물과 식물을 포함하는 지구는 단순히 생명체가 살 수 있는 환경을 제공하는 물질 덩어리가 아니다. 그것은 그 자체로 하나의 거대한 생명체이다. 가령 숲은 지구의 폐와 같고 토양과 대기, 바다는 그 몸과 같다. 그 안의 동식물들은 모두 한데 어울려 이 거대한 생명체를 계속 살게 만들며 변화시켜 나간다. 이들은 오랜 세월동안의 지구의 진화와 현재의 생태계적 균형을 생각해 볼 때 전체로서의 지구 체계는 하나의 살아 있는 유기적 생명체로 가장 잘 이해될 수 있다고 주장한다.

---

5 카프라, 『새로운 과학과 문명의 전환』, Ibid.

모든 생태계 신학자들이 가이아 이론을 받아들이는 것은 아니지만 적어도 가이아 가설이 말하는 모든 생명체의 상호 의존성 및 자연의 일부로서 인간의 자리에 대한 강조는 생태계 신학자들 사이에서 널리 인정받고 있다.6) 그리고 바로 이 점에서 생태계 신학은 근대성을 비판 극복하고자 하는 탈근대주의(postmodernism)적 특징을 띤다. 즉 생태계 신학은 기계적, 물질적, 합리적, 인간 중심적인 실재 이해를 한 근대주의에 저항하면서 유기적, 초합리적, 자연 중심적인 실재관을 강조하는 탈근대주의의 한 모습이라 말할 수 있다. 이 점에서 지난 세대의 유대인 철학자 마틴 부버(Martin Buber)의 다음과 같은 말은 오늘날의 생태계 신학이 지향하는 길을 미리 앞서서 말하고 있다고 하겠다: "창조는 하나님의 대로에 있는 장애가 아니다. 피조 세계는 하나님의 대로이다. 우리는 서로 함께 살게 창조되었으며, 서로 함께 생명을 얻게 지음을 받았다... 세상 밖으로 관심을 가지거나 세상 밖을 바라볼 때 사람들은 하나님께 도달할 수 없다: 그분 안에 있는 세상을 보는 자는 그의 임재를 체험한다... 만약 당신이 이 생의 삶을 신성하게 만들면 당신은 살아 계신 하나님을 만날 것이다."7)

즉 생태계 신학은 이 세계를 물질적 세계만이 아니라 하나님의 영이 깃든 곳으로 이해하는 성례전적인 세계관(sacramental world-view)을 가진다. 생태계 신학은 러시아의 시인 예프투센코의 "오늘 나의

---

6 가이아 가설 및 그 신학적 사용에 대해서는 James Lovelock, *The Ages of Gaia* (New York: W.W. Norton, 1988); Rosemary Ruether, *Gaia and God: An Ecofeminist Theology of Earth Healing* (San Francisco: HarperCollins, 1992); Thompson, W. *Gaia: A Way of Knowing* (Great Barrington: Lindisfarne Press, 1987).

7 캐나다의 성 앨버트 시의 North Retreat Centre의 벽에 새겨진 글귀. 인용은 Howard Clinebell, 『생태 요법: 인간 치유와 지구 치유』, 오성춘, 김의식 역 (서울: 한국 장로교 출판사, 1998), 48.

눈에서 흘러내린 눈물은 내일 지구 저편에서 비가 되어 내린다는 말처럼 세계의 모든 것은 모두 긴밀한 관계의 망으로 유기적으로 연결되어 있음을 말하는 신학이다.

1-3. 환경 친화적인 전통의 발굴 및 새로운 전통 창조

생태계 신학의 다른 중요한 특징 하나는 교회가 오랫동안 잃어버린 환경 친화적 전통을 발굴하여 그것을 재구성하든지 아니면 환경 친화적인 새로운 전통을 창조하는 데 있다.

많은 환경론자들은 오늘의 환경 위기의 원인을 지난 300여 년 동안의 근대 서구의 기계론적 세계관, 인간 중심주의, 영과 육에 대한 이원론적 분리 등에서 찾으며 그 정신적인 뿌리에 유대-기독교가 있다고 주장해 왔다. 가령 미국의 역사학자 린 화이트(Lynn White, Jr)는 1967년 "우리의 생태계 위기의 역사적 근원(The Historical Roots of Our Ecological Crisis)"라는 큰 논란을 불러일으킨 논문에서 자연에 대한 그리스도교의 물질적 관점과 인간 중심주의적 세계관이 오늘의 환경 파괴와 생태계의 위기를 가져왔고 따라서 그리스도교는 환경 파괴에 대해 큰 죄의식을 가져야 할 것이라고 주장했다. 그에 의하면 "그리스도인들에게 나무란 단순히 하나의 물질적인 대상일 뿐이다. 성스러운 나무에 대한 전반적인 개념은 그리스도인들이나 서구의 가치관에는 아주 생경한 느낌일 뿐이다. 거의 2000년 동안 그리스도교 선교사들은 자연 안에 영이 깃들여 있다고 간주되어 온 성스러운 나무들을 우상 숭배라고 간주하여 가차없이 베어 버렸다."[8] 역사 학자 아놀드 토인비 역시 인

---

8 Lynn White, Jr., "The Historical Roots of Our Ecological Crisis," 이 글은 *Science* 155 (1967), 1203-1207에 처음 게재되었다. 인용은 문영석, "그리스도교는 반자연적 종교인가?" 98-99. 한국 천주교 중앙 협의회 편 『사목』 241집, 98-103.

류가 자연에 대해 가졌던 유익한 외경심이 이스라엘에서 발원한
유다교, 그리스도교, 그리고 회교에 의해 추방당해 버렸다고 본다.9)
　생태계 신학자들은 이 비판을 일면 인정한다. 실상 그리스도교
는 자연의 비신성화와 인간 중심주의를 옹호했으며 그로 인해 직
접 또는 간접적으로 자연의 과도한 사용과 지배를 정당화해 준 면
이 없지 않다. 성경 역시 인간의 자연 지배와 사용을 정당한 것으
로 주장하고 있다(가령 창 1:26-28, 창 9:1-3, 시 8:5-8). 하지만 오
늘날의 많은 생태계 신학자들은 성경과 기독교 전통이 제대로 이
해되기만 하면 거기에는 자연 지배적 아닌 자연 친화적이며 친생
태계적인 메시지가 풍부하게 발견될 수 있다고 본다. 이들에 의하
면 비록 성경은 분명히 하나님-인간-자연이란 계층 질서적 관계를
말함으로 자연 세계에서 인간의 독특성을 인정하지만 또한 하나님
을 자연 세계를 돌보시며 간수하시는 분이라고 명확하게 선포한다.
따라서 오늘날의 자연 파괴의 주범은 화이트 등의 말과 달리 기독
교 정신 아닌 인간 욕망의 왜곡과 소비적 세계관을 형성시킨 근대
의 과학 문명과 인간 중심주의에서 찾아야 할 것으로 본다. 곧 생
태계 신학자들은 프리드리히(Gerhard Friedrich)의 말처럼 "환경의
위기는 성서의 가르침의 결과가 아니라 하느님으로부터 인간이 분
리된 결과"라고 말해야 할 것이라고 본다. 이런 관점에서 많은 생
태계 신학자들은 기독교 역사 속에서 무시되어 온 친생태계적 전
통을 찾으려고 시도하며 거기에서 한 걸음 더 나아가 다음에 다룰
셸리 먹페그의 경우처럼 환경 친화적인 전통을 새롭게 형성하려고
한다.

9　Arnold Toynbee, *The Toynbee-Ikeda Dialogue* (Kodansha International,
　1976), 39. 인용은 문영석, "그리스도교는 반자연적 종교인가?" 99.

2. 대표적인 생태계 신학자

1980년 이전 만해도 생태계 문제를 중요한 신학적 주제로 삼는 신학자는 북미의 경우 죠셉 시틀러(Joseph Sittler)[10]나 더글라스 죤 홀(Douglas John Hall)[11] 정도에 불과했다. 그러다가 1981년 깁슨 윈터(Gibson Winter)의 *Liberating Creation: Foundations of Religious Social Ethics* (New York: Cross Road)가 나왔고 일 년 뒤 제임스 구스타프슨(James Gustafson)의 *Ethics from a Theocentric Perspective*(Chicago: University of Chicago Press)의 첫째 권이 출판되었다. 1985년 위르겐 몰트만(Jurgen Moltmann)이 그의 삼위일체론을 생태계 문제에 적용시킨 *God in Creation: A New Theology of Creation and the Spirit of God* (San Francisco: Harper and Row)을 펴냄으로 생태계 신학은 마침내 세계 신학의 중심부로 이동해 가기 시작했다. 하지만 전체적으로는 생태계 문제를 중심으로 신학 전체를 조직적으로 재구성하려는 시도는 아직 나오지 않고 있었으며 단지 몇 편의 논문들과 특히 여성 신학자들을 중심한 여성 억압과 자연 약탈 사이의 관계를 묻는 시도만 있었을 뿐이었다.

---

10 죠셉 시틀러는 지난 세대의 선구적인 생태학자, 기독교 윤리학자, 설교가로서 대표작으로 *The Care of the Earth and other University Sermons* (Philadelphia: Fortress Press, 1964); *The Ecology of Faith* (Philadelphia: Muhlenberg, 1961) 등과 Steve Bouma 등이 편집한 *Evocations of Grace: The Writings of Joseph Sittler on Ecology, Theology, and Ethics* (Grand Rapids: Eerdmans, 2000) 등이 있다.

11 더글라스 죤 홀은 캐나다의 조직 신학자로 주로 청지기직(stewardship)의 관점에서 생태계의 문제를 다루었다. 그의 많은 저서 중 생태계 문제와 관련된 것은 *Imaging God: Dominion as Stewardship* (Grand Rapids: Eerdmans, 1986); *The Steward: A Biblical Symbol Come of Age* (New York: Friendship Press, 1982).

생태계 신학이 신학의 중심부에 완전히 자리를 잡은 것은 1990
년 이후였다. 오늘날의 대표적 생태계 신학자로서는 로마 카톨릭의
토마스 베리(Thomas Berry), 로즈마리 류터(Rosemary Radford
Ruether), 개신교의 죤 콥(John Cobb, Jr), 셀리 먹페그(Sallie
McFague). 그리고 보다 통속적인 형태의 매튜 폭스(Matthew Fox)
등을 들 수 있다. 여기에서는 예언자적인 생태계 신학자 토마스 베
리와 미국의 여성 생태계 신학자인 셀리 먹페그의 신학을 소개하
려고 한다.

2-1. 토마스 베리(Thomas Berry)

우리 시대의 가장 대표적인 생태계 신학자이며 대단히 신비적이
며 포괄적인 신학적 비전을 제시하는 토마스 베리는 1914년 미국
의 노스캐롤라이나에서 태어났다. 그는 1942년 예수 고난회 소속
신부로 서품을 받았고 미국 카톨릭 대학(the Catholic University
of America)에서 역사를 공부하고 1949년에 박사 학위를 받았다.
1948년부터 1949년까지 그는 중국 북경에서 중국어를 배웠고 1956
년부터 1961년까지 세톤 홀 대학(Seaton Hall University)의 아시
아 연구소에서 가르쳤다. 1960년에 1966년 사이에는 뉴욕의 성 죤
스(St. John's University)의 아시아 연구 센터에서 가르쳤다. 1966
년 이후 그는 포담 대학(Fordham University)의 종교사 교수 및 역
사와 종교 프로그램의 책임자로 일했다. 1975년부터 1987년까지 신
학자이며 고생물학자였던 떼이야르 샤르뎅의 정신을 따라 설립된
미국 떼이야르 협회(The American Teilhard Association)의 회장
직을 역임했다. 그 자신을 신학자(theologian)나 지질학자(geologist)
아닌 지구학자(geologian)으로 이해하는 토마스 베리의 관심사는 초
기의 인간의 문명사를 넘어, 지질학, 생물학 등 전지구 공동체의 생

명 현상에까지 넓어졌다. 그는 1970년부터 뉴욕의 리버데일에 지구
의 역동성과 우주 안에서 인간의 자리를 연구하는 종교 연구소
(Center for Religious Research)를 만들어서 여기서 발간되는
Riverdale Papers를 통해 환경과 영성 운동을 주도해 가고 있다. 예
언자적이며 신비가적인 그의 영향을 받은 사람들은 학계, 정치계,
그리고 환경 운동계에 넓게 퍼져 있다. 그의 주요 저서로는 *The
Dream of the Earth* (1988), *Befriending the Earth* (1991), *The
Universe Story* (1992) 등이며 그의 영향 아래 쓰여진 책으로
Brian Swimme, *The Universe is a Green Dragon: A Cosmic
Creation Story* (1984), Anne Lonergan, Caroline(eds), *Thomas
Berry and the New Cosmology* (1988) 등이 있다.

토마스 베리에 따르면 지구가 형성된 이후 자연은 비교적 에너
지의 소비와 보충(회복) 사이의 균형을 맞추어 왔다.12) 때로 문제
가 생길 때도 있었으나 자연은 그 복원력으로 생태계의 균형을 잡
아 왔다. 하지만 인간의 등장 이후, 특히 근대 산업 사회의 도래 이
후 이 균형은 여지 없이 무너지기 시작했다. 근대 산업 사회는 자
연을 오직 상품 생산을 위한 원료 공급처로 착취했으며 그 결과 자
연은 급격히 황폐되어 이제 우리는 역사상 처음으로 생태계 파괴
로 인한 모든 생명체의 멸망을 분명한 가능성으로 직면하기에 이
르렀다.

베리에 따르면 생태계의 전면적 파괴 앞에서 이제 정말 중요한
문제는 국가 내의 문제, 혹은 국가와 국가 사이의 문제가 아니라

---

12 이하의 내용은 Thomas Berry, "Economics: Its Effect on the Life Systems
of the World," in Anne Lonergan and Caroline Richards (eds), *Thomas
Berry and the New Cosmology* (Mystic: Twenty-Third Publications,
1988), 1-26.

종과 종의 관계, 그리고 인간과 지구 사이의 관계 문제이다. 오늘날 진정한 위험은 다른 국가로부터 오지 않고 오용되고 남용된 지구로부터 온다. 만약 우리가 무제한의 진보를 믿은 근대 정신을 극복하지 못한다면, GNP는 항상 증가해야 하고 개인 소득은 더 늘어야 하며 소비 수준은 더 올라가야 한다는 사고를 계속한다면 그 결과는 지구 위의 모든 생명들의 죽음이란 참혹한 결과를 가져올 수밖에 없을 것이다. 따라서 이제는 국가 경제나 세계 경제 아닌 지구 경제의 관점에서 문제를 이해해야 한다. 베리에 따르면 지금까지 종교인들은 경제를 주로 사회 정의적 관점에서 생각해 왔다. 곧 종교인들은 사회적 약자를 소외시키지 않는 공정한 경제 정의를 강조해 왔다. 하지만 생태계의 위기 앞에서 이런 정도는 충분하지 않다. 이는 이런 사고 역시 자연을 결코 고갈되지 않는 무제한의 원료 공급처로 이해하는 근대 산업 사회적인 이해 위에 서 있기 때문이다. 하지만 자연은 결코 무한하지도 않고 또한 단순한 원료 공급처도 아니다. 오늘날의 자연은 지금과 같은 인간의 약탈을 더 이상 감당할 수 없다. 내일이 되면 너무 늦다.

여기에서 토마스 베리는 현대인들, 특히 종교인들이 사고의 근본적인 전환을 하기를 도전한다. 자연을 보호하는 것은 단지 윤리적으로 옳고 선한 행위 정도가 아니다. 그것은 생존의 문제이며 그 자체로 가장 거룩한 종교적 행위이다. "만약 물이 오염되면 그것은 마실 수도 없고 세례식에 사용될 수도 없다. 왜냐하면 그것은 더 이상 생명의 상징 아닌 죽음의 상징이 되기 때문이다."13) 구체적으로 베리는 자연을 죽어 있는 원료 공급처 아닌 살아 있으며 상호 보완하는 생명 시스템으로 이해해야 한다고 주장한다. 베리는 기독

---

13 *Ibid.*, 14

교가 하나님의 계시를 너무 말씀 중심으로만 이해함으로 자연을 통한 하나님의 계시를 거의 볼 수 없게 됨을 한탄한다. 우리가 우주의 아름다움, 특히 생명의 아름다움을 볼 수 없게 되면 우리는 하나님도 볼 수 없게 된다. 자연은 우리의 물리적, 정신적, 심미적, 도덕적, 그리고 종교적 실존을 가능하게 한다. 자연은 우리가 속해 있는 더 큰 성스러운 공동체이며 여기에서 소외되는 것은 곧 우리를 인간답게 만드는 모든 것에서 단절되어 죽음으로 가는 길이다. 여기에서 베리는 자연이야말로 하나님의 원초적 계시라고 주장한다. 그에 의하면 이 세상 곧 태양계, 그리고 지구는 그 자체로서 모든 궁극적 신비의 우선적 계시이다.

만약 자연 자체가 우선적이며 본질적인 계시라면 우리 사람들이 헌신하고 일차적으로 관심을 가져야 하는 것은 인간 공동체 아닌 자연계 전체의 안위이다. 인간 공동체는 자연계 전체 공동체의 일부에 불과하며 자연계 전체 공동체의 필요에 자신을 맞추어야 한다. 여기에서 베리는 오랫동안 서구사회를 지탱해 왔던 '진보' 이념을 비판한다. 그에게 있어서 진정한 진보는 지구 공동체의 모든 생명들의 존엄성이 고양되는 방식으로 이루어져야 한다. 그것은 육지의 나무, 바다의 플랑크톤, 공중의 새, 인간을 포함한 모든 포유류들이 생명의 순수함을 유지할 수 있는 방향으로 나아가야 한다. 생명 시스템이 통전되는 곳에만 진정한 진보가 있다.

어떻게 하면 생태계의 회복을 이룰 수 있을까? 베리에 의하면 생태계 회복은 어떤 프로그램의 시행이나 과학 기술의 도움으로 결코 이루어질 수 없다. 그것은 무엇보다 사람들의 사고 방식 그리고 삶의 방식이 근본적으로 바뀔 때만 가능하다. 근대 사회는 상품의 소비를 위해 사람들의 욕구를 끊임없이 확장시켜 온 사회였다. 이 사회 속에서 사람들은 많은 것을 누리면서도 가난하게 되었고 소비하면서도 만족이 없게 되었다. 자연은 그들에게 그저 소비의 대상이 되어 버렸다. 여기에서 자연이 단지 소비의 대상 아닌 경외와 황홀의 대상으로 곧 하나님의 원초적 계시로 여겨질 때 생명에 대한 존중은 가능하게 된다.

여기에서 베리는 오늘의 생태계 위기를 회복하는 데 종교와 종교인의 중요성을 강조한다. 그에 의하면 현대의 생태계적 위기는 자연을 궁극적인 경외와 신비로 보지 못하게 된 결과, 곧 자연 속에 하나님이 계심을 보지 못하게 된 결과이며 따라서 성격상 종교적인 것이다. 여기에서 베리는 현대의 위기를 극복하기 위해서는 우주에 대한 새로운 종교적 이해 곧 세계의 진화과정을 단지 물리적 과정일 뿐 아니라 영적 과정으로 보는 우주에 대한 새로운 이야기가 필요하다고 주장한다. 우주를 단지 물질 체계 아닌 신비와 경외 받을 실재로 보는 이런 이해는 현대 자연 과학자들이 도달한 세계 이해와 일치한다. 그는 우리가 자연에 대해 이런 이해를 가질 수 있느냐 없느냐가 앞으로 인간을 포함한 생명들의 생존과 직결된다고 본다.

결론적으로 베리는 인류는 이제 세 번째 중재(the Third Mediation)의 단계에 접어들었다고 본다. 아주 오랫동안 사람들은 신-인간의 중재란 맥락에서 단지 종교뿐 아니라 삶의 모든 면을 이해해 왔다. 근대 이후 사람들은 인간과 인간 사이의 중재란 맥락에서 삶을 해석하고 그 안에서 살아왔다. 하지만 이제는 세 번째 중재의 단계 곧 인간-자연(지구) 사이의 관계란 맥락을 중심축으로 하여 신과 인간, 그리고 인간과 인간 사이를 보아야 할 때가 왔다고 본다. 이제는 아시아, 아메리카, 아프리카, 유럽 할 것 없이 사람들의 생존에 지구가 가장 중요한 맥락(context)이 된 시대이며 우리가 이 맥락 속에서 어떻게 행동하느냐가 우리의 미래를 결정할 것이라고 주장한다. 그는 이 같은 주장을 다음의 12원리를 통해 요약한다.

1) 우주는 한 통일체 곧 시공간 상에서 분리할 수 없는 관계로 서로 연합되어 있는 상호작용적이며 발생학적으로 서로 연결되어 있는 존재들의 공동체이다. 특히 지구 위의 각각의 존재가 지구의 다른 모든 존재의 현존과 기능에 깊이 연관되어 있다는 점에서 지구의 통일성은 명확하다.

2) 그 처음 시작에서부터 우주는 물리적 실재일 뿐 아니라 심리적 실재이다.

3) 모든 수준의 실재에 있어서 우주의 세 가지 기본적인 법칙은 차별화(differentiation), 주체성(subjectivity), 그리고 교제(communion)이다. 이 법칙들은 실재와 가치들 그리고 우주가 나아가는 방향들을 규정한다.

4) 우주는 조화적인 측면뿐 아니라 폭력적인 측면을 가지고 있으나 더 큰 발전의 범위에서는 일관되게 창조적이다.

5) 인간은 우주가 그 자신을 의식적인 자기 인식으로 활성화하고 반성하며 축하하는 존재이다.

6) 태양계 안에서 지구는 자생, 자활, 자치, 자족하며 또 스스로 치유하고 성취하는 공동체이다. 모든 특별한 생명 시스템들은 그들의 존재와, 성, 육성, 교육, 치유, 성취에 있어서 그들보다 더 크고 복잡한 이 상호 의존적인 지구 시스템 안에서 그 기능들을 통전시켜야 한다.

7) 유전 정보 과정은 생명 세계가 그 존재와 행동들에서 그 자체를 분명하게 표현하는 과정이다. 놀라운 사실은 그들 사이에 존재하는 서로간의 창조적인 복수적 유전 정보 작용이다.

8) 인간 수준에서의 유전 정보는 한 걸음 더 나아가 특별히 인간적 특질들로 표현되는 초유전적인 문화적 정보를 요청한다. 문화적 정보는 교육 과정들에 의해 실행된다.

9) 우주 형성의 과정은 현존하는 세계 질서에서 역전되거나 반복될 수 없다. 지구 위에서의 무생명에서 생명에로의 운동은 한 번 발생한 사건이다. 생명에서 인간적 형태로의 운동도 마찬가지이다. 인간 문화의 초기 형태에서 후기 형태로의 이주 역시 마찬가지이다.

10) 문화적 기간들의 역사적 순서는 부족- 샤만기, 신석기적 부락기, 고전 문화기, 과학-기술기, 그리고 이제 나타나고 있는 생태기(ecological period)로 이해될 수 있다.

11) 임박한 미래의 인간의 주된 과제는 지금 나타나고 있는 지구 발달의 생태기인 지구 공동체의 모든 생명 및 무생명적 요소들의 상호 교제가 활성화되도록 돕는 것이다.14)

2-2. 셸리 먹페그

2-2-1. 셸리 먹페그는 미국의 여성 신학자이다. 그녀의 초기 신학은 바르트의 영향을 받았으나 종교적 언어가 가진 은유적 특성(metaphorical character)을 연구하면서 바르트를 떠났고 오늘날은 여성 신학적 통찰과 생태계적 관심을 결합한 신학을 전개하고 있다. 그녀는 현재 미국 네쉬빌의 벤터빌터 대학 신학부 교수로 있다.15)

---

14 Thomas Berry, "Twelve Principle: For Understanding the Universe and the Role of the Human in the Universe Story," in Anne Lonergan and Caroline Richards, (eds), *Thomas Berry and the New Cosmology*, 107-108.

먹페그에 따르면 20세기 신학은 크게 세 가지 단계를 거쳐 변화해 왔다. 첫째 단계는 칼 바르트, 에밀 브룬너, 루돌프 불트만, 폴 틸리히 등의 거장들이 활동한 20세기 중반까지의 신학으로 주로 이성과 계시 및 신앙과 역사의 관계 그리고 신학 방법론 특히 신 인식의 방법에 관한 질문을 중심으로 한 시기였다. 이 때는 신학적으로 비교적 통일된 시대로 "우리는 하나님을 어떻게 알 수 있는가?" 또 "하나님은 어떤 분이신가?"하는 질문을 중심으로 이루어졌다.16) 20세기 신학의 두 번째 단계는 1960년대의 해방 신학들의 등장과 함께 찾아왔다. 남미의 해방 신학, 북미의 여성신학, 흑인신학, 아시아 신학, 아프리카 신학 등은 모두 구체적인 억압의 현실에서 출발하여 그 해방을 신학적 목표로 삼았다. 이 때의 중요 질문은 "어떻게 하나님을 알 수 있는가?"가 아니라 "어떻게 세상을 바꿀 수 있는가?"하는 것이었다. 하지만 먹페그는 20세기 신학의 이 두 번째 단계에서 신학의 세 번째 단계가 형성되고 있음을 주목한다. 이 새로운 신학 운동은 2차 대전 이후 구체적 현실이 된 핵전쟁의 위험과 지구 전체를 '느린 죽음(slow death)'으로 몰고 가는 생태계 파괴 앞에서 어떻게 하나뿐인 지구를 멸망의 위기에서 건져낼 것인가? 이를 위해 신학이 할 수 있는 것은 무엇인가? 하는 문제의식에서 출발한다. 즉 이 단계에서 20세기 신학은 "하나님은 누구인가?," "어떻게 인간의 억압을 극복할 것인가?"하는 질문들을 넘어 핵전쟁과 생태계 파괴 앞에서 "어떻게 인간과 온 자연 세계가 살아 남을 것인가?"하는 질문을 중심으로 전개된다. 먹페그에 따르

---

15 90년 초반까지의 셀리 먹페그의 신학은 James Wall and David Heim (eds), *How My Mind Has Changed* (Grand Rapids: Eerdmans, 1992)에 실린 그녀의 글 "An Earthly Theological Agenda"에 잘 나타나 있다.

16 Sallie McFague, "An Earthly Theological Agenda," in *How My Mind Has Changed*, 135-136.

면 이 운동은 완전히 새로운 것이 아니라 그 이전의 해방 신학들의 관심이 확장된 것이다. 즉 20세기 신학의 세 번째 단계인 생태계 신학 또는 생명 신학은 인간의 해방을 지향해 온 해방 신학이 그 해방의 범위를 자연계 전체로 확장시킨 것이라고 할 수 있다.17)

현대 신학의 역사를 세 가지 단계로 나누어 살핀 다음 먹페그는 이제 그녀 자신의 생태계 신학을 소개한다. 그녀에 따르면 우리 시대는 역사상 그 어느 때와도 비교할 수 없는 독특한 시대이므로 이는 우리 시대에 와서 인류는 마침내 지구상의 모든 생명체들을 한 꺼번에 죽일 수 있는 능력을 소유했기 때문이다. 핵전쟁과 환경오염으로 인한 총체적 멸망은 이제 분명한 가능성이 되어 인류는 사느냐 죽느냐의 기로 앞에 서 있게 되었다. 먹페그에 따르면 이런 상황에서 신학이 물어야 할 가장 근본적인 질문은 "어떻게 하면 핵전쟁과 생태계 파괴로 인한 전지구적 멸망을 피할 수 있는가?" "어떤 하나님 이해가 또 어떤 신학적 진술이 핵전쟁과 생태계 파괴를 피하고 인류와 모든 생명체들로 하여금 바로 살도록 할 수 있는가?" 하는 것이다. 즉 우리 시대에 정말 절실하며 또 신뢰할 수 있는 신학은 핵전쟁과 생태계 위기에 책임 있게 반응함으로 생존의

---

17 *Ibid.* 먹페그에 따르면 인간에 대한 억압과 자연에 대한 약탈은 깊이 연결되어 있다. 서구 교회와 신학은 계속해서 이분법적이며 계층 질서적으로 세계를 이해해 왔다. 즉 여기에서 세계는 남성-여성, 백인-유색인, 이성애자-동성애자, 정상인-장애인, 문화-자연, 정신-육체, 인간- 비인간과 같이 한 쪽은 우월하나 다른 쪽은 열등한 쌍들의 결합으로 이해되었고 그 결과로 백인 남성들에 의한 여성, 유색인, 동성애자, 장애인, 자연, 육체, 인간 아닌 다른 생명체들에 대한 지배와 착취는 정당한 것으로 간주되었다. 특히 인간 억압과 자연 약탈이 가장 긴밀히 연결되어 있는 대표적인 경우가 여성에 대한 억압과 자연에 대한 억압이다. 서구 신학은 남자가 정신에 상응하는 반면 여자는 육체에 상응하고 따라서 정신이 육체를 지배하듯이 남성도 여성 및 여성과 동일시되는 자연을 지배해야 하다고 주장해 왔다. 하지만 먹페그에 따르면 바로 이런 이분법적, 계층 질서적 사고는 오늘날의 원자핵 전쟁과 생태계 파괴라는 위험을 결코 극복할 수 없으며 오히려 조장한다.

가능성을 높여 주는 신학이며18) 그외 다른 신학적 논의는 모두 이 차적인 것에 불과하다.

그러면 어떤 신학이 이런 역할을 감당할 수 있는가? 먹페그에 따르면 그것은 다음의 몇 가지 특징을 가진다. 첫째, 이것은 인간과 세계의 모든 것이 서로 뗄 수 없을 만큼 긴밀하게 연결되어 있으며 인간을 포함한 모든 생명체들이 그 생명을 보존할 권한이 있음을 말하는 신학이다.19) 둘째, 이 신학은 신학적 진술이 가져오는 사회 적, 생태계적 결과에 우선적 관심을 가지는 신학이다. 전통적인 신 학은 신학의 학문성과 객관성을 주로 말해 왔지 그 주장의 사회적, 생태계적 결과에 대해서 별로 관심을 보이지 않았다. 하지만 오늘 날의 신학은 신학의 가치를 생명을 살리는가 아니면 죽이는가 하 는 결과로 판단해야 한다. 셋째, 이 신학은 신학자들의 공동 작업으 로 전개되는 신학이다. 전통적으로 신학은 신학자 개인의 고독한 작업이었다. 하지만 오늘날처럼 생명체 전체가 사느냐 죽느냐의 기 로 앞에 서 있을 때는 개인적 작업으로서의 신학은 더 이상 의미가 없다. 오늘날의 신학은 신학자들의 끊임없는 대화와 상호 협력 속 에서 이루어지는 공동 작업이어야 한다. 넷째, 보다 구체적으로 이 것은 전쟁을 옹호하며 생명을 말살하는 국가주의, 군사주의, 무제 한의 경제 성장, 소비주의, 생태계의 파괴와 같은 폭력주의에 저항

---

18 Sallie McFague, *Models of God: Theology for an Ecological, Nuclear Age* (Philadelphia: Fortress Press, 1087), 118.

19 *Ibid.*, pref, xii. 그녀에 의하면 우리 시대에 신뢰할 만한 신학은 "모든 형태 의 생명들의 내재적 상호 연관성에 대한 의식으로 특징지워져야 하며 억압 적 계층 질서를 파괴하는 포괄적 비전을 가져야 하며 양육하며 성취하는 많 은 형태의 생명들을 받아들이며 주어진 실존으로서의 변화와 새로움에 개방 적인 신학이어야 한다." *Ibid.*, 32. 또한 "우리 존재의 깊이에서 우리는 우리 의 우주의 진화적인 생태 시스템의 한 부분이며 조각이라는 느낌을 갖는 것 이 최근의 기독교 신학의 필수 전제 조건이다." *Ibid.*, 9.

하며 다 함께 살아감을 강조하는 신학이어야 한다. 이를 위해 이
것은 이 세계의 아름다움을 있는 그대로 보여주면서 동시에 인간
이 얼마나 이 아름다운 세계를 파괴했는가를 고발하는 신학이어야
한다.20) 간단히 말해서 우리 시대의 신학은 사람들로 하여금 땅을
그 고향으로 올바르게 이해하며 살아가도록 하는 '땅의 일(earthly
affair)'이 되어야 한다.21)

특별히 먹페그는 생태계 회복과 생명 보전을 가능하게 하는 신
학은 우선적으로 하나님을 어떻게 이해하느냐에 달려 있다고 본다.
그녀에 의하면 전통적으로 하나님은 왕, 지배자, 군주, 주인, 그리고
아버지란 상징으로 이해되어 왔다. 하지만 이런 신 이해는 정복주
의적이며 전투적, 호전적이어서 지배와 복종, 명령과 예속의 구조
를 정당화하고 결국 전쟁과 다툼을 이끌어 지구 위의 생명을 위협
할 수밖에 없다. 따라서 우리는 생명을 살리고 보존하는 데 더 적
절한 하나님 이해를 찾아야 한다.22) 여기에서 그녀는 하나님을 왕,
아버지, 군주, 지배자 아닌 어머니, 연인, 친구로 보며 또 세계를 하
나님의 몸으로 보는 신학을 주장한다.

그러나 어떤 근거에 의해 먹페그는 하나님을 어머니, 연인, 친
구, 그리고 세계를 하나님의 몸으로 보자고 주장하는가? 과연 우리
가 이처럼 새로운 하나님 표상을 만들어 쓸 권한이 있는가? 먹페그
는 그렇게 할 수 있다고 보며 그 이유를 모든 종교 언어가 그 성격
상 은유(metaphor)라는 데서 찾는다. 그녀에 따르면 하나님은 인간
의 모든 언어를 넘어서 있는 궁극적 신비이기 때문에 그 어떤 언어
도 하나님을 결코 있는 그대로 표현할 수 없다. 신에 대한 인간의

20 Sallie McFague, *An Earthly Theological Agenda*, 139-143.
21 McFague, *Models of God*, 143.
22 *Ibid.*, 16.

언어란 인간의 경험과 상상의 표현에 불과하며 언제나 간접적이고 부분적이다.23) 즉 하나님에 관한 인간의 모든 표현은 문자 그대로 사실이 아니라 은유적으로만(metaphorically) 사실이다.24)

먹페그에 의하면 하나님을 아버지, 아들, 성령으로 보는 삼위일체적 신 이해 및 기타 성경과 기독교 전통의 소위 '권위 있는' 신 이해 역시 은유적 표현에 불과하다. 즉 하나님은 문자 그대로 아버지, 아들, 성령이 아니다. 이것 역시 신에 관한 은유적 표상에 불과하며 다른 것들보다 특별히 나을 것이 없다. 신에 대한 어떤 표상도 처음부터 다른 것들보다 월등하거나 우월할 수 없으며 모두가 똑같은 가치를 갖는다.25)

바로 이런 논의에 근거해서 먹페그는 전통적인 신 이해를 비신화화하여 해체하며 또한 우리 시대의 기독교 신앙의 표현에 적절한 새로운 이미지들을 재신화화하고(remythologize) 재구성(reconstruct)할 수 있다고 주장한다.26) 즉 그녀에 의하면 하나님에 대한 모든 논의는 그 성격상 허구(픽션), 곧 신에 대한 특정한 모형들을 핵심적 모형으로 승격시킨 것에 불과하다. 따라서 신에 관한 표상들은 이제 그것이 가진 기능성 곧 그 표상들이 얼마나 현대인의 경험에 적

23 여기에서 먹페그는 "...하나님에 대한 모든 언급은 간접적이다. 그 어떤 말이나 구절도 직접적으로 하나님을 지칭할 수 없으니 이는 하나님-언어는 다른 것의 기술에 적절한 우회로를 통해 하나님을 언급하기 때문이다"라고 말한다. Ibid.,34.
24 먹페그에 따르면 "은유는 부적절하게 사용되는 단어나 구절이다. 그것은 어떤 맥락에는 적절한 것이 다른 곳에 사용되는 것이다... 그것은 친숙하지 않은 것을 친숙한 것의 맥락에서 말하려는 시도, 곧 우리가 알지 못하는 것을 알고 있는 것의 맥락에서 말하려는 시도이다." Ibid., 33. 따라서 하나님은 오직 은유로만 표현될 수 있다. 즉 우리는 "신과 세계의 관계를 가상적인 형태로(as- if fashion)만 말할 수 있다." Ibid., 70.
25 Ibid., 35.
26 Ibid., 31.

합하며 또 시대의 문제를 해결하는 데 도움이 되는가, 얼마나 실천적으로 생명들의 풍성함을 가져올 수 있는가에 의해 평가되어야 한다.[27] 특별히 핵전쟁 및 생태계 위기에 적절하게 반응하여 생존의 가능성을 높일 수 있는 신 모형을 형성하는 것이 우리 시대의 가장 주된 신학적 과제라면[28] 전통적인 왕, 아버지, 군주로서의 하나님 이해 대신 어머니, 연인, 친구로서의 하나님, 그리고 하나님의 몸으로서의 지구라는 은유에 근거한 신학을 전개해야 한다. 이는 이 은유들이 실재의 상호 연관성을 잘 말해 주며 또 생명 친화적이어서 우리 시대의 핵전쟁과 환경 위기에 보다 적절하게 응답할 수 있기 때문이다. 이제 아래에서는 먹페그의 신 모형인 어머니, 연인, 친구로서의 하나님, 그리고 하나님의 몸으로서의 세계에 대한 논의를 다루고자 한다.

2-2-2. 하나님의 몸으로서의 지구, 어머니, 연인, 친구로서의 하나님.

먹페그는 먼저 지구, 곧 이 땅 전체를 하나님의 몸으로 보는 하나님에 관한 모형을 주장한다. 전통적으로 신학은 인간과 그 구원에 주된 관심을 가져왔고 인간과 온갖 동식물이 살아가는 이 땅에 대해서는 별 관심을 보이지 않았다. 기독교 신앙에 있어서 이 땅은 벗어나야 할 죄악의 장소이거나 잠시 지나가는 나그네 땅으로, 혹은 인간 구원이 이루어지는 배경 정도로만 이해되었다. 곧 전통적인 기독교 신앙은 '땅의 신학'을 가지지 못했고 그 결과 기독교는 근대 산업 사회에서의 땅의 착취와 자연의 파괴에 소극적으로는 방관자로, 적극적으로는 동참자로 있었다. 하지만 먹페그는 땅이야말로 우리가 살아가는 유일한 장소이며 또 신앙이 의미를 가질 수

---

27 *Ibid.*, 167.
28 *Ibid.*, 196.

있는 유일한 곳이라고 주장한다. 이런 땅에 대한 존중과 사랑 그리
고 책임을 갖게 하기 위해 그녀는 땅이야말로 소중히 여겨야 할 하
나님의 몸 곧 "모든 공간과 시간 앞에서의 하나님의 구체적인 현
존"29)으로 이해한다.

땅을 하나님의 몸으로 보는 신모형을 말한 다음 먹페그는 이제
하나님을 어머니로 보는 모형을 제의한다.30) 그녀에 의하면 신을
아버지로 본 전통 신학은 신의 절대적 존엄성을 강조하기 위해 신
과 인간 및 세계 사이의 무한한 거리를 상정했으며 영혼과 정신에
대한 물질과 육체의 종속을 정당화시켰다.31) 하지만 이런 이원론
적 태도는 오늘날의 생태계 위기를 더 심화시킬 뿐이다. 하지만 아
버지로서의 하나님과 달리 어머니로서의 하나님은 세계와 절대적
인 구별 내지 거리를 갖지 않는다. 오히려 어머니가 그 자녀와 맺
는 관계처럼 하나님과 세계 사이의 관계는 가장 가깝고 밀접하다.
또한 하나님이 어머니로 이해된다면 세상의 어머니가 그 몸의 일
부를 떼어서 자녀를 낳듯이 세계는 하나님의 일부이며 또 그 연속
으로 이해된다. 곧 하나님의 세계 창조는 "물리적 사건"32)으로 이
해되며 세계는 "하나님의 '자궁'에서 나왔으며 잉태에 의해 형
성"33) 된 것으로 이해된다. 여기에서 하나님과 세계 사이에는 질적
인 차이란 없다. 신과 세계는 오히려 가장 긴밀히 연결되어 있다.

세계가 하나님의 자궁에서 잉태되고 태어났다는 말은 세계와 하
나님이 결코 분리될 수 없음을 뜻할 뿐 아니라 또한 하나님이 어머

---

29 *Models of God*, 60.
30 *Ibid.*, 105ff.
31 *Ibid.*, 109.
32 *Ibid.*, 110.
33 *Ibid.*

니처럼 모든 생명체들을 돌보시는 분임을 뜻한다. 따라서 이 땅과
그 생명들을 거스리는 것은 곧 하나님을 거스리는 것이 된다. 땅에
대한 범죄가 곧 하나님에 대한 범죄이다. 그리고 땅에 대한 범죄가
일어날 때 어머니인 하나님은 동시에 심판자로서 그 범죄 한 이들
을 심판하신다. "생명을 주신 이이며 심판자이신 그녀는 주신 생명
의 성취가 위협받을 때 분노한다."34) 온 세계의 어머니로서의 하나
님은 온 세계를 그 아가페적 사랑으로 사랑하신다. 그리고 이 사랑
은 이 땅에서 모든 생명들에게 그들이 가진 정당한 생명의 권리를
보존하는 정의의 형태로 나타난다. 즉 땅의 어머니이며 심판자인
하나님은 "그녀의 모든 피조물의 행복을 위해 정의로운 생태계적
경제를 설정하신다."35) 여기에서 먹페그는 죄를 하나님의 사랑의
대상인 땅을 짓밟는 것이며 그 생명체들이 누려 마땅한 삶의 권리
를 짓밟는 것을 뜻한다. 곧 "죄는 '하나님을 대적하는 것이 아니라'
'그 몸을 대적하는 것' 곧 생태계적인 균형을 깨는 것을 뜻한다."36)
또한 그녀에게 있어서 정의란 모든 생명들이 그 자체로서의 생명
의 권한을 즐길 수 있도록 공평하게 필요한 자원들을 제공하는 것
을 뜻한다.37)

먹페그에 의하면 생태계적 위기 앞에서 요청되는 또 하나의 하
나님 모형은 연인으로서의 하나님이며 이는 전통적인 이해의 삼위
일체의 제2위인 아들로서의 하나님과 부합된다. 사랑하는 사람들
이 함께 있고 싶어하듯이 연인으로서의 하나님은 그 열정적인 사
랑으로 그 사랑의 대상인 땅과 함께 하고 싶어한다. 먹페그는 이와

34 *Ibid.*, 113.
35 *Ibid.*, 117-118.
36 *Ibid.*, 114.
37 *Ibid.*, 121.

같은 열정적인 하나님의 사랑을 에로스(eros)라고 부르며 세 가지 서로 연관된 특성들을 가진다고 본다. 첫째, 그것은 가치 있는 대상을 향한 사랑이다.38) 곧 연인으로서의 하나님은 이 세상이 가치 있고 매력적이기 때문에 사랑하시며 그것과 하나가 되고 싶어한다.39) 둘째, 에로스는 상대방의 사랑의 반응에 의해 풍요롭게 되며 또 완성된다. 곧 연인들이 서로를 필요로 하듯 연인으로서의 하나님은 그의 사랑의 대상인 땅, 특히 인간을 절대적으로 필요로 한다.40) 셋째, 에로스는 세계의 계층 질서적인 분리를 극복하고 모든 생명들을 깊이 연합시키는 힘이다. 하나님의 에로스가 나타날 때 모든 분리와 대립은 극복되며 모든 생명들은 상호 존중 가운데 새로운 생명을 얻는다. 바로 여기에서 먹페그는 구원의 의미를 새롭게 이해한다. 그녀에 의하면 구원이란 이 세계가 서로 깊은 사랑으로 연합되는 것 곧 만물이 "분리의 치유, 곧 찢어진 것을 온전하게 하는 것"41)에 참여하는 것을 뜻한다.

따라서 먹페그에 의하면 구원은 전통적인 이해와 달리 우리가 하나님으로부터 단번에 받는 어떤 것이 아니라 우리가 계속 만들고 참여하는 현재 진행형의 것이다.42) 즉 구원은 하나님의 몸으로서의 온 세계의 건강과 복지를 향해 끊임없이 감수성이 개발되고 새롭게 되어 가는 것을 뜻한다.43) 다시 말해 그녀에게 있어서 구원은 하나님과 함께 분리되고 상처 입은 세상의 치유에 우리 사람들이 계속 참여하는 것을 뜻한다.44) 따라서 그녀에게 있어서 구원은

---

38 *Ibid.*, 131.
39 *Ibid.*, 132.
40 *Ibid.*, 135.
41 *Ibid.*, 214.
42 *Ibid.*, 145.
43 *Ibid.*, 146.

그 성격상 창조와 다르지 않다. 구원은 창조의 한 부분 혹은 '창조
를 심화하는 것'이다.45)

좀더 구체적으로 먹페그는 에로스를 분리되고 찢겨진 세계의 회
복 곧 구원을 지향해 가는 창조적 에너지로 이해한다. 이 점에서
구원은 곧 치유(healing)와 동일하며 세 가지 측면을 가진다. 첫째,
그것은 전통적인 구속(redemption) 이해의 영혼과 육체의 이분법
을 거부한다. 전통적인 구속 이해는 영혼과 육체를 구분하고 육체
에 대해서는 거의 관심을 두지 않았으니 이 때의 구원은 영혼의 구
원을 의미했다. 하지만 그녀의 구원 이해에서 초점은 육체에 있고
그 육체의 연장으로서 정신적, 영적 측면을 포함한다. 둘째, 먹페그
는 인간 중심적으로 이해된 전통적인 구속 이해를 거부하며 그 대
신 구원에 있어서의 생태적, 진화적인 부분을 강조한다.46) 즉 전통
적인 구원 이해가 인간만을 하나님의 구속의 대상으로 본 데 비해
먹페그는 그 범위를 인간을 포함한 모든 생명체들에게까지 확장한
다. 곧 구원이란 전 생명체 안에서 "...제한의 수용, 기본적인 필요
들을 공유하려는 의지, 무질서에서 질서를 만들려는 갈망"으로 특
징지워진다.47) 셋째, 제한된 자원때문에 생태계 안에서는 모든 생
명체들을 다 유지할 수 있는 완전한 치유나 완벽한 건강, 곧 완벽
한 구원이란 있을 수 없다.48). 즉 생태계적으로 이해된 구원은 언
제나 잠정적이며 계속 이루어 나가야 할 과제로 이해된다.

그럼 이처럼 생태적, 진화적인 관점으로 이해된 구원에서 예수

---

44 *Ibid.*, 143
45 *Ibid.*, 146.
46 *Ibid.*, 147.
47 *Ibid.*, 148.
48 *Ibid.*

그리스도의 역할을 무엇인가? 먹페그에 따르면 예수는 이런 구원을 몸 전체로 사신 분, 곧 하나님의 치유와 회복의 에로스 사랑을 구현하신 분이다. 따라서 예수는 유일한 구원자이기보다 이런 구원의 한 전범적 인물(a paradigmatic person)이다. 곧 예수는 우리에게 구원자가 아니라 구원이 무엇인지 보여 주며 또 그 구원을 이루어 가도록 모범을 보이신 분으로 이해된다: "따라서 나사렛 예수는 우리를 위해서 무엇을 하신 것이 아니라 그보다 더 중요한 것 즉 그의 삶과 죽음을 통해 우주의 마음은 궁핍하고 버려지며 억압당한 자들의 친구가 됨으로 역사하는 사랑임을 드러내셨다."[49]

즉 먹페그는 구원에 있어서 오직 그리스도(solus Christus) 또 오직 은혜(sola gratia)라는 대속론적 주장을 받아들이지 않는다. 그녀에 의하면 이 모든 것은 우리 시대에 더 이상 맞지 않은 낡아버린 계층 질서적이며 배타적 사상에 불과하다. 우리 시대에는 하나님과 인간의 상호 의존과 인간의 책임성을 말하는 구원 이해가 필요하다. 하나님 혼자만이 구원할 수 없으며 하나님은 우리의 도움이 필요하다: "연인으로서의 하나님의 모형은 따라서 하나님이 세계 구원을 위해 우리의 도움이 필요함을 의미한다."[50]

먹페그의 네 번째 하나님 모형은 친구로서의 하나님이며 이것은 전통적 이해에 있어서 성령으로서의 하나님과 상응한다.[51]

먹페그는 우정의 몇 가지 특징을 말함으로 친구로서의 하나님에 대한 논의를 시작한다. 먹페그에 의하면 우정은 함께 있음, 매력, 자유와 신뢰로 특징되는 기쁜 관계이다. 우정은 "두 사람이 상호적 관계 속에서 자유롭게 선택한 연합"이다.[52] 하지만 이뿐 아니라 친

49 Ibid., 55.
50 Ibid., 135.
51 Ibid., 170-171.

구란 공동의 관심과 비전을 가진 사람들이다. 즉 우정은 단지 두 친구 사이의 배타적 관계뿐 아니라 다른 존재들에게도 개방된 공동의 목표를 가진다. 따라서 하나님과 인간 그리고 세계 사이의 우정은 그 자체로만 머무르지 않고 모든 생명체의 구원 곧 지구 공동체의 복지라는 공동의 목표를 지향하는 자유롭고도 상호적인 관계로 확장된다.53)

곧 친구로서 하나님의 일은 하나님의 몸으로서 이 세계를 유지(sustaining)하는 것이다. 곧 친구로서의 하나님은 이 세계의 짐을 지고 그 고통에 참여하며 그 원래의 아름다움을 회복해 나가는 분이다. 먹페그는 하나님의 세계 유지를 위한 이런 사랑을 필리아(philia), 즉 친구 사랑이라고 부른다. 먹페그는 성경에서 우정에 대한 여러 이미지들, 특히 친구를 위해 목숨을 버리는 좋은 친구에 대한 예수의 말씀(요 15:13)을 그 좋은 예로 든다. 예수는 잃어버린 양의 비유, 돌아온 탕자, 선한 사마리아 사람, 죄인들과 함께 한 그의 식탁 공동체 등을 통해 그 자신이 바로 하나님이 우리의 친구되신 분임을 온전히 보여주었고 이 점에서 예수 자신이 바로 하나님의 비유였다. 곧 예수는 친히 하나님이 친구 같은 분임을 보임으로 인해 우리가 살아가는 이 작은 지구에서 모두가 서로 친구가 될 때만 지구 위의 모든 생명체에게는 내일이 있을 수 있음을 분명히 깨우쳐 주셨다.54)

곧 친구이신 하나님은 이제 우리를 하나님의 몸인 세계의 친구가 되라고 부르신다. 친구이신 하나님의 유지하는 사역에 참여하는 것은 이 세계 전체의 기쁨과 슬픔에 참여하는 것 곧 생태계의 회복

52 Ibid., 160.
53 Ibid., 163.
54 Models of God, 179.

과 보존에 헌신하는 것이다. 구체적으로 이는 "이 세계의 많은 형태의 생명들을 공정히 취급하도록 쟁투하며, 또한 모든 다른 존재들의 파트너로서 자기 자신을 이해하는 것"[55])을 뜻한다. 결국 먹페 그에게 있어서 "하나님의 창조적 사랑(아가페)은 다양한 형태의 생명들의 생존과 양육의 권리를 강조한다. 하나님의 구원의 사랑(에로스)은 이런 형태의 생명들의 가치와 그들이 온전하고 자유롭게 되기를 바라는 하나님의 바람을 강조한다. 하나님의 유지하는 사랑(필리아)는 모든 형태의 생명들이 친구들로서 서로 연합하며 또 그들 생명의 자원들과 연합하는 것을 강조한다."[56])

맺는 말

이 장에서 우리는 1980년대 이후 세계 신학계의 가장 영향력 있는 운동의 하나인 생태계 신학의 주요한 특징들과 그 주된 신학자들의 신학을 살펴보았다. 생태계 신학은 오늘의 환경 파괴 현실에서 출발했으며 성서와 기독교 전통에서 환경 친화적 정신을 되찾으며 또한 새로운 환경 친화 전통을 창조하려는 신학적 노력이다. 또한 이 신학은 전통적인 자연에 대한 기계론적, 물질론적 이해, 인간 중심주의, 실재에 대한 이원론적 사고를 극복하고 유기체적 자연 이해, 범 자연적, 통전적 실재 이해를 택함으로 탈근대적 신학의 하나 이기도 하다. 생태계 신학은 오늘날의 어떤 신학 못지 않게 아주 오랫동안 세계 신학계의 중심적 화두로 계속 논의될 것이다. 이는 이 신학 자체가 환경 오염과 그로 인한 생명 전체 멸절이란 구체적인 생존의 문제와 연관되어 있기 때문이다. 우리 나라의 경우에도 카톨릭과 개신교, 신학적 보수와 진보에 관계 없이 오늘날

---

55 *Ibid.*
56 *Ibid.*, 169.

가장 진지하게 논의되는 신학이 바로 이 생태계 신학이 아닌가 싶
다. 참으로 한국에서의 생태계 신학이 단순한 이론적 작업을 넘어
진정 오염된 우리의 삶을 살리고 하나님의 생명을 가득 나타내는
구체적인 실천 운동으로 나아갈 수 있기를 희망하면서 이 글을 맺
고자 한다.

참고 도서

크라이브 폰팅 지음, 이진아 옮김, 『녹색 세계사: 진보의 역사 뒤에 숨겨진 파괴의 역사』 서울: 심지, 1995. 세계사를 정치사나 문화사 아닌 생태학적 시각으로 조망한 탁월한 책. 일반적이며 거시적인 시각에서 생태계 문제를 보는 데 좋다.

Howard Clinebell, 오성춘, 김의식 역. 『생태 요법: 인간 치유와 지구 치유』 서울: 한국 장로교 출판사, 1998. 기독교 상담학의 대가인 클라인벨이 생태계적 관점에서 인간 치유와 지구 치유를 논한 책. 책 말미에 생태 신학 및 생태 운동에 관한 아주 포괄적인 문헌 목록을 담고 있다.

Sallie McFague, *Models of God: Theology for an Ecological, Nuclear Age*. Philadelphia: Fortress Press, 1987. 이 이후에 나온 *The Body of God: An Ecological Theology*, Minneapolis: Fortress Press, 1993. 역시 생태 신학에 중요한 책이다.

Thomas Berry, *The Dream of the Earth*. San Francisco: Sierra Club Books, 1988; *Befriending the Earth: A Theology of Reconciliation Between Humans and the Earth*. Mystic: Twenty-Third Publications, 1993. 우리 시대의 가장 창조적인 생태 신학자의 글. 좀더 쉽게 접근할 수 있는 것으로는 그의 제자인 물리 학자 브라이언 스윔이 베리와 대화하는 형식을 빌려 서술한 Brian Swimme, *The Universe is a Green Dragon*, Santa Fe: Bear and Co., 1984. 토마스 베리 신학에 대한 학자들의 평가로는 Anne Lonergan and Caroline Richards (eds), *Thomas Berry and the New Cosmology* (Mystic: Twenty-Third Publications, 1988.

Rosemary Radford Ruether, *Gaia and God: An Ecofeminist Theology of Earth Healing*, New York: HarperSanFrancisco, 1992. 여성과 땅에 대한 약탈 사이의 관계를 신학적으로 성찰하는 에코페미니즘(Ecofeminism)의 대표적인 책.

부록 1. 한스 프라이의 신학

들어가는 말

한스 프라이(Hans Frei, 1929-1988)는 그의 동료 죠지 린드벡 (George Lindbeck)과 함께 탈자유주의 신학(Postliberal Theology) 의 대표적 이론가로서, 2차 대전 이후 미국의 바르트 신학 부흥을 이끈 중심 인물로서, 또한 성경 해석에 있어서 문학적 접근(literary approach) 및 서사 신학(narrative theology)이란 새로운 신학의 장 을 개척한 사람으로서 널리 알려져 있다. 이 글에서 우리는 프라이 의 생애를 간략히 소개한 다음 프라이의 신학에 영향을 미친 학자 들을 검토하면서 프라이 신학의 면모를 개략적으로 살펴볼 것이다. 그 다음 프라이 신학의 주요 특징을 그 신학적 과제, 내용, 방법 등 을 중심으로 살피고 마지막으로 그의 신학의 강점과 약점을 지적 하려고 한다.

1. 한스 프라이의 생애(1922- 1988)

한스 프라이는 1922년 4월 29일 독일 브레스라우(Breslau)에서 태어났다. 그의 아버지와 어머니는 다같이 유대계 독일인 의사였 다. 이들은 프라이가 16세 되던 1938년 나치 독일을 피해 미국으로 이주하여 바라던 자유는 얻었으나 대신 경제적인 어려움을 당할 수밖에 없었다. 프라이는 당시 유일하게 장학금을 얻을 수 있었던 북 캐롤라이나 주립대학(North Carolian State University)의 직물공학과에 진학했고 대학 시절 당시 예일대의 리차드 니이버(H. Richard Niebuhr)의 강연을 통해 신학에 매료되어 예일대에서 신학 공부를 시작하여 1945년 신학사로 졸업했다. 그후 뉴햄프셔의 작은 도시인 노스 스트레포드(North Stratford)의 침례교에서 2년간 목회했으며 이때 그는 오랫동안의 내적 갈등을 거쳐 두 가지를 결정했다. 하나는 신학적으로 좀더 개방적이었던 영국 성공회(Episcopal Church)로 옮기는 것이었으며 다른 하나는 목회자 아닌 신학자의 삶을 살아가는 것이었다. 1947년 예일로 돌아와 신학 공부를 다시 시작했고 같은 해에 Geraldine Frost Nye와 결혼했다. 1952년에는 성공회(Episcopal Church)의 목사가 되었고 같은 해에 1909-1922년 사이의 「바르트 사상에 있어서의 계시 교리」(The Doctrine of Revelation in the Thought of Karl Barth, 1909-1922)란 긴 논문으로 박사 학위를 받았다. 그 이후 두 학교를 거쳐서 1956년에 예일대 교수가 되었고 그가 죽던 1988년 9월 13일까지 그곳 교수로 있었다. 그는 영감 있고 심원한 강의로 많은 제자들의 존경과 사랑을 받았으나 완벽주의적 특성으로 인해 그 학문적 능력에 비해 남긴 글은 많지 않다. 대표작으로는 *The Identity of Jesus Christ, The Eclipse of the Biblical Narrative*, 미완성으로 남은 *Types of Christian Theology*, 그리고 다수의 논문들이 있다.

2. 프라이의 신학에 영향을 미친 학자들

프라이의 신학에 큰 영향을 준 인물로 신학자 칼 바르트(Karl Barth), 문예 비평가 에리히 아우에르바하(Erich Auerbach), 철학자 길버트 라일(Gilbert Ryle) 그리고 그의 스승인 리차드 니이버

(H. Richard Niebuhr)를 들 수 있다.

프라이는 독일의 문예 비평가 아우에르바하로부터 성경 서사의 중요성을 배웠다.[1] 아우에르바하에 따르면 문학은 하나의 현실 (Reality)을 창조한다. 특히 성경은 거의 전제 군주처럼 그것이 서사하는 세계야말로 다른 모든 실재들을 평가하고 판단하는 절대적이며 우선적인 실재(the primary reality)로 이해한다.[2] 프라이는 아우에르바하에게서 이런 실재적 서사적 성경 읽기(the realistic narrative reading of the Scripture)를 배움으로 성경 서사의 우선성을 주장하게 되었다. 프라이는 성경의 서사가 우리의 현실을 규정해야지 우리의 현실이 성경 서사의 문자적 뜻(literal meaning)을 규정해서는 안 된다고 계속해서 주장했는데 여기에는 아우에르바하의 영향이 크다.[3]

---

1 Erich Auerbach는 독일의 문예 비평가로서 대표작으로는 호머, 성경에서부터 20세기 초반의 프로스트(Marcel Froust), 울프(Virginia Woolf)에 이르는 서구 문학을 분석한 *Mimesis* (1946)가 있다.

2 Erich Auerbach, *Mimesis: The Representation of Reality in Western Literature*, trans. Willard Trask (Garden City: Doubleday Anchor Books, 1957), 15.

3 프라이에 따르면 이런 실재적 서사적 성경 읽기는 바로 바르트의 성경 읽기였으며 또한 기독교 역사의 첫 1700여 년 동안의 성경 읽기였다. 비록 교회는 은유적(allegorical), 유비적(analogical), 또 도덕적(moral) 성경 읽기도 병행했으나 그것은 문자적 성경 읽기가 전제된 다음이었다. 가령 예루살렘은 먼저 지상에 있는 한 도시란 것이 전제된 다음 천상의 구원의 장소, 혹은 교회로 이해되었다. 그러나 18세기경부터 사람들은 성경을 다르게 읽기 시작했다. 이때부터 사람들은 성경 아닌 일상의 삶의 경험이 현실을 우선적으로 규정하는 것으로 생각하게 되었으며 이로 인해 성경은 근대 정신의 기준에 의해 읽혀지기 시작했다. 프라이에 따르면 이런 성경 읽기는 크게 두 가지 형태로 나타났다. 첫째, 보수적, 복음주의적 성경 읽기로 이런 읽기는 성경 영감설과 무오설에 근거해서 성경을 하나님과 인간 본성에 관한 결코 틀림없는 영원 불변의 말씀이며 사실에 대한 진술로 보았다. 둘째 자유주의 신학의 성경 읽기로 성경을 하나의 역사적 종교 문서로 이해했다. 이 읽기는 성경의 사실성(factuality)에 관심을 가지면서 그 본문 너머의 실제 있었

프라이가 아우에르바하에게서 성경 서사의 중요성을 배웠다면 그는 영국의 언어 분석 철학자 라일(Gilbert Ryle)에게서 한 사람의 정체성(personal identity)을 그의 자의식(self-consciousness) 아닌 그 말과 행위에서 찾는 것을 배웠다. 라일은 그의 *The Concept of Mind*(1949)에서 그가 데카르트적 신화(Descartes Myth)라고 부른 사람의 정체성을 그의 내적 자의식에서 찾는 근대 정신을 비판한다. 그에 의하면 근대 정신의 공식 이론이 된 데카르트의 물질/정신의 이분법은 ①인간은 물질과 정신이란 서로 전혀 다른 두 요소의 연합으로 되어 있다. ②이 둘은 전혀 다른 메카니즘을 따라 움직인다. ③인간의 본질은 그의 의식에서 찾을 수 있다. 즉 인간을 규정하는 것은 인간의 자기 의식(self-consciousness)라고 주장한다. 즉 데카르트에 따르면 인간의 정체성은 그의 내적인 어떤 본질에 달려 있다. 이것이 종교에 적용될 때는 종교의 본질도 그 종교의 어떤 내적 종교 체험에 달려 있다는 주장으로 나타난다. 그러나 라일은 인간의 정체성은 그의 내적 자의식 아닌 사회적 관계 속에서의 말과 행동에 의해 결정된다고 보며 어떤 종교의 특성 역시 그 종교의 종교 체험에 있는 것이 아니라 그 언어와 행위에서 발견된다고 주장한다. 또한 이것은 예수가 누구인가 하는 질문에도 해당된다. 그는 예수의 자의식을 탐구함으로 예수의 자기 정체성(self-identity)을 알려고 한 불트만 이후의 역사적 예수 탐구를 비판하면서 예수의 신원(identity)을 그가 맺은 사회적 관계에서 찾아야 한다고 주장한다.4)

던 역사적 사건들을 찾아서 거기에 기독교 신앙의 근거를 두려고 했다(성서에 대한 역사 비평학). 프라이에 따르면 이 두 가지 성경 읽기는 다 같이 교회사의 전통적 성경 읽기에서 벗어나 있다. 무엇보다 그는 이런 성경 읽기는 결국 성경의 서사적 본질을 상실하게 한다고 보았다.

4 Ryle에 따르면 1960년대의 역사적 예수에 대한 새로운 탐구(new quest for

프라이는 라일의 이런 비판을 받아들이면서 "예수가 누구였느냐는 그가 행했고 또 그가 겪었던 삶의 과정을 통해서 밝혀지지 단순히 그의 이해 혹은 자기 이해를 통해서 밝혀지지 않는다"라고 주장한다.5) 특별히 여기에서 중요한 것은 예수는 그의 말씀 및 행위를 통해 알려진다는 프라이의 주장은 예수는 곧 성경 본문, 특히 복음서의 서사를 통해서 알려진다는 말이다. 즉 프라이에 따르면 예수의 참모습은 역사적 탐구를 통해서가 아니라 복음서의 예수 이야기에서 밝혀진다. 복음서의 서사를 떠나서는 예수가 누구인지 알 수 없다.6)

---

historical Jesus) 역시 데카르트적인 근대 정신의 유산이었다. 이 시기는 객관적인 역사적 사실에 근거해서는 결코 역사적 예수를 알 수 없다는 불트만의 주장이 정설이 되면서 역사적 예수 탐구가 거의 불가능하게 되어 버린 때였다. 그러나 역사적 예수에 대한 어느 정도의 지식 없이 기독교 신앙은 불가능하다. 예수의 역사성이 빠진 오직 케뤼그마만의 그리스도는 기독교 신앙을 영지주의적인 것으로 만들어 버리기 때문에 어떤 식으로든 역사적 예수를 알고 또 이 예수와 케뤼그마의 그리스도 사이의 연속성을 찾아야 한다. 이에 그의 제자들인 케제만, 보른캄, 훅스, 에벨링, 그리고 미국의 로빈슨 (J. M. Robinson) 등은 예수의 자의식 안에서 신적 존재로서 예수의 정체성 (identity)을 찾으려 했다. 이들에 따르면 우리는 현재 있는 역사적 자료로는 예수의 전기(biography)를 쓸 수 없으나 적어도 신적 존재로서 그의 정체성 (identity)을 그의 신앙, 그의 결단, 그의 확신을 통해 알 수 있다. 따라서 이들은 예수의 Abba 계시 등에 주목하면서 역사적 예수와 케뤼그마의 그리스도 사이의 연속성을 찾음으로 기독교 신앙의 역사적 토대를 확보하려고 했다. 하지만 라일은 이런 시도는 한 사람의 정체성을 그의 내적인 자의식에서 찾는 잘못된 근대주의의 표현에 불과하다고 본다.

5 Frei, Barth and Schleiermacher, Hans Frei, *Theology and Narrative: Selected Essays*, George Hunsinger, William Placher (eds), (New York: Oxford University Press, 1993), 184 ff.

6 프라이에 의하면 이처럼 복음서의 서사를 통해서 예수의 신원(identity)을 찾으려는 시도는 바르트 신학, 특히 그의 후기의 『교회 교의학』 IV, "The Way of the Son of God into the Far Country"와 "The Royal Man" 및 H. Richard Niebuhr의 *Christ and Culture*의 "Toward a Definition of Christ" 에서 잘 나타나고 있다. 프라이와 똑같은 생각이 그의 동료인 켈시(David Kelsey)에게도 보인다. 그는 "(예수는) 이야기 안에서 또 그 것과 더불어 아

하지만 프라이에게 누구보다 큰 영향을 준 이는 바르트였다. 프라이가 신학자로서 활동을 시작한 1950~1960년대의 미국의 신학계는 자유주의와 세속화 신학의 영향 아래에서 바르트 신학을 잘 알지 못하고 있었다. 이때의 미국의 신학계는 신적인 것과 인간적인 것 사이의 단절을 강조한 로마서(1918, 1921)로 대표되는 바르트의 초기 신학만 주로 알았고 안셀름 연구 이후의 교회 교의학의 신학은 잘 알지 못했다. 그나마도 바르트는 그 자체로서가 아니라 주로 에밀 브룬너 신학의 빛에서 이해되었다. 그러다가 1960년대 이후 바르트, 브룬너, 고가르텐, 니버 형제, 심지어 틸리히까지 포함한 소위 '신정통주의'가 쇠퇴함에 따라 바르트 역시 무시되어 버렸다. 그러나 프라이는 일찍부터 바르트 신학의 중요성을 깊이 인식하고 있었다. 그는 바르트의 자유주의 신학 비판에 공감하면서 바르트가 20세기 초반에 했던 자유주의 신학에 대한 거부는 그의 시대에도 계속되어야 한다고 믿었고 그의 일생의 신학적 과제를 자유주의 신학을 비판하고 극복하는 데 두었다. 즉 바르트의 영향에 의해 그는 신학의 중심 과제는 세속 문화 속에서 신학의 가능성 내지 의미를 찾으려는 데 있지 않고 교회에 주어진 말씀에 대한 충실하게 기술(description)하는 데 있다고 확신하게 되었으며 또한 이같은 목적에 상응하는 신학 방법론은 일반적인 원리에서 출발하여 기독교 신앙의 정당성을 변증하는 대신 교회 안에 주어진 계시된 말씀에서부터 신학적 진술을 시작하는 안셀무스적인 신학 방법론이라고 믿었다. 더 나아가 그는 바르트의 영향에 의해 성경을 자료

주 직접적으로 알려지며 인지적으로 그를 이해하려 하면 할수록 그는 그 이야기로부터 추상화된다. 따라서 성경 서사는 신학이 그 신원과 행위에 대해 논의하고자 하는 그 행위자를 묘사하는 것으로 이해 될 수 있다." David Kelsey, *The Use of Scripture in recent Theology*, 39.

(source)가 아닌 우리가 들어야 할 하나님의 말씀 곧 본문(text)으로 보게 되었다. 즉 바르트의 영향으로 그는 정말 중요한 것은 교회에서 정경으로 읽어 온 성경 본문이지 이 본문을 넘어선 역사적 사실(historical facts)이 아니라고 주장하게 되었고 이 같은 관점에서 그는 성경의 서사적 구조에 집중하게 되었다.7)

3. 한스 프라이의 신학

지금까지 우리는 한스 프라이에게 영향을 미친 학자들을 중심으로 프라이 신학의 특징을 개략적으로 살펴보았다. 이제 우리는 그의 신학의 과제, 내용, 방법론을 살핌으로써 그의 신학을 좀더 구체적으로 검토하도록 하겠다.

3-1. 프라이 신학의 과제: 자유주의 신학의 극복

앞에서 말한 것처럼 프라이는 20세기 초반의 바르트처럼 자유주의 신학이 잘못된 길로 갔다고 믿었다. 이 믿음으로 그는 17세기

---

7 이로 인해 프라이는 당시의 주도적인 역사 비평학적 성서 해석을 넘어서서 문학적 성경 읽기(literary reading of the Bible)를 주장했다. 여기에는 바르트뿐 아니라 그의 예일 대학의 동료인 챠일즈(B. S. Childs)의 새로운 형태의 성서 신학 운동의 영향이 크다. 챠일즈는 19세기 자유주의 신학의 역사 비평학적 성경 이해에 반대하면서 ①성경은 교회의 책이다. 따라서 교회가 성경 해석의 일차적 맥락(context)이 되어야 한다. ②성경 이전의 초기 단계들이나 그 전승들 아닌 최종적 형태로 우리에게 주어진 정경의 형태로서의 본문(canonical form of the text)에 우선적 관심을 가져야 한다. 즉 성경 해석은 성경 본문 이면의 사건들을 찾으려 하기보다 교회가 진정으로 사용하고 있는 본문 자체에 초점을 맞추어야 한다. ③성경 해석에 있어서 문학적 접근(literary approach)이 더 중시되어야 한다. ④비판 이전의 주석들(precritical exegesis)의 깊은 신학적 통찰들을 배워야 한다고 주장했다. 이 같은 챠일즈의 주장 이면에는 다시 바르트의 영향이 있다. 챠일즈는 오늘날 우리가 배워야 할 것은 다름 아닌 바르트적인 성경 해석이라고 말한다. 여기에 대해 B. S. Childs, *Biblical Theology in Crisis* (Philadelphia: Westminster Press, 1970), 110ff.

말 이후의 거의 300여 년에 이르는 서구 신학 전체, 특히 19세기 이후의 자유주의 신학을 극복하고 새로운 대안을 찾는 것을 그의 신학의 과제로 삼는다.8)

프라이에 의하면 다양한 근대 신학들은 그 본질에 있어서는 근대의 인간 중심주의라는 시대 정신에 맞추어서 기독교 신앙의 가능성 내지 의미성을 확보하려고 했다는 점에서 서로 일치한다. 즉 근대 신학들은 계몽주의 이후의 인간 중심주의에 맞추어 일반적인 인간의 필요나 그 경험에 비추어서 기독교 신앙은 종교적, 도덕적으로 의미가 있음을 변증하려고 했다. 하지만 이때 주도적이 되는 것은 기독교적 메시지가 아닌 이미 전제된 인간학적 필요나 경험들이 되며 기독교 메시지는 거기에 부합될 때만 의미를 갖게 된다. 결국 기독교 메시지는 종속적이 되며 영광과 주권의 하나님은 인간 필요와 경험에 일치되는 만큼 받아들여지고 예수 그리스도는 인간 구원의 술부로 격하되며 기독교 신앙은 인간 종교 경험의 한 양태(비록 최고의 양태라고 해도) 정도로 전락된다. 결국 프라이에 의하면 근대 신학, 특히 자유주의 신학은 인간학 혹은 기독론적으로 변형된 인간학이 되었다.9)

---

8 프라이는 그의 하버드 대학에서 강연에서 이렇게 말한다. "근대 기독교 신학의 이야기는 17세기말부터 시작하여 점차적으로, 사실상 거의 배타적으로, 인간학적이며 기독론적 변증학이 되었고 해석학에 대한 최근의 새로운 관심도 주로 똑같은 목적을 지향하고 있으며, 또 이 발전은 그 길을 막 다 달려갔으므로... 이제는 대안을 찾을 때가 되었다." 인용은 George Hunsinger, "Hans Frei as Theologian, Hans Frei," *Theology and Narrative*, 236.
9 프라이는 여기에서 이렇게 말한다: "내가 말하려는 것은 우리가 거의 3백 년 동안이나 인간학을 지향하는 신학적 변증학 곧 예수 그리스도 안의 독특한 하나님의 계시에 대한 언급은 그 의미와 가능성에서 일반적인 인간 경험 안에 반영될 수 있음을 보여주려고 시도했던 신학의 시대에 살아왔다는 것이다... 다른 말로 바꾸면 신학은 그 가능성을 정당화해야만 했고 또 인간 실존의 형성 및 하나님의 계시 그리고 그것과 관련된 기독교적 주장의 의미를 정당화해야만 했다." Frei, *Theology and Narrative*, 29-30, 즉 프라이에 의

프라이에 의하면 이 같은 신학의 인간학적 환원은 단지 18, 19
세기 신학뿐 아니라 현대 신학 전반에 걸쳐 나타나고 있다. 즉 현
대 신학은 슐라이에르마허의 경우에서처럼 심미적인 형태이든, 불
트만, 틸리히, 오그덴(Ogden), 부리(Buri)의 경우처럼 실존주의적-
현상학적 형태이든, 판넨베르크의 경우처럼 보편 역사적 용어로 표
현되든, 몰트만의 경우처럼 변증적-역사적 형태이든, 알트하우스
(Althaus)나 브룬너(Brunner)의 경우처럼 이런 범주들의 다양한 인
격주의적 결합이든, 칼 라너의 경우처럼, 역사적, 존재론적 그리고
진화론적 전망이든 간에 이 모두는 이미 독립적으로 결정되어 있
는 인간에 대한 개념에서 출발하여 신학을 그 개념에 맞추려고 시
도한다. 그로 인해 이 모든 신학들은 그 성격에 있어서 자유주의
신학의 변증적 관심에 의해 지배되고 있으며 신학이 마땅히 가야
할 길에서 벗어나 버렸다.

특별히 프라이에 의하면 이런 인간 중심적 신학은 두 가지 치명
적인 결과를 가져왔다. 첫째, 신약 성경이 증언하는 예수는 사라지
고 예수는 보는 사람의 시각에 따라 제각기 해석되기에 이르렀다.
예수는 복음서의 서사가 전하는 대로가 아니라 성경을 읽는 이의
관심이나 세계관에 따라 이런저런 형태로 왜곡되어 버렸다.10) 둘
째로 그리스도론은 신학에서 '지엽적인 역할(peripheral role)' 곧 이
미 독립적으로 설정되어 있는 인간 이해의 한 암호정도로 축소되
었다. 그 결과 그리스도에 대한 교리 아닌 인간의 본질이나 역사

<hr>

하면 근대 신학은 신앙의 가능성(possibility) 곧 "신앙에 도달하는 순서
(order of coming to faith)"를 중요하게 여겼지 "믿음의 순서(order of
belief)"를 중요하게 여기지 않았다. Hans Frei, *The Identity of Jesus
Christ: The Hermeneutical Bases of Dogmatic Theology* (Philadelphia:
Fortress Press, 1975), x-xii.

10 Frei, *Theology and Narrative*, 40.

혹은 그 실존에 관한 교리가 신학적 진술의 진리성을 평가하고 규정하는 통합적, 종합적, 가능적 원리가 되었다. 간단히 말해서 신학은 인간에 대한 진술이 되었고 기독론은 단순히 그 표현 양식으로 축소되었다.11)

즉 프라이에 따르면 근대의 인간학적 정향(turn to the human subject)에 맞추어 기독교 신앙의 가능성을 확보하는 것에 집중해 온 근대 신학은 결국 기독론적 인간학이 되고 변증학이 될 수밖에 없었다. 여기에서 기독교 신앙의 중심인 예수 그리스도는 이미 독립적으로 형성되어 있는 인간 이해에 맞추어져야만 했으며 이로 인해 예수에 대한 서사는 자의적으로 해석되었고 또 신학에서 지엽적인 것이 되었다. 그러면 프라이는 이 문제를 어떻게 극복하려고 하는가? 우리는 여기에서 프라이 신학의 내용 내지 목표를 논의하려고 한다.

3-2. 프라이 신학의 내용: 교의학적 진술을 위한 성경 서사의 회복

앞에서 프라이의 일생의 과제는 자유주의 신학의 극복이라고 했다. 그럼 프라이는 어떻게 자유주의 신학을 극복하려 하는가?

먼저 프라이는 자유주의 신학이 지향하는 변증적 신학을 거부한다. 그에 따르면 신학의 본래 목적은 교회에 주어진 메시지를 시대정신에 적합하게 해석하는 데 있기보다 충실하게 있는 그대로 기술하는 데 있다. 즉 신학의 목적은 기본적으로 변증적이기보다 교의적이다. 신학은 그 성격상 기독교 공동체의 일차적 언어(first-order language)로 주어진 기독교 믿음(Christian belief)의 논리와 내용에 대한 이차적 기술(second-order description)이다.12) 신학은

11 *Ibid.*, 40ff.
12 Hans Frei, *Types of Christian Theology* (New Haven: Yale University Press, 1992), 124; *The Identity of Jesus Christ: The Hermeneutical Bases*

교회가 믿는 것을 진지하게 진술하는 것이며 이 점에서 신학의 판
단 기준과 의미는 오직 교회 공동체 안에 있다. 즉 신학의 판단 기
준은 기독교 공동체에 주어진 말씀에 있고 교회 밖의 어떤 기준에
있지 않다.

하지만 프라이가 말하는 기독교적 내용에 대한 진술은 성경 말
씀의 단순한 반복에 그치지 않는다. 그것은 언제나 기독교 메시지
를 그 시대의 언어로 재진술하는 것을 뜻한다. 따라서 신학자는 신
학의 내용을 전개하기 위해서 철학이나 기타 학문을 사용해야 하
고 또 사용할 수밖에 없다. 그러나 그것들은 반드시 종속적으로(도
구적으로) 사용되어야 한다. 좀더 구체적으로 첫째, 철학적 개념은
신학적 내용의 진술에 있어서 오직 형식적, 기술적으로 또 그때의
필요에 따라 우발적으로(ad hoc) 사용되어야 한다. 만약 철학이나
다른 학문이 주체가 되어 복음 메시지를 재해석할 때면 기독교 메
시지는 침해될 수밖에 없다. 특히 복음서의 스토리(narrative)를 기
술할 때 그 기술의 도구는 언제나 그 스토리에 종속되어야 한다.
이는 예수를 드러내는 것은 그 기술의 도구 아닌 복음서의 스토리
이기 때문이다. 결국 신학자는 여러 철학적 개념들을 사용할 수 있
지만 그것들이 믿음의 내용을 훼손할 때는 그것들 대신 다른 도구
를 사용해야 한다. 또 이런 작업은 끊임없이 새롭게 계속되어야 한
다. 기독교 메시지의 그 어떤 개념화나 해석도 최종적이 될 수 없
다. 모든 신학적 숙고는 종말론적 과제이며 언제나 더 큰 신비로
나아가는 한 부분에 불과하다.13)

---

of Dogmatic Theology (Philadelphia: Fortress Press, 1975), xiii.
13 Frei, *Types of Christian Theology*, 56, 90. 여기에서 프라이는 바르트를 좋
은 예로 든다. 바르트는 그가 로마서에서 사용한 실존주의 철학으로는 복음
의 메시지를 더 이상 잘 표현할 수 없다고 느꼈을 때 곧 그 것을 포기했다.
바르트 신학은 하나님의 계시된 말씀에 대한 끊임없는 반복적 탐구였다. 여

특별히 프라이에 따르면 기독교 신학의 중심에는 나사렛 예수라는 독특한 역사적 인물이 서 있으며 신학은 이 예수를 바로 이해하고 기술(description)하는 과제를 가진다. 따라서 신학의 서술은 성경 서사 특히 예수에 관한 복음서의 서사에서부터 시작해야 한다. 이는 복음서 서사들이 예수가 누구냐 하는 문제를 분명히 말하고 있기 때문에 성경의 다른 부분보다 그리스도 예수에 대한 기술로서의 신학 작업을 용이하게 하기 때문이다. 사실상 서사의 의미는 예수 그리스도의 정체성을 기술하는 데 있다. 예수는 이 서사들을 통해서 구원자로, 하나님에 대한 순종과 죄인들에 대한 사랑으로 기꺼이 자기 생명을 버린 분으로, 그로 인해 죄악의 사슬을 끊은 분으로 분명하게 나타난다. 따라서 서사들은 성경의 다른 부분보다 예수 그리스도의 정체성을 아는 데 해석학적 우위를 가지고 있으며 이로 인해 복음서 서사에 대한 기술(description)을 통해 예수 그리스도를 드러나게 하는 것이 올바른 신학의 방법이다. "나의 단순한 답변은 처음에 공관 복음서 혹은 적어도 그 중의 하나에서 시작하자는 것이다. 왜냐하면 서사들(narratives)로서 혹은 적어도 부분적 서사들로서 그것들의 독특한 구조가 우리가 신약 성경의 다른 곳에서 찾을 수 없는 해석학적 이주(hermeneutical move)를 가능하게 하기 때문이다."[14] 즉 프라이에 따르면 복음서는 그것이 사용하고 있는 서사라는 독특한 구조 때문에 기독교 믿음의 내용과

기에서 우리는 다시 한 번 프라이가 바르트의 영향을 많이 받고 있음을 발견한다. 그는 "나는 칼 바르트에 동의한다... 나는 기독교 신학이 해야 할 일은 기독교 진리의 가능성 아닌 그 진리의 즉각성(instantiation) 혹은 현실성(actuality)을 논증하는 것이라고 믿는다. 실존적으로 또 논리적으로 볼 때 (신학의) 가능성은 그 현실성으로부터 온다." Frei, *Theology and Narrative*, 30.

14 Frei, *Theology and Narrative*, 32.

구조를 정립하는 데 유리한 자리를 차지하고 있다.

특별히 프라이에 따르면 서사의 의미는 그 구조와 긴밀하게 연관되어 있다. 따라서 서사에 대한 바른 이해는 서사가 그 구조를 통해 말하는 것을 그대로 읽는 것이다. 다시 말해서 서사를 읽는 바람직한 방식은 그 서사가 가지는 현대적 의미성을 묻는 것이 아니라 그 이야기 자체를 단순히 읽고 받아들이는 것이다.15) 이미 이 주장을 통해 프라이는 성서 해석에 있어서 몇 가지 성경 읽기를 배제하고 있다. 첫째, 서사의 의미는 그 서사를 기록한 저자의 의도에서 발견되지 않는다. 즉 서사는 그 서사 배후의 역사적 배경 안에서 이해되기보다 서사의 표면인 그 문자적 의미 안에서 바로 이해된다. 또한 서사의 의미는 그것이 가지는 어떤 철학적 혹은 신학적 인간이해나 그 본문의 종교적, 도덕적 영향력에서 발견되지 않는다. 둘째, 서사의 의미는 그 서사가 역사적으로 사실이냐 아니냐 하는 질문 곧 역사적 사실성(historical factuality)과 관계 없이 그 본문 안에서 이미 파악된다. "이 본문들의 의미는... 그것들이 역사적이든 아니든 똑같은 모습으로 남아 있을 것이다."16)

즉 프라이는 근대 신학이후 핵심적인 쟁점이 되었던 성경 본문과 역사 혹은 신앙과 역사적 사실성의 문제를 중요하게 여기지 않는다. 그는 자유주의 신학의 성경 읽기 곧 성경의 역사적 배후를 묻고 그 역사적 사실성을 재구성하려는 시도나 성경의 영감설과 무오설에 근거하여 성경의 역사적 사실성을 확보하려 하는 복음주의 신학의 시도를 다같이 거부한다. 그에 의하면 성경 자체는 그 보도의 역사적 사실성에 관심을 가지고 있지 않다. 실상 복음서 서사의 역사적 사실성에 대한 질문은 사실성(factuality)을 진리의 기

15 Frei, *The Identity of Jesus Christ*, xv.
16 *Ibid.*, 132.

준으로 두었던 근대 계몽주의 시대에 제기되었던 문제일 뿐이지 역사적 기독교가 관심 가졌던 것은 아니다. 복음서의 관심은 예수에 대한 역사적 사실성 아닌 그가 누구냐 하는 예수의 정체성에 있으며 그 서사를 통해 예수가 누구인지 기술한다. 다른 말로 바꾸면 복음서 서사는 그 성격상 역사적 보도(historical report)를 지향하고 있지 않다. 오히려 복음서 서사는 문학적 관점에서는 "실제적 정체성의 기술(realistic identity depiction)"이며 신학적으로는 증인(witness)으로 존재한다. 결론적으로 역사적 사실성에 관심을 두는 자유주의 신학이든, 성서 영감설에 근거해서 성경의 사실성을 주장하는 복음주의 신학이든, 복음서의 기록의 사실성(factuality)을 주된 관심으로 삼을 때 이들은 복음서 서사의 성격에 대해서 범주적 오류를 범하고 있다.

특별히 프라이는 예수는 부활한 구세주라는 주장의 적절성은 역사적 사실성 아닌 그 서사의 내적 통일성에 의해 판단되어야 한다고 주장한다. 그리고 그는 서사의 내적 통일성 위에서 예수의 부활은 입증되며 이로 인해 그의 하나님의 아들로서의 정체성도 입증된다고 본다. 프라이에 따르면 한 사람의 정체성을 말해 주는 스토리에는 두 종류가 있으니 첫째, 일화들(anecdote)이 있다. 아브라함 링컨에 관한 일화들은 링컨이 어떤 인물인지 생생하게 알려준다. 둘째, 한 사람의 정체성을 결정적으로 규정하는 삶의 중요한 사건들이 있다. 가령, 소크라테스가 죽음을 눈앞에 둔 최후의 며칠 사이 죽음이 두려워 탈출을 꾀하다가 붙잡혀서 어쩔 수 없이 독배를 마셨다면, 플라톤의 파에도(Paedo)가 전하는 그에 관한 모든 이야기들은 내적 논리성과 설득력을 잃고 결국 붕괴되어 버린다. 소크라테스가 죽음을 대한 방식에 대한 이야기는 결정적으로 소크라테스가 어떤 인물이었는지를 기술하며 또 그 존재의 가치를 결정한다.

마찬가지로 프라이에 따르면 복음서의 많은 일화들이 예수가 누구
냐 하는 질문 곧 정체성에 관한 질문에 답하고 있다. 복음서는 예
수의 죄 용서, 귀신 축출, 가난한 자들에 대한 관심과 구체적 동정
등에 관한 여러 일화를 소개함으로써 예수가 누구인지 말한다. 그
러나 이 모든 것보다 예수의 십자가 죽음과 부활에 관한 이야기야
말로 예수가 누구인지를 결정적으로 드러낸다. 곧 십자가와 부활에
대한 이야기야말로 "그에 관한 이야기의 의도와 행동 사이의 일치
(bond)가 분명히 드러나는 곳이며 그 특성상 개인적 주체로서의 그
자신과 그의 외적인 자기 표출의 직접적 일치(bond)가 가장 강하고
분명하게 나타나는 곳이다."17) 프라이에 의하면 특히 예수의 부활
의 이야기는 예수의 정체성을 규정하는 복음서 서사의 중심에 서
있다. 만약 부활이 실제로 복음서가 전하는 대로 일어나지 않았다
면, 예수에 관한 모든 서사는 통일성을 잃고 붕괴되며 또 그것이
서술하는 예수의 정체성-하나님의 아들 구원자 그리스도-도 결국
붕괴될 수밖에 없다. 따라서 예수의 부활은 그 성격상 사실성
(factuality)을 가질 수밖에 없다.

여기에서 우리는 프라이가 바르트가 신학 방법론으로 채택한 안
셀름(Anselm)의 신앙에 의한 존재론적 신 존재 증명과 비슷한 논
리를 취하고 있음을 본다. 안셀름에 의하면 하나님에 관한 언표는
그 자체의 논리상 하나님의 존재하심을 전제할 수밖에 없다. 마찬
가지로 기독교 신앙은 그 자체의 논리상 예수의 부활을 받아들이
게 한다. 이는 부활 이야기가 예수의 정체성을 규정하는 복음서 사
화의 중심에 서 있고 따라서 부활이 거부되면 이 이야기의 통일성
은 상실되며 또 이 이야기가 귀속되는(ascriptive) 예수의 정체성도

---

17 Frei, *Theology and Narrative*, 115, 또한 *Types of Christian Theology*,
   143-46.

상실되기 때문이다. 프라이는 이런 논증이 비신앙인들을 설득하지는 못할 것임을 잘 알고 있다. 그러나 그는 이것이 신앙의 논리이며 성경 본문의 통일성을 유지하는 것이기 때문에 반드시 고수되어야 한다고 주장한다.

즉 프라이에 의하면 성경은 그 자체의 논리를 가지고 있다. 성경은 예수의 정체성에 관한 질문을 제기하며 그의 말과 행동, 사건들을 이야기함으로 이 질문에 답하고 있다. 따라서 성경은 예수를 중심으로 이해되어야 하며 그 서사를 통해 이해되어야 한다. 더 나아가 프라이에 따르면 우리가 해야 할 일은 아우에르바하가 말한 것처럼 성경의 세계가 현실의 세계를 지배하도록 하는 것이다. 즉 성경을 우리 시대에 맞추어 설명(explanation)할 것이 아니라 성경 자체를 충실히 기술(description)하는 가운데 성경 서사의 세계가 현실의 세계를 지배하고 변혁시키도록 해야 한다. 프라이는 이 길만이 우리가 성경 서사 및 교회가 지난 1800여 년 동안 성경을 읽어 온 방식에 충실하는 것이라고 주장한다.

4. 정리 및 평가

지금까지 우리는 한스 프라이의 신학의 과제, 내용, 그리고 신학 방법론을 살펴보았다. 프라이의 신학적 과제는 자유주의 신학을 극복하는 데 있었다. 그에 의하면 자유주의 신학은 기독교 신앙의 타당성을 근대의 인간 중심주의의 틀에 맞추어 확보하려는 가운데 신학을 인간학 혹은 신학적 인간학으로 전락해 버렸다. 특히 이 신학은 성경 서사의 중요성을 잠식시키며 그 서사의 중심 인물인 그리스도의 정체성을 잃어버린다. 이런 자유주의 신학에 대해 프라이는 신학의 목적을 기독교의 자기 진술로 이해한다. 그에 의하면 신학자의 근본적인 과제는 성경 서사가 귀속되는 예수 그리스도를

충실하게 기술하는 것이며 이 말씀으로 교회를 세워 가도록 돕는
것이다. 이 점에서 프라이의 신학의 장은 다른 학문과의 대화를 강
조하는 아카데미아가 아니라 교회이다. 그의 신학은 변증적이지 않
고 선포적, 실제적인 방향을 지향한다. 이제 우리는 다음의 몇 가지
로 프라이의 신학을 평가하고자 한다.

첫째, 프라이 신학의 강점은 그것이 신학의 본래적 과제인 하나
님 말씀의 진술에 관심을 돌리게 했다는 데 있다. 프라이가 지적하
는 대로 근대 서구 신학은 비기독교화된 사회 속에서 기독교 신앙
의 정당성을 확보하는 데 주된 관심을 보여 오면서 그 가운데 기독
교적 언어(Christian language)를 상실해 버렸다. 엘리자베스 악트
마이어(Elizabeth Achtemeier)의 말대로 오늘날 서구의 많은 그리
스도인들은 성경을 거의 모르기 때문에 설교자들은 이 사실을 염
두에 두면서 설교해야 하는 부담을 갖게 되었다.18) 이런 상황에서
프라이의 공헌은 참으로 그리스도의 교회가 듣고 따라가야 할 말
씀이 있고 신학자의 과제는 이 말씀에 집중하는 데 있음을 설득력
있게 제시한 데 있다.

둘째, 프라이의 또 다른 강점은 성경 서사를 신학의 중심부에
올려놓았다는 데 있다. 실상 서구 신학은 학문성, 논리적 일관성,
개념의 정확성에 주된 관심을 보이면서 지나치게 주지화, 개념화되
어 결국 소수의 엘리트들의 학문이 되어 버렸다. 프라이는 이런 경
향에 대해 성경 서사가 교리보다 더 본래적이며 교리는 성경 서사
를 이해하기 위한 개념적 도구에 불과하다고 함으로서 신학의 구
체성, 교회성을 다시 확보해 주고 있다.

---

18 Elizabeth Achtemeier, "Renewed Appreciation for an Unchanging Story,"
in James M. Wall, David Heim (eds), *How My Mind Has Changed*
(Grand Rapids: Eerdmans, 1991), 50.

셋째, 비록 프라이가 성경 서사의 주도성을 말하지만 그는 모든 성경이 서사로 환원되지 않음을 잘 알고 있다. 그가 서사, 특히 복음서의 서사에 집중하는 이유는 성경의 이 부분이 다른 부분보다 예수 그리스도를 더 명확하게 제시해 주며 이 점에서 기독교 신학의 정립에 표준적(normative)이 될 수 있다고 보기 때문이다. 하지만 그는 서사 아닌 성경의 다른 부분- 가령 서신서-가 어떻게 예수 그리스도의 정체를 규정하며 또 어떻게 그리스도 교회의 정체성 형성에 사용될 수 있는지 구체적으로 제시하지는 않는다.

넷째, 프라이에게 있어서 성경의 서사가 중요한 것은 그것이 성경의 중심 인물인 예수 그리스도에게 귀속(ascription)되기 때문이다. 곧 서사의 중요성은 그것이 예수 그리스도를 드러내기 때문이다. 그러나 오늘날의 다양한 형태의 서사 신학(Narrative Theology)이나 이야기 설교(Narrative Preaching)는 성경의 서사 아닌 인간 경험의 서사적 성격을 강조하고 있으며 이 점에서 프라이의 서사 신학과 근본적으로 구별된다. 가령 민중의 이야기를 신학의 주된 규범과 자료로 쓰는 민중 신학도 서사의 중요성을 말한다는 점에서 일종의 서사(이야기) 신학이라고 불리나 그것은 그리스도에 대한 서사를 말하는 프라이의 서사 신학과 완전히 상반되는 신학이다. 이 점에서 우리는 오늘날의 다양한 서사 신학(이야기 신학)을 과연 어떤 서사를 말하는가? 라는 질문으로 그 성격을 분명히 할 필요가 있다.

다섯째, 프라이가 성경 서사를 강조하는 이유는 그것이 객관적으로 사실이기 때문이 아니라 기독교 신앙의 중심인 예수 그리스도를 기술함으로 그 정체를 드러내기 때문이다. 여기에서 프라이는 성경 서사가 사실인가의 질문은 포기하고 대신 그 의미성에 집중한다. 그에게 있어서 성경 서사에 대한 진리 주장(truth claim)은 그리 중요하지 않다. 이는 진리 주장에 대한 질문은 일반적으로 옳다고 전제된 일반적 원리 곧 이성이나 통상적인 보편 원리에 근거해서 이루어 질 수밖에 없지만 교회의 책인 성경은 이런 일반 원리와 구별되는 그 자체의 논리를 갖고 있기 때문이다. 프라이의 이런 이해는 곧 세계 전체를 설명하는 일반적 원리를 포기하며 성경을 특수한 공동체로서의 교회 안에 국한시키는 것이다. 이 점에서 프라이의 신학은 리요타르가 말하는 탈근대 시대(post-modern period)의 특징인 "거대 담론에 대한 불신(incredulity toward meta-narratives)," 혹은 지역주의(localism)의 모습을 보인다. 하지만 문제는 과연 교회가 객관적인 진리 주장을 완전히 배제할 수 있을까? 하는 점이다. 프라이에 의하면 성경은 그 사실성(factuality)에 대해 기본적으로 관심이 없으며 교회사에서의 주된 성경 이해도 성경의 사실성을 중심에 두지 않았다. 그러나 이것이 성경의 진리는 오직 교회 공동체 안에 국한되는 진리라는 근거는 되지 못한다. 프라이의 이 같은 성경 이해는 결국 성경의 진리성을 교회라는 지역에 국한시키는 지역주의(localism)에 불과하다.

여섯째, 프라이는 성경은 교회의 책이며 성경의 문자적 의미(literal meaning)가 있다고 주장한다. 그에게 있어서 성경의 문자적 읽기(literal reading of the Scriptures)는 성경을 단순히 문자적인 의미로 이해하는 것이 아니라 교회사에서 권위 있게 인정받아 온 해석대로 성경을 읽는 것을 뜻한다. 즉 그는 교회가 1800여 년 동안 상당한 통일성을 가지고 읽어 온 성경 읽기 방식이 있었다고 보며 이 같은 통일된 성경 읽기를 문자적 성경 읽기라고 하면서 교회는 이 같은 읽기 방식에 충실해야 할 것이라고 주장한다.

하지만 과연 프라이의 말대로 교회사 전체를 통해 계속되어 온 '통일된' 성경 읽기란 정말 존재하는가? 이것은 말하기 대단히 어려운 부분이다. 분명한 사실 하나는 설혹 그런 것이 있다 하더라도 그것이 오늘날의 특정한 성경 읽기, 특히 신학의 역사를 주도해 온 서구 교회의 성경 읽기와 동일시될 수는 없다는 것이다. 오히려 이런 성경 읽기는 서로 다른 지역 교회들이 그들 상황에 충실하게 성경을 읽으면서 서로간의 계속된 만남을 통해 밝혀져 나갈 성경 읽기이다. 즉 문자적 성경 읽기는 고정되어 있는 것이 아니라 다양한 지역 신학과 그 공동체들의 계속된 대화를 통해 찾아가야 할 열려 있는 성경 읽기이다. 그것은 이미 있는 전통이기보다 새로운 상황과의 대화를 통해 만들어질 새로운 전통이다. 이런 점에서 프라이의 공헌은 플레커가 말하는 것처럼 답변을 마련한 것보다 성경 읽기를 중심한 오늘날의 논쟁의 초점을 제대로 포착한 데 있다고 할 것이다. 그의 신학의 공헌에 대한 전체적 평가는 시간이 좀더 지나야 할 것이다.

부록 2. 죠지 린드벡과 교리의 본성(The Nature of Doctrine)

들어가는 말

죠지 린드벡(George Lindbeck)은 예일 대학 신학부의 역사 신학 교수로 한스 프라이와 함께 탈자유주의 신학의 주요 대변자이다. 그는 많은 논쟁을 불러일으킨 『교리의 본성』(The Nature of Doctrine)[1]에서 탈자유주의란 말을 공식적으로 처음 사용하면서 이것을 최근 북미 신학계의 가장 주목받는 운동의 하나로 만들었다. 여기에서는 이 책을 중심으로 린드벡의 탈자유주의 신학을 살펴보고 그 강점과 약점을 평가하고자 한다.

책제목인 『교리의 본성』이 시사하듯이 린드벡은 이 책에서 교리의 본질이 무엇인가라는 질문에 답변하는 가운데 신학의 과제와 방법론에 대한 그의 생각을 전개한다. 루터파 신학자로 오랫동안 로마 카톨릭 및 여러 교회와 에큐메니칼 대화에 종사해 온 사람으로 그는 교리에서의 상호간의 동의와 일치 없이는 결코 교회 사이의 일치가 불가능함을 깊이 깨닫게 되었다. 즉 교회의 대표들이 서로 모여 대화하지만 결국은 교리적 차이라는 벽에 부딪쳐서 계속 실패하는 것을 보면서 그는 교리란 무엇인가? 교리를 어떻게 이해하면 좀더 창조적이며 생산적인 교회간의 대화를 할 수 있는가? 하

---

1 George Lindbeck, *The Nature of Doctrine: Religion and Theology in a Postliberal Age* (Philadelphia: The Westminster Press, 1984).

는 질문을 하게 되었다. 이 질문 속에서 그는 교리에 대한 세 가지 서로 다른 이해를 제시하며 문화-언어적 모델이라 이름 붙인 세 번째 모델의 경우에 가장 생산적인 대화가 가능하다고 주장한다. 그러면 린드벡이 말하는 교리에 대한 세 가지 모형은 무엇인가?

1. 교리에 대한 린드벡의 세 가지 모형

린드벡이 말하는 교리에 대한 첫 번째 모형은 **명제적 진리로서의 교의(dogma as propositional truth)**이다. 린드벡에 의하면 이 모형은 교리를 명제적 진리(propositional truth) 곧 객관적 실재들에 대한 지식적 명제들 혹은 진리 주장들로 이해한다. 이 모형에 의하면 교리는 사실에 대한 진술이며 따라서 객관적으로 맞든지 아니면 틀리든지 두 가지 가능성만 가지고 있다. 또 교리를 이렇게 이해할 때는 서로 다른 두 교리가 있다면 적어도 그 중 하나는 분명히 틀린 것이 된다.[2] 가령 종교 개혁 시대의 논쟁의 중심이었던 성찬 이해에서 로마 카톨릭의 화체설이나 루터의 공재설 또 쯔빙글리의 기념설이나 칼빈의 영적 임재설 중 어느 하나가 옳으면 나머지는 틀릴 수밖에 없다. 이 같은 교리 이해는 린드벡에 의하면 특별히 구·개신교 정통주의 시대에 특징적으로 나타났으며 오늘날 많은 교회 지도자들도 이렇게 이해하고 있다. 하지만 이런 교리 이해에서는 어느 한쪽 혹은 양쪽 모두가 그들의 교리를 포기하지 않는 한 교리적 일치 및 화해는 불가능하다. 그런데 린드벡은 이 같은 교리 이해는 교리를 객관적인 실재에 대한 기술로 잘못 이해한 것이라고 주장한다. 그에 의하면 이 이해는 의지주의적, 주지주의적, 문자주의적이며 결국 적절하지 못한 이해이다.[3]

---

2 *Ibid.*, 16.
3 *Ibid.*, 21. 린드벡의 이런 비판은 실상 명제적 진리로서의 교리에 대한 오해

린드벡의 두 번째 교리 모형은 **종교 경험의 표현으로서의 교의**(dogma as the experience of religious experience)이다. 이 모형은 기본적으로 교리를 종교 경험의 외적, 객관적 표현으로 이해한다. 즉 모든 종교 이면에는 하나의 공통되는 원초적 종교 경험이 존재하며 이 원초적 체험이 각자의 특정한 언어, 문화적 세계 속에서 다양한 형태로 표현된 것이 종교들이며 또 그 교리들이라는 주장이다. 이런 주장의 대표자로 19세기의 신학자 슐라이에르마허를 들 수 있으며 또한 오늘날의 주도적 이해이기도 하다. 린드벡은 이런 이해를 경험-표현주의(experiential-expressivism) 혹은 경험-표현 모형(experiential- expressive model)이라 부르면서 오늘날의 신학교-특히 대학 내의 신학부에서는 이런 이해가 지배적이라고 본다. 그에 따르면 교리에 대한 이런 모형이 지배적이 된 데에는 몇 가지 이유가 있다. 첫째, 이 모형이 슐라이에르마허 이후 거의 200여 년을 내려왔기에 전통의 힘을 가지고 있다. 특히 종교학에서는 종교의 본질은 그 내적 체험에 있다는 이 주장은 슐라이에르마허- 루돌프 오토- 엘리야데로 연결되어 견고하게 되어 왔다. 둘째, 이 모형은 근대의 개인주의의 요청에 잘 부합할 수 있었다. 즉 종교를 무엇보다 개인 내면의 종교 체험으로 이해한 근대 정신 속에서 이 모형은 어려움 없이 영향력을 행사할 수 있었다. 셋째, 이 모형은 다양한 형태의 종교들은 그 본질에 있어서는 모두 한 궁극적 실재에 대한 체험에 불과하다고 말함으로 오늘의 종교 다원론적 상황 속에서 종교간의 차이를 넘어서 그 상호간의 존중 및 대화, 상호 공존을 가능하게 한다. 실상 교리를 이렇게 이해할 때는 서로 다른 교리를 주장하는 사람들 사이에서의 대화와 일치도 가

에서 기인한다. 여기에 대해서는 이 글의 평가 부분을 볼 것.

능하다(가령 불교와 기독교도 이론적으로는 서로 같은 경험의 다른 표현이라고 말할 수 있다).

하지만 린드벡에 의하면 이런 경험 표현적인 교리 이해는 근본적으로 잘못된 이해이다. 이런 이해는 오늘날 역사학, 사회학, 인류학, 그리고 약간의 현상학파의 학자들을 제외한 철학에서는 이미 거부되고 있다. 이런 학문의 영역에서는 그가 말하는 세 번째 모형인 **문화-언어 모형**(cultural-linguistic model)이 주도적이 되고 있으나 오직 신학과 종교학만이 이 흐름에 역행하고 있다고 본다. 이제 저자는 그 주된 관심을 교리에 대한 이 경험-표현적 모형과 문화-언어적 모형을 자세히 살펴보는 데 돌린다.[4]

2. 종교에 있어서 언어와 경험의 관계: 경험-표현적 모형과 문화-언어적 모형

린드벡은 경험-표현 모형의 좋은 예로서 로너간(Bernard Lonergan)이 그의 『신학 방법론』(*Method in Theology*)(1975)에서 제기한 여섯 명제를 든다. 로너간에 의하면 ①서로 다른 종교들은 하나의 핵심적 공통 경험이 다양한 형태로 외적으로 표현된 것이다. ②그들을 종교로 자리매김하는 것은 바로 이 핵심적 경험이다. ③이 경험

4 린드벡은 교리를 명제적 진리로 이해하는 것과 종교 경험의 표현으로서 이해하는 것을 합친 이해가 있다고 하면서 그 대표로 카톨릭 신학자 라너(Karl Rahner)와 로너간(Bernard Lonergan)을 든다. 라너와 로너간은 다같이 모든 형이상학적 실재에 대한 탐구를 거부하는 칸트의 주장(인간 이성으로는 신 불멸성, 자유의 존재를 증명할 수 없다)을 받아들인다. 또한 어느 정도 이상 근대주의의 인간 중심주의, 문화적, 역사적 상대주의를 받아들이면서 교리에 대한 경험-표현적 모형을 인정한다. 하지만 그들은 이것만으로는 기독교 종교의 독특성을 유지할 수 없다고 느낀다. 따라서 라너는 계시에서의 '선험적(transcendental) 경험적 요소'와 '범주적(일부는 명제적) 요소'를 구분한다. 즉 이 견해에 따르면 모든 종교는 어느 정도 계시적 진리를 표현하고 있으나 오직 기독교만이 규범적이며 또한 명제적인 진리를 소유하고 있다. Lindbeck, *The Nature of Doctrine*, 24.

은 의식적일 수 있으나 때로는 자기-의식적 반성의 수준에서 알려 지지 않을 수 있다. ④이것은 모든 인간들 속에 들어 있다. ⑤대부 분의 종교들에서 이 경험은 객관화의 자료이며 규범이다. 그 종교 들의 적합성이나 부적합성은 이 경험과의 관계에서 판단된다. ⑥ 이 원초적 종교 경험은 '하나님의 사랑의 선물'이나 '제한 없는 사 랑의 역동적 존재 상태'이거나 '대상 없음' 등으로 표현된다.5)

즉 린드벡에 의하면 경험-표현으로서의 교리 모형은 종교의 본 질을 우선적으로 그 종교 체험에서 찾는다. 이 모형에 의하면 인류 에 공통되는 하나의 원초적인 종교 체험이 있으며 이 원초적인 종 교 체험이 각 시대의 언어와 문화의 옷을 입고 구체화한 것이 다양 한 종교들이다. 이 이론에서 특별히 주목할 점은 이 이론은 모든 종 교 이면에 하나의 공통된 종교 경험이 있다고 주장하는 것이다. 하 지만 린드벡은 이런 주장은 결코 검증될 수 없는 하나의 가설에 불 과하다고 본다. 이 가설을 증명하려면 적어도 모든 종교들의 체험을 그 외적인 언어 문화적 표현과 분리할 수 있어야 하며 또 분리된 그 것들을 서로 비교할 수 있어야 하는데 이는 사실상 불가능하다. 종 교 체험은 결코 그 언어적 표현과 분리될 수 없다. 언어적 표현과 분 리된 소위 '원초적 종교 체험'이란 사실상 개념으로만 존재할 뿐이다.

린드벡은 오히려 종교들은 이미 그 자체의 독특한 언어-문화 구 조를 가지고 있으며 종교들의 서로 다른 이 언어- 문화 구조가 여 러 다양한 종교 체험들을 산출한다고 보는 것이 더 합당하다고 주 장한다.6) 즉 하나의 공통적인 종교 체험이 다양한 형태의 종교들 로 표현되는 것이 아니라 다양한 언어-문화적 체계로서의 종교들

---

5 Lindbeck, 31. cf. Bernard Lonergan, *Method in Theology* (Herder and Herder, 1972), 101-124.

6 Lindbeck, *Ibid.*, 39.

이 각각 서로 다른 종교 체험들을 만들어 낸다는 것이다. 이렇게 볼 때 기독교의 종교 체험과 불교의 종교 체험은 하나의 공통 체험에서 나온 것이 아니라 서로 다른 언어-문화 체계에 의해 형성된 서로 다른 체험들로 이해된다. 린드벡은 이 같은 견해를 문화-언어 모형(cultural-linguistic model)이라고 명명한다.

린드벡의 문화-언어 모형(cultural-linguistic model)에 따르면 언어와 경험의 관계에 있어서 우선적인 것은 언어이다. 즉 선행한 원초적 경험이 언어-문화적 형태로 표현되는 것이 아니라 언어-문화적 형태로서의 공동체가 먼저 있은 다음 이것이 그 공동체 안에서 발생하는 경험을 확인하고 규정하며 또 인도한다. 실상 우리는 기호나 상징을 사용하지 않고서는 결코 경험 그 자체를 발견하거나 인식할 수 없고 또 기술할 수 없다.[7] 인간은 오직 어떤 종류의 언어를 통해서만 인간으로서의 특유한 사고, 행위, 그리고 감정을 현실화할 수 있다.[8] 간단히 말해서 인간은 언어적 수단을 가지고 있어야만 경험할 수 있고 또 그것을 표현할 수 있다. 그 언어 체계가 풍부하면 할수록 인간은 더욱더 정교하고 더 분화되며 다양한 형태로 경험을 할 수 있게 된다.

린드벡에 의하면 가장 기초적인 감각의 단계 즉 전감각적 혹은 전지각적인 자극에 대한 반응에도 언어는 우선성을 갖는다. 즉 가장 기초적인 감각조차 언어를 통해 조정될 때만 경험의 영역에 편입된다. 인간이란 존재는 다른 동물과 달리 발생학적으로 철저히 언어에 의해 프로그램화되어 있어서 전감각적 혹은 전지각적인 자극조차도 인간은 언어 없이는 포착할 수 없다. 오직 그것들을 감지

---

7 *Ibid.*, 37.
8 *Ibid.*, 34.

하고 표현할 언어가 있을 때에만 그 것들은 의미를 얻게 되고 경험
의 영역 안으로 편입된다.9)

　결국 린드벡에 의하면 종교란 하나의 공동 경험으로부터 유발되
어 나온 것이 아니라 각자의 문화/종교 상황의 틀에 의해 독립적으
로 형성되어 나온다: "종교는 삶과 사고를 전체적으로 형성하는 한
종류의 문화적 혹은 언어적 구조물이나 매개체이다." 종교의 본질
은 자유주의 신학이 계속 전제해 왔고 또 경험-표현론자들이 말하
는 것과 달리 하나의 공통된 원초적 종교 체험이 아니다. 오히려
종교는 무엇보다 먼저 개인과 세계를 형성하는 외적인 말(external
word/ verbum externum)이다.10) 즉 종교의 객관적 요소들인 그
종교의 언어, 교리, 예전, 행동 양식들이 먼저 존재하며 그 다음 이
것들에 의해서 다양한 형태의 소위 종교적 경험들이 유발되고 규
정되고 또 인도된다. 가령 종교 개혁의 횃불을 지폈던 개혁자 마르
틴 루터의 교회 종탑에서의 종교적 체험은 루터가 성경을 읽는 가
운데 오랫동안 잊혀졌던 근본적인 언어를 발견한 결과로 생긴 것
이지, 그 반대로 루터의 종교 체험이 먼저 있었고 그것이 종교 개
혁의 언어와 교리로 표현된 것이 아니다. 종교 안에 개혁이 일어날
때 그것은 어떤 새로운 종교 체험이 발생하고 그 결과로 교리나 교
회 체제, 예전 등의 외적인 요소들이 바뀌는 식으로 일어나지 않고
오히려 그 종교의 언어가 바뀜으로 종교 체험이 뒤따르는 식으로
일어난다. 따라서 그리스도인이 된다는 것은 기독교적인 어떤 종교
경험에 참여하는 것이 아니라 마치 새로운 외국어를 배우듯 그 언
어 곧 교회 안에 주어진 언어를 배워 가는 것을 뜻한다.11) 종교는

9　*Ibid.*, 37.
10　*Ibid.*, 34.
11　*Ibid.*

기본적으로 체험이 아니라 하나의 언어-문화 체계, 외적인 말씀이다.

린드벡에 따르면 교리란 이 교회 안의 객관적 말씀 곧 그 언어가 합당하게 사용되도록 조정하는 기능(regulative function)을 하는 것이다. 이 점에서 교리와 말씀의 관계는 마치 문법과 언어의 관계와 같다. 문법이 그 언어를 올바르게 사용하는 방식을 규정하듯이 교리도 교회 안의 말씀이 올바르게 이해되며 또 사용되도록 조정한다. 여기에서 우리는 린드벡의 두 가지 주장을 눈여겨볼 필요가 있다. 첫째, 그에 의하면 언어가 그것의 문법 이전부터 존재하듯이 교회 안의 말씀은 그 교리보다 앞선다. 즉 교회 안의 언어가 선행하며 다음에 그것을 조정하는 교리가 뒤따른다. 여기에서 한 가지 중요한 질문은 이 교회 안의 말씀이 어디에서부터 왔느냐 하는 것이다. 린드벡은 여기에 대해 답하지 않는다. 그에게 있어서 그것은 이미 거기 있다. 공동체 안에 말씀이 이미 주어져 있다는 것은 그에게 있어서 모든 논의의 대전제 역할을 하고 있다. 과연 이같은 주장이 옳은가를 우리는 평가 부분에서 다룰 것이다. 둘째, 교리의 진리성은 어떤 외적, 객관적 근거에 의지하지 않고 얼마나 교회 안의 말씀을 논리적으로 또 일관성 있게 서술하며 규정하는가에 달려 있다. 즉 교리는 보편적, 객관적 진리 주장을 하고 있지 않다. 오히려 교리는 교회 안에서 의미 있는 일종의 부호 혹은 언어 게임(language-game)이며 그 진리성은 철저히 시스템 내부의 일관성(intra-systematic consistency)에만 연관된다. 즉 교리는 오직 교회에 주어진 언어를 내적 일관성, 논리적 정합성을 가지고 사용하도록 하는 길잡이 역할만 할 뿐이다. 가령 그에게 있어서 니케아 신조의 동일본질(homoousion)이란 교리의 기능은 성자가 성부와 동일한 본질이라는 존재론적 주장을 하는 데 그 목적이 있지 않고 교회가 그리스도와 하나님 사이의 관계를 어떻게 이해해야 할지를 규정하는 데 있다. 고대 교부들은 결코 이 용어를 가지고 성부와 성자 사이의 존재론적 관계를 말하려고 하지 않았다. 그는 이 용어가 존재론적 의미를 가지게 된 것은 중세기 이후부터였다고 주장한다. 하지만 여기에서 우리는 과연 교리는 진리 주장(truth-claim)과 전혀 관계 없이 오직 교회 내의 언어 사용의 길잡이 역할만 하는 것뿐인지 질문하지 않을 수 없다. 과연 교회가 그 가르침의 진리 주장을 하지 않을 수 있는가? 우리는 이 문제를 평가 부분에서 살펴볼 것이다.

정리 및 평가

린드벡의 탈자유주의 신학은 여러 강점을 가지고 있다. 무엇보다 첫째, 이 신학은 기독교 신학이 고수해야 할 '기독교적인 것'을 잘 강조하고 있다. 대체적으로 보아 서구 신학은 자유주의 신학의 영향 아래에서 시대 정신의 빛 안에서 기독교 신앙의 가능성을 확보하는 데 주된 관심을 가지다 보니 기독교 메시지의 독특성을 약화시킨 점이 없지 않다. 린드벡의 탈자유주의 신학은 정말 기독교적인 것이 무엇인가 하는 질문을 제기함으로 이를 적절히 교정하고 있다.

둘째, 이 신학의 강점은 교회 안에서의 성경의 우선성을 적절히 강조했다는 데 있다. 린드벡은 교회가 참으로 들어야 하고 그것에 의해 그 삶을 계속 규정하고 변혁시켜야 할 말씀은 세상의 말이 아닌 이미 교회 안에 주어져 있는 말씀임을 제대로 강조한다. 린드벡의 말처럼 정말 중요한 것은 "이 세상이 성경 본문을 흡수하는 것이 아니라 성경 본문이... 이 세상을 흡수"[12]하는 것이다. 린드벡 신학의 세 번째 공헌은 신학의 교회성을 적절히 잘 강조했다는 데 있다. 정녕 그의 말대로 신학은 개인적 학문이 아니라 교회 공동체의 학문이며 교회의 언어가 교회를 바로 인도해 가도록 비판하고 검증하며 방향을 제시하는 학문이다.

하지만 비록 린드벡의 말처럼 교회는 하나님의 말씀에 충실해야 하며 이 말씀이 교회를 지배하며 또 세상을 흡수해야 하지만 여기에서 중요한 질문은 어떤 성경인가? 하는 것이다. 많은 해방 신학자들, 특히 여성 신학자들이 지적하듯이 성경이 때로 억압을 정당화시키는 도구로 이용되어 왔다는 데 있다. 성경은 역사 속에서 가진 자, 지배자, 사회적 기득권자들의 이익을 지켜 주는 이데올로기로 사용되었으니 백인들은 흑인 억압을 정당화하기 위하여 흑인의 열등성을, 남성들은 여성의 열등성을, 가진 자들은 못 가진 자들을, 성직자는 평신도들에 대한 그들의 우위를 성경에 기대어 정당화해 왔다. 이처럼 성경이 특정 계층의 이익을 위한 이데올로기로 사용된 예는 오늘날 다양한 해방 신학들에 의해 노출되고 고발, 시정되고 있다. 그러나 이것보다 더 심각한 것은 성경 자체가 때로 억압과 차별, 특히 여성에 대한 차별을 정당화하고 있다는 데 있다. 성경은 가부장 사회에서 권력을 지닌 남자들에 의해 기록되었으며 그 남성 중심적 전제들을 구체화시키며 정당화한다. 많은 경우 성경은 남자들이 자기들의 이익을 위해 자기들의 이야기를 하려고 쓴 책이다. 실상 가부장제는 모든 종류의 차별 곧 계층 차별, 인종 차별, 식민지주의, 성차별, 그리고 성직자 중심주의의 근간이다.[13]

---

12 George Lindbeck, *The Nature of Doctrine*, 118.
13 성차별, 인종 차별, 계층 차별 사이의 내적 연관성에 대해서는 Rosemary Radford Ruether, *Sexism and God-talk: Toward a Feminist Theology* (Boston: Beacon Press, 1983). 좀더 쉽게 읽을 수 있는 것으로는 Ruether "feminists Seek Structural Change," *National Catholic Reporter* 20 (April 13, 1984), pp. 4-6.

샌드라 슈나이더의 말처럼 성서는 많은 부분에서 인간적으로, 도덕적으로 여성의 열등성을 당연시하며, 남성과의 관계에서는 여성을 단순히 생물학적인 역할로 환원시키고, 여성의 주도권을 대폭 축소시키며, 여성의 주도권을 죄악시한다. 성서는 남성의 우월성을 당연시하며, 결혼 제도의 안과 밖에 이중적인 성 윤리의 표준을 합법화시키며, 여성에 대한 남성의 폭력을 눈감아준다.14)

따라서 우리는 성서가 교회의 언어를 다시 주도해야 한다는 주장에 대해 좀더 조심스러워야 한다. 분명 린드벡의 말처럼 성서 언어의 회복이 교회가 세상에 대해 선한 사마리아인 역할을 할 수 있는 최선의 방안이기는 하나 이때의 성서 언어의 회복은 성서 본문을 문자 그대로 받아들이는 것을 뜻하지는 않는다. 성서에 대한 의심의 해석학 없이 단순히 성서 이야기를 문자 그대로 진리로 받아들일 때 성서는 억압적이 될 수 있다. 오히려 우리는 성서 안에 흘러내리는 해방적, 예언자적, 우상 파괴적 메시지에 근거해서 성서의 모든 본문들을 다시 읽어야 한다. 교회가 듣고 따라가며 그것에 의해 자기를 끊임없이 변화시키는 언어는 문자주의적으로 읽은 성서의 언어가 아니라 예수 그리스도를 통해 드러난 하나님의 생명 사랑의 마음을 담은 성서의 언어이어야 한다.

이외에도 린드벡의 주장은 다음의 몇 가지 문제를 가지고 있다. 첫째, 그에 따르면 마치 언어가 문법보다 앞서 있듯이 교회 안의 말씀(언어)은 그 사용의 규칙으로서의 교리보다 앞서 있고 또 우선권을 갖는다. 하지만 린드벡은 이 언어가 어떻게 교회 안에 와 있는지에 대해서는 아무런 언급을 하지 않는다. 그는 다만 그것이 이미 교회 안에 들어 있다는 데서 논의를 시작한다. 즉 그는 교회 안

---

14 Sandra Schneiders, "성서는 근대 후기적 메시지를 간직하고 있는가?" 세계 신학 연구원 편역, 『포스트모던 신학』 (서울: 동광 출판사, 1990), 126.

의 언어와 그 문법으로서의 교리의 관계를 정태적으로 이해한다. 하지만 린드벡의 주장과 달리 교리는 예수 그리스도의 생애와 죽음, 부활을 중심한 역사 속의 하나님의 자기 계시에 대한 교회의 성찰의 결과로 형성된 것이다. 즉 교리는 역사 속의 사건에 근거해 있으며 또 역사 속에서 형성되었으며 또 역사 속에서 끊임없이 수정, 변화, 발전되어 간다. 한 마디로 교리는 린드벡의 이해와 달리 역동적이며 역사적이다. 교리는 교회 안에 이미 주어진 언어에 대한 규정일 뿐 아니라 하나님의 말씀에 대한 교회의 계속된 성찰과 반성의 결과로 형성기 때문에 좀더 역사적으로 또 역동적으로 이해되어야 한다.

둘째, 린드벡은 교리에 대한 인지-명제적 이론을 '객관적 실재들에 대한 지식적 명제들 혹은 진리 주장들'로 보아 적절치 않은 것으로 거부한다. 그에 의하면 인지-명제적 이론은 인간이 결코 미칠 수 없는 하나님의 진리를 영원 불변한 객관적 교리로 표현하려는 의지주의적, 주지주의적, 문자주의 적인 시도에 불과하다. 하지만 린드벡의 이해와 달리 많은 고전적, 또 현대적 인지-명제론자들은 교리를 '영원불변한 객관적 진리'의 표현으로 보지 않는다. 이들은 어떤 교리적 표현도 영원한 하나님의 신비를 결코 온전히 묘사할 수 없음을 알고 있다. 하지만 동시에 이들은 성경과 기독교 전통에 근거해서 하나님과 그리스도, 그리고 인간 구원에 대해 부족하나마 어느 정도 이상의 신뢰할 만한 명제적 주장을 할 수 있다고 본다. 간단히 말해서 하나님에 관한 교리적 진술에는 인지적, 더 나아가 명제적 요소가 있다고 믿는다. 가령 성만찬 논쟁에서 루터, 칼빈, 쯔빙글리는 모두 그들이 주장하는 교리의 한계와 잠정성을 알고 있었다. 하지만 또한 그들은 그들의 주장이 옳다고 확신했다. 우리의 언어는 분명히 하나님을 온전히 표현할 수는 없으나 그래도 하나님을 희미하게라도 가리킬 수 있다. 린드벡은 이 차이가 하나님에 관한 모든 것은 명제적으로 표현될 수 있다는 주장과 교리는 어느 정도 이상 인지적, 명제적 형태로 표현될 수 있다는 주장 사이를 구별하지 않으면서 교리에 대한 모든 인지-명제적 모형을 거부하고 있다.15)

셋째, 린드벡에 의하면 교리는 객관적 진리 주장이나 보편적 종교 체험의 외적 표현이 아니라 교회 공동체의 삶을 규정하며 방향을 제시하는 일종의 규칙이다. 따라서 교리는 사실성(factuality) 아닌 교회 공동체 안에서의 기능성이란 측면에서 이해되어야 한다. 즉 우리가 교리에서 찾아야 할 것은 어떤 존재론적인 것 아닌 기능적인 것이며 이 점에서 교리에 대한 진리 주장(truth-claim)은 포기된다. 이는 교리는 어떤 보편적, 객관적 진리를 주장하는 것이 아니라 교회 언어를 사용하는 규칙이기 때문이다. 그러나 과연 교리에는 전혀 존재론적/객관적 요소가 없는가? 과연 교회가 그 가르침의 진리 주장을 완전히 포기할 수 있는가? 린드벡의 주장에 반하여 우리는 교리는 단지 교회 내의 언어를 규정하는 기능뿐 아니라 실재 세계와 상응하며 객관적인 진리 주장을 하는 기능을 가지고 있다고 보아야 한다. 즉 교리에는 단순히 기능적 요소만 있을 뿐 아니라 존재론적 요소도 있다. 기독교는 단순히 예수 그리스도의 정체성에 대한 해석이나 신앙의 문법에 대한 통일되고 일관된 설명만이 아니다. 그것은 예수의 진리됨에 대한 고백이며 그 객관적 사실성에 대한 선포이다. 교회는 그 선포와 그 선포에 대한 해석으로서의 교리의 진리성을 믿어 왔으며 이것이 표준적인, 또 정통적인 신앙 고백이었다. 물론 이 말이 기독교 신앙의 타당성을 객관적으로

---

15 기독교 교리를 명제적 형태로 기술할 수 있다는 주장은 곧 교리에 대한 어느 정도 이상의 진리 주장(truth claim)이 가능하다는 것과 연결되어 있다.

증명할 수 있다는 말은 아니다. 칼 바르트의 말처럼 기독교 신앙은 그 자체의 내적 논리와 기준을 가지고 있으며 결코 다른 기준에 의해 긍정될 수도 부정될 수도 없다. 이는 만약 우리가 어떤 다른 외적인 기준에 의해 기독교 신앙의 정당성을 확보할 수 있다면 이때 궁극적인 것은 하나님의 말씀이 아닌 인간의 보편적 이성 능력 같은 다른 것이 되기 때문이다. 따라서 신앙은 객관적으로 검증되고 증명될 수 없다. 하지만 이 말이 기독교 메시지가 객관적 합리성을 갖고 있지 않다는 말은 아니다. 기독교 메시지와 그 해석으로서의 교리는 분명 객관적 진리성을 가지고 있고 이 점에서 교리는 단순히 교회 내의 언어를 규정하는 것만이 아니라 그 자체로 진리 주장이다. 이 점에서 교리는 언어-문화적일 뿐 아니라 인지-명제적이다.

넷째, 아마도 린드벡의 가장 큰 공헌은 그가 경험-표현적 모형이라 부른 19세기 이후의 주도적인 교리 이해의 특징을 명확하게 언명했다는 데 있을 것이다. 그에 의하면 경험-표현 모형은 다음의 두 가지 근본적인 문제를 가지고 있다. 첫째, 하나의 공통되는 궁극적 실재에 대한 경험이 있다는 것은 결코 검증될 수 없는 하나의 가정에 불과하다. 둘째, 이 이론에 의하면 경험이 먼저 있고 그 외적 표현으로서의 특정한 언어-문화 체계인 종교가 형성되나 실제로는 경험과 언어 중 우선적인 것은 언어이다. 즉 종교 언어/문화가 이미 먼저 존재하고 이 것이 종교 경험을 유발하고 또 규정한다. 우리는 여기에다 다음의 두 가지 비판을 덧붙일 수 있을 것이다. 첫째, 어떤 교리는 인간 경험과 상반되며 그것과 충돌한다. 따라서 경험이 항상 교리로 표현된다는 것은 설득력이 약하다. 가령 루터의 십자가 신학은 하나님을 십자가의 수치와 패배, 그 굴욕에서 찾는다. 하지만 인간의 종교 경험은 하나님을 그 영광과 주권과 권세에서 찾는다. 이 점에서 만약 경험이 교리로 표현된다면 루터의 십자가 신학 같은 것은 결코 교리화될 수 없었을 것이다. 둘째, 우리가 경험에서부터 출발할 때 큰 문제 하나는 우리가 무슨 근거로 그 경험이 궁극적 실재의 경험 곧 종교적 경험이라고 말할 수 있느냐 하는 것이다. 그 경험이 종교적 경험임을 말하기 위해서는 우리는 종교적 경험 밖에서 그것을 평가, 판단할 준거점(point of reference)이 있어야 하나 경험-표현 모형에서는 이 같은 준거가 없으며 결국 그 진위 여부를 판단할 수도 없게 된다.16) 결국 종교 경험에 기초한 종교 이해는 진리의 기준 없는 상대주의로 끝날 위험이 있다.

하지만 언어와 경험의 관계는 린드벡이 말한 것보다 좀더 세밀하게 이해될 필요가 있다. 린드벡이 말하듯이 언어와 경험의 관계에서 우선성을 가지는 것은 언어이지만 그렇다고 경험이 언제나 언어에 의해서 수동적으로만 형성된다고 볼 수는 없다. 오히려 때로는 경험이 언어를 규정하며 또 형성한다고 말해야 한다. 실상 언어와 경험의 관계는 상호적이지 린드벡의 주장처럼 일방적일 수 없다. 즉 언어가 경험을 규정하고 유발하는 것은 사실이나 그 반대 곧 경험이 언어를 이끌며 또 형성하는 것도 때로는 사실이다. 즉 언어가 경험을 규정하지만 경험 역시 언어에 영향을 미치며 그 언어를 변화시킨다고 말해야 한다.

지금까지 우리는 린드벡의 탈자유주의 신학을 그의 책 『교리의 본성』을 중심으로 해서 검토해 보았다. 린드벡은 명제주의적 교리 이해나 경험의 표현으로서의 종교 이해를 다같이 거부한다. 그는 교리를 교회 안에서 권위를 가진 진술과, 태도와, 행위의 규칙으로

---

16 여기에서 나는 먹그레이스(Alister McGrath)의 비판을 따른다. 그의 책 *The Genesis of Doctrine: A Study in the Foundations of Doctrinal Criticism* (Grand Rapids: Eerdmans, 1990), 22-25.

이해한다.17) 그에게 있어서 종교와 그 교리의 관계는 마치 특정 언어가 그 문법과 맺는 관계와 같다. 교리는 한 언어 공동체로서의 교회 안에서 그 교회가 그 주어진 언어를 제대로 잘 이해하고 그 언어를 따라 살아가도록 조정하고 내적 일관성, 논리적 정합성을 유지하도록 하는 기능을 한다. 즉 교리는 명제주의자들이 말하는 것처럼 절대 불변의 객관적 진리를 표현하는 것이 아니고 경험-표현론자들이 보듯이 인간의 보편적 종교 체험을 개념화한 것도 아니며 오히려 그리스도 교회를 형성시켜 온 언어 곧 그 말씀을 내적 일관성을 가지고 서술하는 것이며 교회로 하여금 그 말씀과 일치되게 살아가도록 하는 것이다. 따라서 교리는 명제주의적 이해처럼 절대적인 것도 아니고 경험-표현주의에서처럼 상대적인 것도 아니며 오히려 기능적이다.

하지만 린드벡의 주장과 달리 우리는 교리를 좀더 심층적으로 이해할 필요가 있다. 첫째, 교회의 말씀(언어)은 그저 교회 안에 이미 주어져 있지 않다. 그것은 하나님의 역사 속의 구원 행위에 대한 교회의 성찰이며 이 점에서 이 말씀에 대한 해석으로서의 교리 역시 역사적인 시각에서 이해되어야 한다. 또한 교리는 교회 내의 언어에 대한 규정 곧 교회가 사용하는 언어의 내적 통일성을 이끄는 문법 혹은 시스템의 내적 일관성에 대한 규정만이 아니다. 교리는 하나님의 구원 사건에 뿌리 박고 있으며(비록 불완전하지만) 객관적 진리 주장을 한다. 또한 교리는 경험과도 연관되어 있다. 린드벡의 말처럼 분명 교회 공동체의 언어가 경험을 유발하며 또 그것을 규정하지만 또한 경험이 교회의 언어를 새롭게 하며 또 형성한다. 그렇다면 우리는 린드벡처럼 교리를 교회 안의 언어 사용에 대

---

17 Lindbeck, *The Nature of Doctrine*, 18.

한 규정으로만 이해하기보다 다른 두 가지 면 곧 즉 인지적-명제적 측면, 경험적-표현적 측면에서도 이해해야 할 것이다. 즉 우리는 교리가 교회의 언어를 규정하고 인도할 뿐 아니라 스스로 진리임을 주장하며 또한 종교 경험을 유발하고 인도하면서 동시에 종교 경험에 의해서 형성, 갱신된다고 말해야 할 것이다.